insel taschenbuch 4480
Barbara Beuys
Maria Sibylla Merian
Künstlerin – Forscherin – Geschäftsfrau

BARBARA BEUYS

Maria Sibylla Merian

Künstlerin – Forscherin – Geschäftsfrau

Mit zahlreichen Abbildungen

Insel Verlag

Für Arthur Marie,
geboren am 15. Oktober 2015 in Antwerpen

3. Auflage 2017

Erste Auflage 2016
insel taschenbuch 4480
Originalausgabe
© Insel Verlag Berlin 2016
Alle Rechte vorbehalten, insbesondere
das der Übersetzung, des öffentlichen Vortrags sowie
der Übertragung durch Rundfunk und Fernsehen,
auch einzelner Teile.
Kein Teil des Werks darf in irgendeiner Form
(durch Fotografie, Mikrofilm oder andere Verfahren)
ohne schriftliche Genehmigung des Verlages reproduziert
oder unter Verwendung elektronischer Systeme verarbeitet,
vervielfältigt oder verbreitet werden.
Vertrieb durch den Suhrkamp Taschenbuch Verlag
Umschlag: hißmann, heilmann, hamburg
Umschlagabbildungen: Bergian Library,
Stockholm University (Maria Sibylla Merian);
Bridgeman Images, Berlin (Passiflora Laurifolia)
Satz: Satz-Offizin Hümmer GmbH, Waldbüttelbrunn
Druck: CPI – Ebner & Spiegel, Ulm
Printed in Germany
ISBN 978-3-458-31680-0

INHALTSVERZEICHNIS

1. Die Patchworkfamilie. Ein weibliches Merian-Talent wird früh gefördert

Leben und Tod lösten einander in schnellem Takt ab, nichts Ungewöhnliches in diesen Zeiten.

1645: Am 5. Mai stirbt in Frankfurt im Alter von siebenundvierzig Jahren Maria Magdalena Merian, geborene de Bry. Achtundzwanzig Jahre war sie mit dem Verleger und Kupferstecher Matthäus Merian dem Älteren verheiratet und hatte acht Kinder geboren, von denen noch sechs leben. Nur drei Tage nach dem Tod seiner Frau betrauert der Vater auch den Tod seiner ältesten Tochter Susanna Barbara; sie wurde sechsundzwanzig Jahre alt.

1646: Am 27. Januar heiratet der zweiundfünfzigjährige Witwer Matthäus Merian in zweiter Ehe Johanna Sibylla Heimy (auch Heim oder Heimius, man nahm es damals nicht so genau mit den Schreibweisen); sie ist um das Jahr 1620 geboren. Dem angesehenen Frankfurter Bürger wird wegen »seines Leibes Unpässlichkeit und hohem Alter« von der lutherischen Geistlichkeit, wenn auch widerstrebend, eine »Privat-Copulation« in seinem Haus zugestanden.

1647: Am 2. April bringt Johanna Sibylla Merian eine Tochter zur Welt, die am 4. April auf den Namen Maria Sibylla Merian getauft wird. Mit der Familie leben noch zwei Kinder aus der ersten Ehe des Vaters, der zwölf Jahre alte Joachim, er geht aufs Gymnasium, und die sechzehnjährige Maria Magdalena. Die anderen drei Halbgeschwister der kleinen Maria Sibylla wohnen aufgrund von Heirat oder Berufstätigkeit nicht mehr im Frankfurter Elternhaus.

1649: Am 27. Mai wird dem Ehepaar Johanna Sibylla und Matthäus Merian ein zweites Kind geboren, Johann Maximilian.

1650: Am 19. Juni stirbt Matthäus Merian, sechsundfünfzig Jahre alt, im benachbarten Bad Schwalbach, wo er sich, wie schon seit einigen Jahren, bei einer Sommer-Kur von den Strapazen seines arbeitsintensiven Berufslebens erholt hat. Im August wird seine Witwe Johanna Sibylla mit den beiden kleinen Kindern von den Erben ausgezahlt, und die beiden Söhne aus seiner ersten Ehe, der Maler Matthäus Merian der Jüngere und der Kupferstecher Caspar Merian, übernehmen das international angesehene väterliche Verlags- und Druckhaus in Frankfurt am Main.

1651: Am 5. August heiratet die Witwe Johanna Sibylla Merian in Frankfurt den verwitweten Maler Jacob Marrel. Eine Patchwork-Familie entsteht: Johanna Sibylla bringt zwei, Jacob Marrel drei Kinder mit in die Ehe.

1651: Am 1. Dezember stirbt Johann Maximilian Merian, Maria Sibyllas kleiner Bruder. Auch die beiden gemeinsamen Kinder von Johanna Sibylla und Jacob Marrel, die 1654 und 1656 geboren werden, überleben das Säuglingsalter nicht.

Das Auf und Ab dieser Chronologie spiegelt die Erfahrungen und Eindrücke, die Maria Sibylla Merian in ihren ersten Lebensjahren aufnimmt. Da ist ein Vater, der wieder verschwindet, kaum dass er Konturen gewonnen hat. Da tauchen plötzlich zwei junge Männer auf, Matthäus und Caspar Merian, zwei Brüder, die ihr fremd sind, weil sie kaum noch ins Frankfurter Elternhaus gekommen sind. Da verlässt sie mit der Mutter und dem Säugling Johann Maximilian ihren Bruder Joachim und das Haus, in dem sie bisher zusammengelebt haben. (Maria Magdalena Merian, die Halbschwester, hatte sich inzwischen nach Augsburg verheiratet.) Und dann gibt es an der Seite der Mutter einen neuen Mann und neue Geschwister, neue Spielgefährten, mit denen Maria Sibylla nun den Alltag teilt: Sara acht, Franciscus sieben und Fredericus drei Jahre alt.

Natus Basileæ   A.º 1593. 22. Septéb.

Inclyta Chalcographus qui Regum gesta Ducumq̃,
    totq̃ Orbis partes ære typisq̃ dedit;
qui (rarum!) nunquam sumptus impendit inanes
    vulgatis, facie conspiciendus hic est
MATTHÆUS MERIAN, excellentissimus arte,
    unde vel invita Morte superstes erit.

Honoris ergo sculpsit et dedicare voluit
Francofurti Sebastianus Furck.

Amore artis & artificis f.
Lud. von Hortisgh Jun.& Med.D

1. Als der berühmte Verleger und Kupferstecher Matthäus Merian
der Ältere 1650 stirbt, ist seine Tochter Maria Sibylla drei Jahre alt.

Die Vierjährige erfährt das Leben als Kommen und Gehen, alles ist in Bewegung. Bisher unbekannte Menschen sitzen um den Tisch im neuen Zuhause. Werden sie bleiben? Was Maria Sibylla den Gewöhnungsprozess erleichtert: Bald entwickelt sich zwischen Jacob Marrel, dem neuen Familienoberhaupt, und der kleinen Tochter des berühmten Matthäus Merian eine vertrauensvolle Beziehung. Der Maler erkennt, dass Maria Sibylla das künstlerische Talent ihres Vaters geerbt hat; er fördert und ermutigt die Stieftochter in einem Tun, das für sie zur Konstante in der Unsicherheit ringsum wird. Jacob Marrels Unterstützung ist umso bemerkenswerter, als Maria Sibylla Merians Halbbruder Matthäus Merian der Jüngere die zweite Frau des verstorbenen Vaters und ihren neuen Ehemann äußerst abschätzig behandelt.

Als Matthäus Merian der Ältere im Juni 1650 starb, war sein Sohn Matthäus, 1621 geboren und inzwischen als Maler zu einigem Ruhm gekommen, auf dem Weg ins Hauptquartier der Schwedischen Armee in Wismar an der Ostsee. Dort warteten hohe Generäle und Prinz Carl Gustav, der zukünftige König, um sich von dem Frankfurter Künstler porträtieren zu lassen. Die hohen Herren verzichteten für diesmal auf seine Dienste, erlaubten die sofortige Rückreise und spendeten zweihundert Dukaten nebst einer goldenen Kette.

In seiner Autobiografie schreibt Matthäus Merian der Jüngere später, die Schweden beklagten »meines Vatters sel. Dott und rühmten seinen Fleiß, mich ermahnendte, ich sollte in dessen Fußstapfen tretten«. Gemeint war damit vor allem das *Theatrum Europaeum*, dessen kundige Fortsetzungsbände über Europas Geschichte der ältere Merian mit eindringlichen Kupferstichen erfolgreich herausgegeben hatte. Als er im August 1650 in Frankfurt ankam, traf Matthäus Merian der Jüngere nach den Worten seiner Autobiografie im Vaterhaus »alles im betrübten Standt« an. Es seien »lauter Brüder und Schwestern mit einer Stiefmutter vorhanden« gewesen, denen nur an einer »guten Erbschaft« lag, aber nicht am gedeihlichen Fortgang des väterlichen Verlags.

Johanna Sibylla, die zweite Frau des verstorbenen Verlagsinhabers, wurde ausbezahlt. Sie erbte »mit ihren beiden Kindern« neben Malereien, Kupferstichen und Gegenständen ein »schönes Stuck Geld«. Der jüngere Matthäus Merian lässt den Aggressionen, die er gegenüber seiner Stiefmutter hegte, in seinem Lebensrückblick freien Lauf: »Sie heurathete den 2. Mann, Morell, einen kleiner Mahler, mit welchem sie das gute Gelt verzehrt hatt …«

Es ist schwer vorstellbar, dass Matthäus Merian mit seiner Halbschwester Maria Sibylla, die in der Familie des Jacob Marrel lebte – auch seinen Namen gibt es in einigen Variationen, darunter Morell –, engen, gar herzlichen Kontakt hatte. An seiner Hochzeit mit der Tochter eines vornehmen Frankfurter Kaufmanns 1652 wird die Fünfjährige nicht teilgenommen haben. Matthäus Merian der Jüngere zog mit seiner jungen Frau in ein prächtiges Haus in der Eschersheimer Landstraße, das sogar der Große Kurfürst aus Brandenburg mit seinem Besuch beehrte. Er blieb als Porträtmaler bestens im Geschäft und repräsentierte den traditionsreichen Merian-Verlag nach außen. Sein jüngerer Bruder Caspar kümmerte sich um das Verlagsprogramm, die Druckerei und die Kupferstiche.

Mit dem Ruhm der Merian-Sippe konnte Jacob Marrel, 1613/14 geboren, nicht konkurrieren. Aber sein Vater war studierter Jurist und Stadtschreiber im südlich von Frankfurt gelegenen Frankenthal gewesen. Er selbst hatte in Frankfurt und Utrecht bei anerkannten Meistern eine solide Ausbildung als Maler erhalten, sich in der beliebten Blumenmalerei spezialisiert und in Utrecht einen Kunsthandel aufgebaut. Aufgrund einer üppigen Erbschaft kam Jacob Marrel 1650 an den Main zurück. Seine erste Frau war 1649 in Utrecht gestorben.

Die Malerei war ein ehrenwerter Handwerksberuf. Kaum hatte Marrel in Frankfurt seine Werkstatt eingerichtet, schickte ein wohlhabender Käsehändler seinen Sohn zu ihm in die Lehre. Abraham Mignon war elf Jahre, das übliche Alter, um mit einer Ausbildung zu beginnen. Ein zweiter Lehrling kam 1653 hinzu, der sechzehnjährige Johann Andreas Graff, sein Vater war Direktor eines Gymnasiums in Nürnberg.

Zwei, drei Jahre später wurde ein dritter Lehrling informell von Jacob Marrel in die handwerklichen Grundlagen der Malerei eingeführt – Maria Sibylla Merian, seine Stieftochter. Sie lernte zeichnen, den Umgang mit Wasser- und Ölfarben, das Mischen von Farben, die Grundierung einer Leinwand oder eines Pergaments und die sensible Technik des Kupferstechens.

Das junge Mädchen muss mit Zeichnungen oder Kopien, die sie anfertigte, ihrem Stiefvater aufgefallen sein und hat vielleicht selbst darauf beharrt, Unterricht zu bekommen. An Vorbildern war kein Mangel, denn Bücher mit Bildern gehörten zu den frühen Entdeckungen, die Maria Sibylla in ihrer ersten Familie machte, als der Vater noch lebte. Schließlich stellte Matthäus Merian der Ältere Bücher am laufenden Band her und entwarf selbst die meisten Kupferstiche. Eindringlicher noch als Landschaften und die berühmten Merian'schen Städteansichten waren für Kinderaugen die großen Folianten mit Zeichnungen von Tieren, Blüten und Blumensträußen. Doch bei aller Faszination für Bilder und die Malerei: Konnte ein weiblicher Lehrling in der Mitte des 17. Jahrhunderts eine Ausbildung zum Maler durchlaufen und das Erlernte womöglich als Beruf ausüben?

Ein kurzer Rückblick gibt eine unerwartete Antwort. Zu sehr hat das 19. Jahrhundert, als Bürgertöchter keinen Beruf erler-

2. Der Maler Jacob Marrel wird 1651 Maria Sibylla Merians Stiefvater. Er erkennt ihr künstlerisches Talent und bildet sie zur Malerin aus.

nen durften, weil standesgemäßes Frauenleben sich nur mit Kindern, am Herd und im häuslichen Salon abspielte, den Blick dafür verstellt, dass in ferneren Epochen Gleichberechtigung Realität war – bei Handwerkern wie bei Kaufleuten.

Die meisten Eintragungen im Kaufmannsbuch von Matthäus Runtinger beispielsweise, dessen Regensburger Unternehmen im hohen Mittelalter europaweit mit Gewürzen, Seiden und kostbaren Tuchen handelte, stammen von seiner Frau Margarete. Buchführung und komplizierte Rechnungen waren für sie kein Problem. Wie andere Kaufmannsfrauen verfügte sie über eine eigene Kasse. Als der Einkäufer der Runtingers sich 1398 auf den Weg nach Venedig machte, hatte er den Auftrag, auf ihre Kosten Gold und schwarze Bortenseide zu kaufen. Mit beidem würde Margarete in Regensburg ihre eigenen Geschäfte machen.

Die mittelalterliche Stadt hatte die Frau aus der Vormundschaft ihrer Verwandten und ihres Mannes befreit; sie wurde eine Person eigenen Rechts und war geschäftsfähig. Finster war dagegen die moderne Zeit. Als im deutschen Kaiserreich 1900 das Bürgerliche Gesetzbuch in Kraft trat, wurde die absolute Macht des Ehemannes über seine Frau und seine Kinder gegen den erbitterten Widerstand der Frauenbewegung zementiert. Er konnte jede geschäftliche Aktion der Ehefrau, sogar ihre Berufstätigkeit, ohne Rückfrage außer Kraft setzen. Erst 1977 verschwanden die letzten Reste dieser grundlegenden Diskriminierung von Frauen aus dem Gesetzbuch.

Ob Kaufmanns- oder Handwerksfamilie: Im Mittelalter war die Ehe durch viele Jahrhunderte eine Arbeitsgemeinschaft, in der Mann und Frau zum ökonomischen Erfolg beitrugen. Die Frau des Handwerkers verkaufte die Produkte ihres Mannes auf dem Markt; die Kaufmannsfrau vertrat ihren Mann in geschäftlichen Dingen, wenn er über Land reiste, um Waren einzukaufen. Auch Martin Luthers Ehefrau war kein Heimchen am Herd. Da der Reformator auf alle Einnahmen aus seinen Schriften, Büchern und Vorlesungen verzichtete, wurde Katharina Luther, die ehemalige Nonne, berufstätig. Sie machte aus dem verlotterten Wittenberger Kloster eine ansehnliche Pension, baute den Klostergarten aus, braute Bier und kaufte Land und Weinberge vor der Stadt.

Die mittelalterlichen Zünfte, in denen sich die Handwerker organisierten, kannten kein generelles Frauenverbot. Ein Blick in die Statistik der Frankfurter Zünfte zwischen 1300 und 1500 genügt: 65 Berufe waren reine Frauensache, bei 17 hatten Frauen die Mehrheit, bei 38 waren Frauen und Männer zu gleichen Teilen vertreten und in 81 besaßen Männer die Mehrheit. In Köln arbeiteten Frauen sogar bei den Harnischmachern. Ihre Paradezunft aber war die Seidenweberei. Allein zwischen 1513 und 1580 wurden am Rhein 222 Meisterinnen und über 700 Lehrmädchen in die Zunftrolle eingetragen. Nicht wenige der Meisterinnen waren berufstätige Ehefrauen. Der Kaufmann schaffte die Ware heran, und seine Frau leitete als Meisterin einen Betrieb für die Weiterverarbeitung.

Hundert Jahre nach der Reformation war Martin Luthers Eheleben kein Vorbild mehr. Die protestantischen Pfarrer hatten sich im 17. Jahrhundert zu einem eigenen akademischen Stand gemausert, der auf sein soziales Ansehen sehr bedacht war. Eine Pfarrersfrau im Handwerksberuf oder mit unternehmerischen Geschäften wie Katharina Luther wäre unterhalb ihres Standes gewesen, ein sozialer Abstieg auch für den Pfarrgemahl. Und auf der Kanzel hätte sie ihren Mann natürlich nicht vertreten können. Zugleich bildete sich mit dem absolutistischen Staat, der eine effiziente Verwaltung brauchte, der Beamtenstand heraus. Er war ausschließlich Männern vorbehalten – meist Juristen –, deren Frauen nicht mehr als Teil einer ehelichen Arbeitsgemeinschaft aktiv sein konnten. Der Zugang zur Kanzlei oder zu Besprechungen bei Hofe war ihnen selbstverständlich versperrt. Beamten- und Pastorenfrauen verlegten sich darauf, ihren Männern ein gemütliches und entspannendes Zuhause zu schaffen. Bei den Zünften sah es nicht ganz so düster aus. Aber der Horizont für berufstätige Frauen verengte sich, als jene Zeit begann, die wir die »Neue« nennen. Die Zunftbrüder sahen in ihnen nun vor allem die Konkurrenz und verwehrten Frauen zusehends eine handwerkliche Ausbildung.

Trotzdem gab es kein schlagartiges Ende der bürgerlichen Frauenarbeit. Das barocke Jahrhundert war eine Übergangszeit. In einigen Städten wurde den Töchtern von Meistern ausdrücklich erlaubt, weiterhin den Beruf ihrer Väter zu erlernen. Die Ausbildung von Maria Sibylla Merian am Beginn der zweiten Hälfte des 17. Jahrhunderts war zwar ein Auslaufmodell für Frauen, aber noch keine Ausnahme. Etliche anerkannte, professionelle Malerinnen würden ihren Weg kreuzen. Noch war die mittelalterliche Tradition lebendig, die Frauen eine Teilhabe am Berufsleben möglich machte. Es sagt auch etwas aus über Jacob Marrel, dass er sich dieser Tradition verpflichtet fühlte und Maria Sibylla neben den beiden männlichen Lehrlingen in seiner Kunst unterrichtete.

2. Frankfurt am Main: Die Minderheit der reformierten Flüchtlinge bringt Wohlstand, internationales Flair und fördert starke Persönlichkeiten

Die Familie bleibt der engste Kreis in den ersten Lebensjahren, auch wenn die Menschen wechseln, die dazu gehören. Aber eines Tages geht es hinaus in die Welt – und wenn es nur die Straßen der Heimatstadt sind, die Maria Sibylla an der Hand eines vertrauten Erwachsenen erstmals erlebt. Frankfurt ist nicht nur eine geschäftige Handels- und Messestadt. Am Main wird seit 1562 der Kaiser des Heiligen Römischen Reiches Deutscher Nation gewählt und gekrönt: spektakuläre politische Demonstration und grandioses Volksfest in einem. Maria Sibylla war elf Jahre alt, als am 1. August 1658 Leopold I. im Frankfurter Dom gekrönt und im Kaisersaal des Römer, wo sonst der Rat der Stadt tagte, mit einem glanzvollen Mahl geehrt wurde.

3.   Der Römerberg ist das geschäftige Zentrum von Frankfurt am Main, wo die Merian aufwächst und 1665 den Maler Johann Andreas Graff heiratet. Er hat diese Stadtansicht in Kupfer gestochen.

Zu Krönungszeiten war die Stadt am Main über Wochen im Ausnahmezustand. Hohe Herren samt Dienerschaft und Pferden mussten einquartiert und verpflegt, repräsentative Bauten im Zentrum auf Hochglanz gebracht und die Stadtbewohner unterhalten werden. Ein englisches Wandertheater spielte auf den Plätzen. Auf dem Römerberg floss aus einem öffentlichen Brunnen roter und weißer Wein, Münzen und Brot wurden unter das Volk geworfen, das arbeitsfrei bekam. Da blieb niemand im Haus oder in seiner Kammer. Warum sollte Maria Sibylla mit ihrem Stiefvater und den zwei anderen Lehrlingen nicht bei den vielen Menschen gewesen sein, die am Straßenrand für prächtige Prozessionen Spalier standen oder sich bei den Gauklern und Feuerwerken vergnügten?

Vielleicht nutzte Caspar Merian die Krönungswochen im Sommer 1658, um seine kleine Halbschwester wiederzusehen. Der Einunddreißigjährige war seit sechs Jahren mit einer Nürnberger Bürgertochter verheiratet und viel auf Reisen. Die Krönungstage 1658 erlebte er in Frankfurt, um die Kupferstiche für das offizielle Krönungstagebuch herzustellen, das er im Merian-Verlag als Kunstbuch herausgab und das guten Gewinn brachte. Der Gedanke eines Wiedersehens drängt sich auf, weil Maria Sibylla Merian auf ihrem späteren Lebensweg engen Kontakt mit dem zwanzig Jahre älteren Halbbruder Caspar hatte. Zu Matthäus Merian dem Jüngeren sind ähnliche freundlich-familiäre Beziehungen nicht bekannt.

Die Krönungstage im Sommer 1658 gingen nahtlos in den Trubel der beliebten Frankfurter Herbstmessen über, die traditionell am Montag nach dem Fest von Mariä Geburt, dem 8. September, begannen. Zehn Jahre zuvor, 1648, war nach dreißig zerstörerischen Kriegsjahren endlich Frieden ausgerufen worden. Auch Frankfurt, das ohne schwere wirtschaftliche Einbrüche durch die Kriegszeit gekommen war, profitierte vom

Aufschwung. Für Einkäufer und Verkäufer, gelehrte Gäste und Reisende aus vielen Ländern war die Stadt wieder zu einem beliebten Treffpunkt geworden. Sie nutzten die Gelegenheit, sich an den Ständen der Druckereien und Verlage, die dicht an dicht die Buchgasse unweit vom Römerberg säumten, zu informieren. Die Neuheiten aus dem Verlagshaus Merian zählten zu den begehrtesten.

Der Römerberg mit seinen prachtvollen Fachwerkhäusern war das Herz der Stadt. Hier kauften Bürgerinnen und Dienstboten ein, was die Haushalte zum Leben brauchten. Auch Maria Sibylla wird in Begleitung der Mutter an den Marktständen entlanggezogen sein. Am östlichen Rand tauchte aus dem Häusergewirr der Turm des Doms auf. In wenigen Minuten erreichte man den mächtigen Bau aus rotem Sandstein mit seinem großen offenen Portal. Kinder möchten es genauer wissen: »Können wir da hineingehen?« – »Nein, es ist eine katholische Kirche, und wir sind nicht katholisch.«

Das gleiche Frage-und-Antwort-Spiel hätte sich wiederholen können, wenn Maria Sibylla mit der Mutter oder dem Stiefvater vom Römerberg wenige Schritte in Richtung Süden ging. Dort ragte linker Hand hinter einer Häuserfassade das Dach der Barfüßerkirche mit seinem hohen zierlichen Glockenturm in den Himmel. (Heute steht dort die Paulskirche.) »Können wir da hingehen?« – »Nein, es ist eine lutherische Kirche, und wir sind nicht lutherisch.«

Irgendwann wird dem jungen Mädchen aufgefallen sein, dass aus ihren Familien – seien es die Verwandten von Vater Merians Seite, ihre Mutter oder der Stiefvater Marrel – niemand jemals dem Ruf der Glocken folgte, um die Gottesdienste in Frankfurts Kirchen zu besuchen. Alle Menschen im engen Kreis um Maria Sibylla gehörten zu einer christlichen Minderheit. Sie waren Reformierte, die der Theologie des Genfer

Predigers Johannes Calvin folgten. Sie durften in der Freien Reichsstadt Frankfurt unbehelligt leben und arbeiten und mussten ihren Glauben nicht verheimlichen. Aber unter dem Druck der lutherischen Geistlichkeit verweigerte der Rat der Stadt ihnen ein eigenes Kirchengebäude. Woher diese Abneigung, diese Angst vor der Konkurrenz? Waren nicht Lutheraner und Reformierte aus dem gleichen Stamm der Reformation gewachsen? Ein kurzer Blick zurück auf die Gründungsväter der beiden protestantischen Konfessionen erklärt einiges.

Im Oktober 1517 befestigte der Mönch und Doktor der Theologie Martin Luther am Portal der Wittenberger Schlosskirche fünfundneunzig theologische Thesen, mit denen er die katholische Kirche reformieren wollte. Seine Forderungen erwiesen sich als religiöses Dynamit, das die römische Papstkirche sprengte und Europas konfessionelle Landschaft von Grund auf und für immer veränderte. Mit seiner Botschaft *Von der Freiheit eines Christenmenschen* setzte Martin Luther bei den Gläubigen eine Heilssuche in Gang, die kein Kirchengericht und kein noch so flammendes Kanzelwort wieder aus der Welt schaffen konnte.

Johannes Calvin, 1509 im französischen Noyon geboren und studierter Jurist, gehörte zur zweiten Generation der protestantischen Reformatoren. Er verehrte Martin Luther, doch seine Theologie unterschied sich in wichtigen Ansätzen von dessen Lehre und führte zu einer eigenen Konfession. Calvin bestand auf der Prädestinationslehre, nach der jeder Mensch noch vor seiner Geburt von Gott für die ewige Seligkeit oder die ewige Hölle prädestiniert wird. Das war für ihn allerdings kein Grund zum Fatalismus. Calvin verband diese radikale Festlegung mit der Aufforderung zu einem aktiven, kämpferischen Leben, um Gott die Ehre zu erweisen. Ein reformierter Christ soll diese Welt nicht duldend und leidend ertragen, sondern zur höheren Ehre Gottes verändern. Der Reformator, der in Genf seine

Ioh. Calvinus Theologus

Natus Novioduni X. Iul. MD IX.
Denatus Genevæ. XXVII Maij M DL XIIII.

Gallia me recipit doctore & Scotia Christum:
Pastorem sepelit culta Geneva suum.

Con. Meyer feict.

4. Die Anhänger von Johannes Calvin (1509-1564), Calvinisten oder Reformierte genannt – zu denen auch die Familien Merian und Marrel gehören –, sind für die Lutheraner eine verhasste religiöse Konkurrenz. Doch das stärkt nur ihr Selbstbewusstsein.

zweite Heimat fand und dort sein Kirchenregiment durchsetzte, hatte Sendungsbewusstsein und Organisationstalent und forderte Gleiches von seinen Anhängern.

Johannes Calvin baute allein auf die Gemeindestrukturen und lehnte höhere kirchliche Hierarchien, wie sie die Lutheraner mit ihren Landeskirchen und Bischöfen einführten, ab. Von Demokratie oder Mitbestimmung allerdings hielt er gar nichts. Doch indem Calvin die Mobilisierung des Einzelnen für seinen Glauben stärkte, förderte er unbewusst einen religiösen und lebenspraktischen Individualismus. Er machte Reformierte bei allen Einschränkungen frei, sich auf einen persönlichen Glaubensweg zu begeben und sich zugleich in einem Beruf selbstbewusst und erfolgreich zu verwirklichen.

Als Johannes Calvin 1564 in Genf starb, hatte sich seine Vorstellung vom wahren Christentum scharf von der Lehre Martin Luthers abgegrenzt. Umgekehrt waren den Lutheranern die Calvinisten – auch Reformierte genannt – nicht weniger verhasst als die Katholiken. Die beiden protestantischen Konfessionen sahen sich als Konkurrenten im Kampf um das Seelenheil. Das Land des deutschen Reformators war kein Missionierungsfeld für die Reformierten. Dafür gewannen sie Anhänger jenseits der Schweizer Grenze in Frankreich. Und die französischen Calvinisten trugen ihren Glauben nach Norden in die Spanischen Niederlande, wo die katholischen Habsburger bis an die holländische Nordseeküste herrschten.

In den sieben nördlichsten Provinzen der spanischen Habsburger, den heutigen Niederlanden, wurde der Calvinismus zum Motor einer Freiheitsbewegung, die unter Führung des Hauses Oranien-Nassau 1581 ihre Unabhängigkeit von den spanischen »Tyrannen und Rechtsbrechern« erklärte. Im Krieg gegen die Fremdherrschaft entstand die Republik der Vereinigten Provinzen der Niederlande, mit denen das mächtige Spanien schon 1609 einen Waffenstillstand schloss. Als erstes Land in Europa gewährten die Niederlande Religionsfreiheit, wenn auch der Calvinismus, unter der Bezeichnung Reformierte Kirche, die prägende und privilegierte Konfession des neuen Staates blieb.

In den südlichen Gebieten der sogenannten Spanischen Niederlande, dem heutigen Belgien und Luxemburg, konnten die Habsburger in erbitterten Kämpfen ihre politische und religiöse Vormachtstellung halten. Die Folge war eine Welle von Religionsflüchtlingen – Reformierte vor allem und einige wenige Lutheraner –, die in Richtung Deutschland zogen, weil der andauernde Unabhängigkeitskrieg der niederländischen Republik ihnen keine Lebensperspektive bot. Die Handelsstadt Frankfurt am Main, im Schnittpunkt europäischer Fernwege und Wasserstraßen, besaß für die calvinistischen Unternehmer und Kaufleute, die ihr Kapital, ihr wirtschaftliches und technisches Know-how und ihre Beziehungen als leichtes Gepäck mit auf die Flucht nahmen, eine große Attraktion.

Und die Stadt am Main öffnete ihnen die Stadttore. Frankfurt hatte sich schon 1533 dem lutherischen Protestantismus angeschlossen. Doch als Freie Reichsstadt – neben Augsburg, Nürnberg und Regensburg – duldete sie in ihren Mauern unterschiedliche christliche Glaubensrichtungen. Im Gegensatz zu adligen Territorien, wo die Konfession des Landesherrn für alle Untertanen verbindlich war.

Im Jahr 1595 lebten rund zwanzigtausend Menschen in Frankfurt, bis zu viertausend von ihnen waren Flüchtlinge aus Religionsgründen, vor allem aus den Spanischen Niederlanden. Sie machten aus Frankfurt eine offene, lebendige, wohlhabende Stadt. Zu den vielen, die am Main eine neue Heimat fanden, gehörte der Goldschmied und Kupferstecher Theodor de Bry aus Lüttich. Wegen seines reformierten Glaubens war er aus Lüttich nach Straßburg geflohen, ließ sich 1588 mit seiner Familie endgültig in Frankfurt nieder und gründete einen Verlag, der es mit den ersten Reisebüchern über Asien und Amerika zu Ansehen und Erfolg brachte. Nach dem Tod des Vaters 1594 übernahm der Sohn Johann Theodor de Bry, »Buchhändler und Kunststecher«, Maria Sibylla Merians Großvater mütterlicherseits, den Verlag.

Leben und Geschäfte machen durften die Reformierten am Main. Doch jahrzehntelang stritten sie vergebens mit dem Rat der Stadt Frankfurt, ihnen eine eigene Kirche oder wenigstens private Gottesdienste zu gestatten. 1601 gab es für den 1561 geborenen Johann Theodor de Bry und seine Glaubensgenossen endlich eine positive Wende. Den Reformierten wird eine kleine Holzkirche an der Bockenheimer Landstraße zugewiesen.

Als die 1608 abbrennt, gibt es nicht nur keinen Wiederaufbau. Der Rat der Stadt verbietet den Reformierten endgültig, eine eigene Gemeinde zu bilden, Gottesdienste abzuhalten und die wichtigsten Lebensstationen von den Riten ihrer Konfession begleiten zu lassen. Taufen und Heiraten müssen nach lutherischem Ritus vollzogen und in die Register der lutherischen Gemeinden eingetragen werden. Auch Maria Sibylla Merian wurde zwei Tage nach ihrer Geburt lutherisch getauft, obwohl ihre Eltern überzeugte reformierte Gläubige waren.

Johann Theodor de Bry will diese Veränderung zum Schlechten nicht hinnehmen. 1609 erklärt er dem Rat der Stadt, Abschied von seinen Bürgerrechten zu nehmen, da ihm und seinen Kindern die freie Ausübung seiner Religion erschwert werde. Er zieht wie andere Frankfurter Reformierte mit Frau und Kindern ins nahe Oppenheim, wo sie ihren Glauben öffentlich leben können. Die Kunstdruckerei und der Verlag allerdings bleiben in Frankfurt.

1616 stellt sich der in Basel geborene Kupferstecher Matthäus Merian dem Verleger und Kupferstecher Johann Theodor de

Bry in Oppenheim vor. Der Zweiundzwanzigjährige wird Mitarbeiter im de Bry'schen Verlag, und seine Kupferstiche verschaffen dem ohnehin erfolgreichen Unternehmen weiteres Ansehen. Im Februar 1617 heiratet Matthäus Merian die älteste Tochter seines Chefs, die achtzehnjährige Maria Magdalena de Bry. Die Religion ist kein Heiratshindernis, denn der Ehemann wurde als Schweizer im reformierten Glauben getauft und erzogen. Nach dem Tod seines Schwiegervaters übernimmt Matthäus Merian 1626 das Geschäft in Frankfurt. Der geniale Kupferstecher gibt dem Unternehmen seinen Namen und macht es zu einem der führenden Verlagshäuser in Europa.

Von Frankfurt aus knüpft Merian ein internationales Netzwerk gelehrter Autoren, deren Werke für den Aufbruch der modernen Wissenschaften in Europa stehen – in Medizin, Technik, Naturforschung. Die universale, weltoffene Bildung verbindet sich bei Matthäus Merian ab den 1630er Jahren ohne Widersprüche mit einer sehr persönlichen, spirituellen Frömmigkeit. Auf der Grundlage seines reformierten Glaubens, den er nicht verlässt, verlieren für ihn kirchliche Strukturen, theologische Festschreibungen und konfessionelle Grenzziehungen immer mehr an Bedeutung. Der christliche Glaube wird für den Verleger zu einer individuellen Kraft, die nicht an Formeln, sondern an emotionale Erfahrungen und innere Bekehrungserlebnisse gebunden ist.

Matthäus Merian ist mit dieser Glaubenserfahrung, deren kirchenkritische Wurzeln bis ins Mittelalter zurückreichen, nicht allein, und er handelt. Zum einen tauscht er sich in einem intensiven Briefwechsel mit Gleichgesinnten in anderen Städten aus, vor allem in Nürnberg. Dort haben sich kleine Gruppen abseits der großen Kirchen zusammengefunden, überzeugt, einen direkten Zugang zu den göttlichen Geheimnissen zu haben. Außerdem nutzt Matthäus Merian seine beruflichen

Möglichkeiten, um für dieses erneuerte Christentum zu werben. Er druckt ohne Angaben von Druckort und Autoren Traktate und Bücher, die eine beißende Kritik an der etablierten lutherischen Kirche und ihren Repräsentanten, den Pfarrern, mit dem Bekenntnis zu einem neuen Glauben verbinden. Denn es sind die Lutheraner, die im Namen ihres Gründers eine grundlegend reformierte Kirche versprochen haben und in diesen Schriften nun an diesen Versprechungen gemessen werden.

Der geachtete Verleger und Bürger ist bereit, ein Risiko einzugehen. An einen Unbekannten schreibt Matthäus Merian im Oktober 1637, er werde ein »bewusstes Traktätlein« drucken, auch wenn es in Frankfurt verboten sei, »denn alles, was nach dem Geist und der Wahrheit riecht, das stinkt unsere Geistlichen und Weltlichen an …« Tatsächlich beschwert sich 1639 die lutherische Geistlichkeit beim Rat der Stadt, weil sich »Ketzereien und Sekten« in Frankfurt eingenistet hätten. Die Buchdrucker, die eigentlich alle theologischen Schriften dem Predigerkollegium zur Zensur vorlegen müssten, druckten »ohne Unterschiede, was ihnen gefällt«. Der Rat soll diese »hochschädlichen, giftigen Bücher« verhindern. Auch der Name Merian steht in der Beschwerde.

Nicht nur diesmal halten sich Frankfurts weltliche Herren zurück und spielen die Angriffe der Geistlichkeit herunter. Sie haben das Ansehen und das Wohlergehen der Stadt im Blick, das durch die Geschäfte des Merian-Verlags kräftig befördert wird. Sein Inhaber kann weiterhin produzieren, »was ihm gefällt«. Und Matthäus Merian lässt sich 1647 nicht nur aus Altersgründen zu Hause trauen. Rat und Geistlichkeit geben schließlich ihre Zustimmung, obwohl sie wissen, dass der reformierte Unternehmer die Trauung in einer lutherischen Kirche vermeiden will. Er ist eine einflussreiche Persönlichkeit in der Stadtgesellschaft, die man nicht verlieren möchte.

Das professionelle und geistige Netzwerk von Matthäus Merian spannt sich über ganz Westeuropa. Befreundete Familien schicken ihre Söhne in seine Werkstatt, um das Handwerk des Kupferstechers und die Geschäfte des Verlegers zu lernen, und die jungen Menschen sind Teil der Merian-Familie. Im November 1643 schreibt Matthäus Merian dem Vater eines seiner Schüler ein großes Lob nach Zürich, das nicht der weltlichen Tüchtigkeit seines Lehrlings, sondern seiner inneren, geistlichen Entwicklung gilt. Der Sohn lebe »als ein rechtes Kind Gottes und Bürger des neuen Jerusalem frommiglich und in Reinigkeit des Geistes als ein von oben herab wieder gebohrenes Kind Gottes. Möchte nichts mehr auf Erden wünschen, als dass meine Kinder auch also gesinnet wären.«

Das Ideal von Matthäus Merian: im Innersten neu geboren, wiedergeboren zu werden, schon in dieser Welt, nicht erst im Jenseits, und nicht durch Kanzelpredigten und die Vermittlung geistlicher Autoritätspersonen, sondern durch eine persönliche, direkte Zuwendung Gottes zu seinem »Kind«. Was nach kindlicher Frömmigkeit und einem weichen, gemütvollen Glauben klingt, wurzelt in einer starken Persönlichkeit. Die Frankfurter Reformierten waren eine Minderheit im großen Meer des Luthertums, ohne kirchliche Strukturen und öffentlich anerkannte pastorale Führer. Unter diesen Umständen konnte den reformierten Glauben seiner Vorfahren nur bewahren, wer sich seiner selbst und der calvinistischen Sicht auf Gott und die Welt, wie er sie als Kind im Kreis der Familie erfahren und in sich aufgenommen hatte, gewiss war. Wer in frühen Jahren diese private Glaubens- und Lebensschule durchlief, hatte gelernt, in eigener Verantwortung, ohne Angst und ohne Rücksicht auf die Mehrheitsmeinung oder angebliche Autoritäten zentrale Lebensentscheidungen zu treffen.

Matthäus Merian gab seinen Kindern aus erster Ehe diese reformierte Gesinnung mit. Maria Sibylla, die Tochter aus zweiter Ehe, war drei Jahre alt, als ihr Vater im Sommer 1650 starb. Im Jahr darauf ging ihre Mutter, auch ein Mitglied der reformierten Gemeinde, eine zweite Ehe ein. Der Geist, den Matthäus Merian in seinem Brief nach Zürich beschrieb und den er sich für seine Kinder wünschte, wird auch die Kindheit von Maria Sibylla geprägt haben.

Für Matthäus Merian, den gebürtigen Schweizer aus Basel, waren sein Beruf als Künstler und Verleger und sein reformiert-spiritueller Glaube die zwei Säulen seiner Existenz. Undenkbar, dass er eine Frau geheiratet hätte, die seine reformierte Grundeinstellung und seine Überzeugung einer direkten, persönlichen Beziehung zwischen Gott und dem einzelnen Menschen nicht teilte.

Seine zweite Frau, Johanna Sibylla Heimy, Maria Sibyllas Mutter, kam wie Merians erste Frau aus einer Immigrantenfamilie, die wegen ihres reformierten Glaubens aus den Spanischen Niederlanden geflohen war. Sie lebte vor ihrer Heirat bei ihrem Bruder, einem reformierten Prediger, in Hanau. Dort hatte der calvinistische Landesherr den Reformierten – im Gegensatz zum nahen Frankfurt – eine eigene Kirche und die öffentliche Ausübung ihrer Konfession erlaubt.

Im August 1646, nur wenige Monate nach seiner zweiten Heirat, erhielt Matthäus Merian einen Brief aus Nürnberg. Einer seiner dortigen Freunde, mit dem ihn seit Jahren ein gemeinsamer christlicher Glaube abseits der orthodoxen Kirchenstrukturen verband, lag im Sterben und verabschiedete sich von »Herrn Merian, dem Älteren, und seiner Hausfrau samt allen den Ihrigen«. Wenige Jahre zuvor hatte sich der Verleger »zur reformierung des iezigen heidnischen Christentums« bekannt. Ein kritischer Glaube, der die gesamte Familie Merian verband.

Jacob Marrel, den die Witwe Johanna Sibylla Merian im Sommer 1651 in zweiter Ehe heiratete, kam ebenfalls aus einer Immigrantenfamilie. Sein Großvater war als Reformierter aus Burgund geflohen und hatte sich in Frankfurt als Juwelier niedergelassen. Marrel hatte seine Ausbildung als Maler in Frankfurt und im calvinistischen Utrecht erhalten. Er lebte dort ab 1630, bevor er als Witwer mit drei Kindern 1650 zurück an den Main kam. Durch seine Heirat mit der Witwe des berühmten älteren Merian wurde Jacob Marrel der Stiefvater von Maria Sibylla Merian. Auch wenn es nicht die berühmte Merian-Familie war: Das Mädchen wuchs in einem weltoffenen Milieu auf, von Kunst und Büchern umgeben und in einem Glauben, der auf die Kraft des Individuums setzte.

3. Der Anfang ist gemacht: Malen und Forschen

Neben seiner eigenen Blumenmalerei versuchte Jacob Marrel in Frankfurt, wie es sich schon in Utrecht bewährt hatte, mit dem Verkauf niederländischer Meister eine solide Einnahmequelle für seine neue, sechsköpfige Familie zu etablieren. Doch die Geschäfte gingen nicht gut. 1659 kehrte er vorläufig nach Utrecht zurück, um dort seine Beziehungen als Kunsthändler zu aktivieren. Vor der Abreise übertrug Meister Marrel seinem Schüler Abraham Mignon, inzwischen neunzehn Jahre alt, die weitere Ausbildung seiner Stieftochter Maria Sibylla Merian. Auf diese Weise bekam die Zwölfjährige die Chance, mit zwei sehr gegensätzlichen Malstilen vertraut zu werden.

Mit dreizehn Jahren hatte Jacob Marrel 1627 in Frankfurt bei Georg Flegel, dem größten deutschen Stillleben-Maler der Barockzeit, seine Lehre begonnen, und er blieb dessen einziger Schüler. Die Stadt am Main war das deutsche Zentrum jener Stilrichtung, die – von Holland und Flandern kommend – ganz Europa in ihren Bann zog. Georg Flegel, 1566 im böhmischen Olmütz geboren, lebte seit 1592/93 in Frankfurt und hatte sich im Gegensatz zu seinen Malerkollegen nicht auf wenige Bildmotive beschränkt. Statt nur Blumen, nur Fische oder Austern, nur Fleisch, Käse und andere Nahrungsmittel darzustellen, tischten seine mit Ölfarben auf Holz gemalten Stillleben alles auf, was Küche und Keller zu bieten hatten – Mäuse, ein Papagei, tote Vögel inbegriffen, dazwischen kleine Käfer und Insekten –, im hellen Licht des Tages und bei warmem Kerzenschein.

Die Stillleben des Georg Flegel sind von einer zeitlosen Faszination, weil seine Malkunst feinste Genauigkeit mit vitaler Lebendigkeit, greifbaren Naturalismus mit kühler Eleganz verbindet. Mag Flegels Tisch noch so reich gedeckt sein, alles ist perfekt kombiniert, fügt sich malerisch zu einer harmonischen Einheit.

Auch wenn Jacob Marrel, der 1630 zu seiner weiteren Ausbildung nach Utrecht ging, sich auf Blumenmalerei spezialisierte, ist er durch Flegels Techniken und seinen Mal-Blick geprägt worden. In seinem Besitz werden Blätter des berühmten Lehrers gewesen sein, die Maria Sibylla als Vorlage zum Kopieren nutzen durfte und an denen sie ihrerseits ihren künstlerischen Blick schulen konnte.

Ganz anders der junge Abraham Mignon, zweifellos ein großes Talent, der in übervollen Blumenbildern schwelgte, die nach seinem frühen Tod 1679 horrende Preise erzielten. Seine prall gefüllten Vasen scheinen den Rahmen sprengen zu wollen. Es war eine ideale malerische Variationsbreite, die Matthäus Merians Tochter bei ihren zwei Lehrmeistern kennenlernte, verbunden mit meisterlichen Techniken. Ihre späteren Werke bezeugen, dass Georg Flegel ihr künstlerisches Vorbild wurde und seine präzisen Darstellungen der Natur sich ihr tief eingeprägt haben.

Der zweite Lehrling Marrels, Johann Andreas Graff, hatte sich 1658 auf künstlerische Wanderschaft nach Italien begeben. Ohne den Stiefvater, der in Utrecht Geld verdiente, war es ab 1659 noch stiller im Haus geworden. Maria Sibylla arbeitete allein mit Abraham in der Werkstatt. Hatte sie so mehr Zeit, eigene Wege zu gehen? Im Jahr darauf geschah etwas, das ihrem Leben eine entscheidende Wende gab: »Diese Untersuchung aber habe ich in Franckfurt 1660, Gottlob, angehebt ...« Was die neununddreißigjährige Maria Sibylla Merian in einer Art »Studienbuch« über den zeitlichen Beginn ihrer Forschungen preisgibt, hat die Achtundsechzigjährige 1705 im Vorwort ihres Buches über die *Verwandlung der surinamesischen Insekten* bekräftigt und präzisiert: »Ich habe mich von Jugend an mit der Erforschung der Insekten beschäftigt. Zunächst begann ich mit Seidenraupen in meiner Geburtsstadt Franckfurt am Main.«

Wie kommt ein dreizehnjähriges Mädchen aus bürgerlicher Familie im Jahre 1660 dazu, sich mit Seidenraupen zu beschäftigen? Maria Sibylla Merian macht dazu keine Angaben. Da sie in Frankfurt unter reformierten Christen aufwuchs, liegt eine Erklärung auf der Hand. Frankfurt war ein Zentrum der Seidenindustrie. Seidenraupen-Farmen lieferten von außerhalb Seidenfäden als Rohstoff: Eine Seidenraupe kann einen bis zu neunhundert Meter langen Seidenfaden spinnen. In den Manufakturen am Main wurde das Material verarbeitet, gefärbt, mit Mustern versehen und exportiert. *Processed*

Die Unternehmer, die dieses Geschäft betrieben, stammten aus niederländischen und französischen Immigrantenfamilien, die das Know-how zusammen mit ihrem reformierten Glauben nach Frankfurt gebracht hatten. Die Seidenraupe, kein Ausbund von Schönheit, aber außerordentlich fleißig, wurde zum Symbol der wohlhabenden reformierten Minderheit unter Frankfurts Bürgern. *Verkaufsschlager = Bestseller*

Auch der Bruder von Maria Sibyllas Stiefvater, Johann Lucas Marrel, hatte sich 1638 als Seidenhändler und Seidensticker am Main niedergelassen. Doch der Dreißigjährige Krieg nahm kein Ende, zerstörte die Handelswege, und teure Seide war nun kein Verkaufsschlager mehr. Johann Lucas Marrel gab sein Geschäft auf, etablierte sich erfolgreich im Weinhandel und als Gastwirt im »Roten Männchen«, wo man auch solide übernachten konnte.

Die Brüder Marrel hielten Kontakt. Jacob Marrel wird mit seiner Familie im »Roten Männchen« zu Besuch gewesen sein. Der Stiefonkel konnte Maria Sibylla viel erzählen über die Seidenraupen, ihre erstaunlichen Aktivitäten und ihre Verwandlung in einen Schmetterling. Eine faszinierende Geschichte

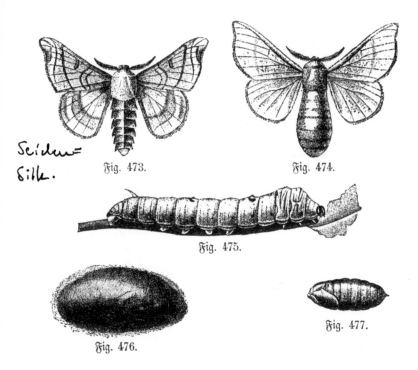

Seiden=
Silk.

Fig. 473.　　　　　Fig. 474.

Fig. 475.

Fig. 476.

Fig. 477.

5. 1660 untersucht die 13-jährige Maria Sibylla erstmals an einem Seidenspinner, wie aus einer Raupe ein Schmetterling wird; der Beginn ihrer Pionierarbeit als Raupenforscherin.

für Erwachsene und Kinder. Vielleicht hat der ehemalige Seidenhändler seine wissbegierige Nichte eines Tages mit einer lebendigen Raupe überrascht. Aber nicht erst unter den Anhängern von Johannes Calvin in Frankfurt spielten die »Seidenraupen« eine wichtige Rolle.

Der französische Edelmann Olivier de Serres war ein exzellenter Kenner der Landwirtschaft. Sein *Théatre d'Agriculture*, erschienen im Jahr 1600, wurde trotz seiner rund tausend Seiten ein Klassiker der Agronomie. Auch der Seidenwurm fand darin seinen Platz – »ein hässliches Tier, aber Gott hat ihn gewürdigt, Fürsten und Könige zu kleiden«. Neben der Landwirtschaft engagierte sich Olivier de Serres in der reformierten Gemeinde. Aufklärung über die Natur und ein fester Glaube an Gott, den Schöpfer aller Dinge und aller Kreaturen, waren für ihn kein Gegensatz.

Johannes Calvin, Begründer der reformierten Kirche, preist in seinen Schriften die Natur als das »Theater der Herrlichkeit Gottes« und predigte seinen Anhängern, das »schöne Schauspiel der Natur« zu bewundern. Die innige Beziehung Calvins zur Natur prägte die Lebens- und Weltanschauung seiner Gläubigen so sehr, dass im barocken Zeitalter ungewöhnlich viele französische Gärtner und Landschaftsarchitekten aus den reformierten Gemeinden kamen.

Sein Vermächtnis, die *Institutio christianae religionis*, hat Johannes Calvin 1559 abgeschlossen. In diesem »Unterricht in der christlichen Religion« geht es um Gott und das ewige Leben, aber ebenso um das lebenspraktische Verhalten der Calvinisten in dieser Welt. Im 10. Kapitel des 3. Buches der *Institutio* hat Calvin eine dreifache Botschaft, was die Natur betrifft. Kräuter, Blumen und Früchte sind von Nutzen für den Menschen, aber das ist nicht alles – »sie sollen auch freundlich anzusehen sein und feinen Wohlgeruch haben«.

Für den Genfer Prediger hat die Natur außerdem eine ästhetische Funktion, die von Gott gewollt ist. Aus Calvins christlicher Schöpfungstheologie folgt, dass der göttliche Schöpfer »den Blumen eine solche Schönheit verliehen« hat, damit die Menschen daran »Gefallen empfinden«. Die Blumen haben einen »angenehmen Geruch«, damit die Menschen »mit Lust daran schnuppern«. Die unterschiedlichen Farben sind geschaffen worden, »damit die eine anmutiger ist als die andere« und diese Vielfalt des Menschen Herz erfreut. Dass diese »schöne Ordnung der Welt« als »Spiegel dient, in dem wir allenthalben den unsichtbaren Gott erschauen können«, ist auf der Grundlage eines Schöpfergottes nur logisch.

Für seine dritte Botschaft bekräftigt Johannes Calvin, dass Welt und Natur nicht von einem »allgemeinen Geist« göttlicher Substanz beseelt sind. Für ihn ist die Natur »die von Gott gesetzte Ordnung, es ist schädlich, ihn mit seinen Werken zu vermischen«. Das ist eine gründliche Absage an jede Art von Pantheismus. Zugleich erwächst aus dieser Trennung zwischen Gott und seiner Schöpfung für den gläubigen Calvinisten die Freiheit, die Natur nicht nur zu bewundern, sondern ihr auch mit kritischem Verstand zu begegnen. Johannes Calvin ermuntert seine Anhänger ausdrücklich, sich mit den noch »verborgenen Dingen« zu beschäftigen, »deren näherer Erforschung die Sternkunde, die Medizin und die gesamte Naturwissenschaft dient«.

Damit ist eine Spur gelegt, die direkt nach Frankfurt führt, in das Verlagshaus von Matthäus Merian – und zu seiner Tochter Maria Sibylla. Das internationale Verlagsprogramm, wie es der Calvinist Matthäus Merian, Mitglied der reformierten Gemeinde, seit den 1630er Jahren erfolgreich aufgestellt hat, besteht einerseits aus Büchern, in denen sich eine Kultur der Schönheit und Ästhetik entfaltet. Daneben erscheinen zunehmend Publikationen, die einen neuen forschenden Blick auf die Natur werfen, sich genauer Beobachtung und bisher unbekannten Erscheinungen verpflichtet fühlen. Beide Buchprogramme erhalten durch die kongenialen Kupferstiche von Matthäus Merian ihre besondere Qualität und Anschaulichkeit.

Kurz vor seinem Tod im Jahre 1650 brachte Matthäus Merian mit dem ersten Band der *Historia naturalis animalium* noch ein gewaltiges Werk auf den Weg. Verfasser ist der Mediziner und Naturforscher John Jonston, der 1603 in Polen geboren wurde, wohin sein schottischer Vater aufgrund seines protestantischen Glaubens geflüchtet war. Jonston, der Lehrstühle in Leiden, Frankfurt und Heidelberg ausschlug, blieb Privatgelehrter. Ihm lag daran, das Wissen seiner Zeit zu bündeln und in Büchern für ein breites interessiertes Publikum verständlich aufzubereiten.

Nach dem Tod des älteren Matthäus Merian setzten seine Söhne Matthäus und Caspar Merian die Herausgabe von Jonstons *Naturgeschichte der Tiere* in insgesamt fünf Bänden bis 1653 fort. 248 Kupfertafeln mit 2859 Abbildungen von Tieren zu Land, zu Wasser und in der Luft wurden gestochen, um die 1025 Textseiten zu illustrieren. Für den Protestanten Jonston war es selbstverständlich, in seinem Vorwort darauf hinzuweisen, dass ein gründlicher Blick in die Natur Gottes Macht und Güte fördere. Dies vorausgesetzt, stellt er fest, dass ein kritisches Herangehen zur allgemeinen Bildung gehöre und viel interessanter sei als die veraltete Naturphilosophie des Aristoteles, die immer noch die Universitäten beherrsche. Sein Plädoyer für eine Erforschung der Natur gipfelt in einer fast paradiesischen Aussicht: »Wir sind beinahe Gott ähnlich, wenn wir die Natur, ihre eigenen Mechanismen nutzend, durch Fortentwickeln, Umfunktionieren, Umgestalten … Umlenken, Zerlegen, Abtrennen usw. zwingen, sich uns gewissermaßen zu unterwerfen und uns zu dienen.«

Es ist kaum vorstellbar, dass wichtige Merian-Ausgaben, die europaweit zum Haushalt der Gebildeten gehörten, bei Familie Marrel – und damit bei Merians Witwe und der jüngsten Tochter – nicht auf dem Bücherbord standen; zum Beispiel der fünfte Band von Jonstons *Naturgeschichte*, der 1653 erschien. Er handelt von »Insekten, Schlangen und Drachen«. Schon Sechsjährige können die Abbildungen der unzähligen Tiere mit Staunen erfüllen. Und mit jedem Jahr, das sie älter wurde, kann beim Blick in diesen prächtigen Band Maria Sibylla Merians Bewunderung und Wissen über die faszinierende Welt der Natur, vor allem der Insekten, gewachsen sein. Und mit dem genauen Blick, den sie beim Malen und Zeichnen schulte, wird Maria Sibylla aufgefallen sein, dass in Jonstons Buch unter den Raupen und Faltern allein für die Seidenraupe und ihre Verwandlung zwei Bildtafeln reserviert waren.

Anregungen und Vorbilder gab es demnach genug. Im Alter von dreizehn Jahren – 1660, wie sie es selbstbewusst für die Nachwelt festgehalten hat – vertauschte Maria Sibylla die Theorie mit der Praxis und begann »mit der Erforschung der Insekten« anhand von Seidenraupen. So, wie sie es für spätere Untersuchungen beschrieben hat und ihr ganzes weiteres Leben hielt, wird es auch am Anfang gewesen sein. Das junge Mädchen füttert in einer Spanschachtel, die geschlossen, aber mit Luftlöchern versehen ist, über Tage und Wochen eine Seidenraupe. Es beobachtet, wie das Tier mit dem Spinnen des Seidenfadens beginnt und nach acht Tagen von einem festen Seidenkokon umgeben ist.

In Jonstons *Naturgeschichte* konnte sie jede Entwicklungsstufe ihres Experimentes anhand der Zeichnungen verfolgen und vergleichen. Aus diesem leblos erscheinenden Kokon, den sie später »Dattelkern« nennt, würde in der Regel nach acht Tagen ein lebendiger Schmetterling schlüpfen. Es waren spannungsreiche Tage, in denen Maria Sibylla immer wieder in die Schachtel schaute. Vielleicht hatte sie Glück und erlebte den Endpunkt der Verwandlung von der Raupe zum Schmetterling mit eigenen Augen.

Als Maria Sibylla Merian 1705 die *Verwandlungen der surinamesischen Insekten* herausbrachte, ein ehrgeiziges Buchprojekt – auf Latein und Niederländisch – für die »Kenner der Kunst als auch die Liebhaber der Insekten«, hat sie, fast sechzigjährig, die Anfänge ihrer »Forschungen« ausführlich beschrieben. Sie waren schon für die Dreizehnjährige keine Laune des Augenblicks, sondern wurden mit Überlegung und Leidenschaft vorangetrieben. Die Beobachtung der Seidenraupen und ihre Verwandlung war erst der Anfang.

Neugierig geworden, begann das junge Mädchen, andere Raupen ins Haus zu holen, zu füttern, sorgsam zu behandeln und mit noch mehr Spannung zu warten, welche Arten von Schmetterlingen den Kokon verlassen würden: »Danach stellte ich fest, dass sich aus anderen Raupen viel schönere Tag- und Eulenfalter entwickelten als aus Seidenraupen. Das veranlasste mich, alle Raupen zu sammeln, die ich finden konnte, um ihre Verwandlung zu beobachten. Ich entzog mich deshalb aller menschlichen Gesellschaft und beschäftigte mich mit diesen Untersuchungen.«

Sich für Raupen zu interessieren ist das eine. Bei Maria Sibylla Merian traf dieses Interesse bereits früh mit einem anderen Talent, einer weiteren Leidenschaft zusammen: »Dabei wollte ich mich zugleich in der Malkunst üben und sie alle nach der Natur zeichnen und beschreiben, wie ich auch alle Insekten, die ich zunächst in Frankfurt und danach in Nürnberg habe finden können, für mich selbst sehr genau auf Pergament gemalt habe.« Forschung und Kunst, Kunst und Forschung sind bei Maria Sibylla nach ihrer eigenen Auskunft von Anfang an eine ausgewogene Partnerschaft eingegangen. Es gab keinen Bruch. Sie war nicht hin- und hergerissen, sondern führte die beiden Begabungen auf ideale Weise zusammen.

In Nürnberg, ihrem zweiten Lebensmittelpunkt, lebt Maria Sibylla Merian ab 1668; davon wird ausführlich zu erzählen sein. In Frankfurt ist sie zwischen 1660, ihrem dreizehnten, und 1668, ihrem einundzwanzigsten Lebensjahr, intensiv damit beschäftigt, Raupen zu sammeln und zu beobachten, bis dem Kokon ein Falter entspringt. Parallel dazu zeichnet sie die einzelnen Phasen dieser Entwicklung auf und hält alle farblichen Nuancen fest. Aber nicht nebenher, sondern als jemand, der in der Malkunst meisterhaft ausgebildet wird und auch als Künstlerin höchste Ansprüche an sich stellt.

Viel menschliche Gesellschaft, vor der Maria Sibylla sich hätte zurückziehen müssen, gab es nicht im Haus. Der Malschüler Abraham Mignon teilte weiter seine Kenntnisse mit ihr; ein Vertrauter wird er nicht gewesen sein. Auch ihre Stiefschwester Sara gehörte noch zum Haushalt. Caspar Merian, ihr Halbbruder, der sie noch an die väterliche Familie band, war 1660 mit seiner Frau nach Amsterdam gezogen und dort Teilhaber in einem Verlagshaus geworden. Jacob Marrel, der Stiefvater, war mehr ab- als anwesend. Dagegen erscheint die Beschäftigung mit den Raupen für das junge Mädchen in der Zeit der Pubertät als verlässliche Konstante, ein eigenes Revier, in dem sie sich zu Hause fühlte.

Nach zwei Jahren Utrecht kam Jacob Marrel 1661 für einen kurzen Aufenthalt nach Frankfurt zurück. Er nutzte die Gelegenheit, ein kleines Kunstbuch herauszugeben, mit dem junge Menschen das Zeichnen (»reißen«) lernen sollten: *Artliches und Kunstreichs Reißbüchlein für die ankommende Jugendt zu leh-*

ren, insonderheit für Mahler, Goldschmidt und Bildhauer zusammengetragen und verlegt durch Jacob Marrel, Bürger und Mahler in Frankfurt 1661. Marrel verließ die Stadt schnell wieder in Richtung Utrecht – wie stets ohne seine Frau, Maria Sibyllas Mutter, von deren Persönlichkeit nichts überliefert ist, so dass nicht einmal ein Schatten sichtbar wird.

1663 ist Jacob Marrel wieder in Frankfurt. Er bleibt den Winter auf 1664, aber das Kommen und Gehen nimmt auch in diesem Jahr kein Ende. Als Marrel wieder die Sachen für Utrecht packt, schließt sich ihm diesmal der vierundzwanzigjährige Abraham Mignon an. Da trifft es sich gut, dass 1664 Marrels ehemaliger Lehrling Johann Andreas Graff nach sechsjährigem Italien-Aufenthalt, vor allem in Venedig und Rom, an den Main zurückkehrt und sich als ausgebildeter Maler in Marrels Werkstatt einrichtet. Als er nach Italien aufbrach, war Maria Sibylla elf Jahre alt. 1664 ist sie siebzehn und Johann Andreas siebenundzwanzig Jahre alt.

Am 16. Mai 1665 heiraten in Frankfurt am Main Maria Sibylla Merian und Johann Andreas Graff. Mit Graff heiratete erstmals ein Lutheraner in die reformierten Familien der Braut – von Vaters wie von Mutters Seite – ein. Doch die unterschiedliche Konfession, die in der Stadt ohnehin das Monopol hat, scheint kein Hindernis gewesen zu sein. Im Jahr darauf heiratet Sara Marrel, Maria Sibyllas Stiefschwester, einen Frankfurter Kaufmann und verlässt das Haus. Jacob Marrel kommt zur Hochzeit und ist gleich wieder fort. Obwohl Johann Andreas Graff in seiner Heimatstadt Nürnberg ein Haus besitzt, lebt das Ehepaar weiter im Haushalt von Maria Sibyllas Mutter. Alle Vermutungen, warum die Jungverheirateten keinen eigenen Hausstand gründen, sind von keinerlei Quellen oder verlässlichen Hinweisen gestützt.

Die Tage der jungen Frau Graff sind angefüllt mit Spaziergängen an der frischen Luft, um Raupen zu suchen. Sie füttert und beobachtet die Tiere sorgfältig zu Hause; sie zeichnet die verschiedenen Entwicklungsstufen auf Pergament und am Ende der Verwandlung den Schmetterling oder die Motte, die entschlüpfen. Unabhängig davon wird Maria Sibylla eigenständige Bilder gemalt und ihre Techniken und Feinheiten der Zeichen- und Malkunst weiter verfeinert haben.

Den überwiegenden Teil des Jahres 1667 ist sie schwanger. Am 5. Januar 1668 kommt in Frankfurt Maria Sibylla Graffs erste Tochter zur Welt und wird auf den Namen Johanna Helena getauft. Nach den Aufzeichnungen ihrer Mutter ist die dreiköpfige Familie Graff im gleichen Jahr nach Nürnberg gezogen und nicht erst 1670, wie es in den bisherigen Biografien hartnäckig überliefert wird.

Das sogenannte »Studienbuch«, in dem Maria Sibylla ab 1686 ihre Raupen-Notizen, die sie durch alle Jahre auf vielen Zetteln gemacht hat, ordnet und fortführt, enthält kaum chronologische Hinweise auf ihr privates Leben. Das macht die Jahreszahlen, mit denen sie in diesen Aufzeichnungen einige wenige Spuren legt, umso glaubwürdiger.

Maria Sibylla Merian ist offensichtlich daran gelegen, ihre Jahre in Nürnberg als Ehefrau von Johann Andreas Graff genau zu dokumentieren. Als diese Zeit hinter ihr liegt, schreibt sie ins »Studienbuch«: »Alß ich aber 1682 (nach 14 Jähriger Wohnung zu Nürnberg durch Gottes Schickung) wieder nach F am Mayn zoge …« Daraus ergibt sich, dass die junge Frau im Jahre 1668 mit Mann und Kind ihre erste Reise antrat und erstmals Frankfurt verließ. Vierzehn Jahre lang wird das »Haus zur goldenen Sonne« am Milchmarkt in Nürnberg, heute Dürerplatz, für Maria Sibylla Graff, geborene Merian, eine zweite Heimat sein.

4. Als junge berufstätige Ehefrau und Mutter in Nürnberg. 1675: Das *Erste Blumenbuch* erscheint

Mit einundzwanzig Jahren befindet sich Maria Sibylla Merian zum ersten Mal fern von der Familie, in der sie aufgewachsen ist; zum ersten Mal ist sie verantwortlich für einen eigenen Haushalt mit Mann und Kind. Viel Zeit zum Einleben scheint sie nicht benötigt zu haben. Wie gewohnt betreibt sie in Nürnberg und Umgebung ihre zeitaufwendige Raupenforschung. Das Haus am Milchmarkt füllt sich schnell mit Schachteln und ihrem lebendigen Inhalt. Aber das reicht Maria Sibylla Graff, geborene Merian, nicht. Sie hat eine Idee und nutzt die für sie günstigen Nürnberger Umstände.

Seit über einer Generation bestanden enge Beziehungen zwischen Nürnberger Familien und den Merians in Frankfurt. Matthäus Merian der Ältere, Maria Sibyllas Vater, führte mit gleichgesinnten Christen in der Stadt an der Pegnitz einen regen Briefwechsel. Man stärkte sich gegenseitig in einem Glauben, der die versteinerten Strukturen der etablierten Kirchen scharf kritisierte und in einer persönlichen Frömmigkeit, einer inneren »Wiedergeburt« und einer direkten Beziehung zu Gott sein Heil suchte. Für die lutherischen Pastoren, die in Frankfurt und Nürnberg das Konfessionsmonopol besaßen, auch wenn Calvinisten und Katholiken toleriert wurden, waren diese radikalen Christen gefährliche »Schwärmer und Ketzer«. 1650 hatte Caspar Merian, Maria Sibyllas Halbbruder, der nach dem Tod des Vaters Mitinhaber des berühmten Verlagshauses war, in eine dieser befreundeten Nürnberger Familien eingeheiratet.

Wohlwollende Aufnahme konnte Maria Sibylla auch bei Joachim von Sandrart erwarten. Er galt damals als Deutschlands größter Maler, hatte enge familiäre Kontakte zu Nürnberg – und

nicht weniger vertraute Beziehungen zur Merian-Dynastie. Sandrart, geboren 1606, war noch von Matthäus Merian als Maler
und Zeichner ausgebildet worden, und der gab Sandrart später
seinen Sohn Matthäus Merian den Jüngeren in die Lehre. Wir
werden bald hören, wie sehr Joachim von Sandrart die jüngste
Tochter seines Lehrmeisters schätzte und das buchstäblich aller Welt kundtat.

Die Freie Reichsstadt Nürnberg, wenngleich an Einwohnern
viel kleiner als Frankfurt, bot den breit gestreuten Interessen
der jungen Frau eine Menge Anregungen. Die stolze Kennzeichnung als »der Franken Rom, des Reiches Herz« bezog sich
auf eine ruhmreiche mittelalterliche Vergangenheit; auf große Künstler und Kunsthandwerker, auf die Reichsinsignien
– darunter Krone, Schwert und heilige Lanze –, die auf der Burg
über der Stadt lagerten und zur Krönung jedes neuen Kaisers
feierlich nach Frankfurt gebracht wurden. Der Ruhm Albrecht
Dürers, Nürnbergs bedeutendsten Sohnes, war unauslöschlich
und seine Bilder hingen in so manchem kunstliebenden Patri-
zierhaus.

Und das wohlhabende Bürgertum verschloss sich auch der
neuen Zeit nicht. 1622 wurde im benachbarten Städtchen Alt-
dorf eine Universität gegründet – die hatte Frankfurt nicht –;
ihr Schwerpunkt lag auf den modernen Naturwissenschaften,
Technik, Astronomie, Chemie. Es herrschte ein reger, offener
Gedankenaustausch zwischen der akademischen und der bürgerlichen Welt. Die Universität war nur Männern zugänglich.
Aber solange es nicht um eine akademische Ausbildung ging,
förderten die bürgerlichen Eltern auch ihre Töchter.

Das war der Ausgangspunkt für Maria Sibyllas Idee: Sie gründete eine »Jungfern-Compagnie«, in der sie Töchter aus gutbür-
gerlichen Nürnberger Familien im Malen und Zeichnen, Sticken
und Nähen unterrichtete. Außerdem verkaufte sie ihren Schü-

lerinnen alle dazu nötigen Utensilien. Der Erfolg ließ nicht lange auf sich warten.

Die junge Frau hatte eine geschäftliche Nische gefunden, in der sie ihre Fähigkeiten einsetzen konnte und ihr berühmter Name zusammen mit den Nürnberger Kontakten ihrer Familie von Nutzen war. Das jedoch funktionierte nur, wenn Maria Sibylla Graff nicht schüchtern zu Hause saß, sondern ihre Idee und ihre Talente selbstbewusst den richtigen Leuten verkaufte. Zu ihren Schülerinnen aus angesehenen Familien gehörten auch Magdalena Fürst und Dorothea Maria Auer. Sie wurden zusätzlich von ihren Künstler-Vätern unterrichtet und traten später als Malerinnen und Kupferstecherinnen an die Öffentlichkeit.

Maria Sibylla Merian muss eine kontaktfreudige Persönlichkeit gewesen sein, die aus ihrer Leidenschaft, der Raupenforschung, kein Geheimnis machte. Sie stieß damit in Nürnberg keineswegs auf Befremden. Der jungen Frau öffneten sich über ihre Schülerinnen prächtige Gärten, der Stolz bürgerlicher Familien. Das Interesse an ungewöhnlichen Pflanzen und Tieren, vor allem den Insekten, war seit dem Beginn des 17. Jahrhunderts Teil der aufbrechenden Neugier, alles über diese Welt zu erfahren – in fernen Ländern ebenso wie in der heimischen Natur.

Der Zuzug aus Frankfurt war bald im Kreis derer akzeptiert, die in Nürnberg Einfluss und Wohlstand besaßen. Die Frau des Malers Graff wurde mit ihren ausgefallenen Aktivitäten ernst genommen und regte andere Frauen an, mitzumachen und ihre Unterstützung zu zeigen: »Eine dergleichen (dem Ansehen nach gantz schöne) Raupe, ist, 1672, auß Regenspurg, von deß damahligen Nürnbergischen Herrn Abgesandten Fraw Ehe-Liebstinne, in einem Schächtligen, nach Nürnberg, alß ein angenehmes Praesent geschickt und von mir angenommen worden ...«

In Regensburg tagte seit Jahrhunderten der Reichstag, in dem

44

die Reichsstände – der Adel, die hohe Geistlichkeit, kleinere Herren, die Freien Städte und die Reichsstädte – ihre Interessen gegenüber dem Kaiser vertraten und Gesetze, die das ganze Reich betrafen, verabschiedeten. Ein umständliches, aber wichtiges föderales Gremium, das sich seit 1663 »Immerwährender Reichstag« nannte und bis 1806 Bestand hatte. Der Reichstagsgesandte der Freien Reichsstadt Nürnberg wollte 1672 während der monatelangen Sitzungsperiode nicht allein sein, wenn er abends in sein Quartier kam. Und während der Herr Gemahl mit seinen Kollegen aus dem Reich über Anträge und Vorlagen diskutierte, machte sich seine Frau auf Raupensuche. Nicht zum Zeitvertreib, sondern ernsthaft bemüht, ein schönes Exemplar zu finden und der »Frau Gräffin« in einer Schachtel als Geschenk zu schicken. Das spricht für intensive Kontakte zwischen den beiden Frauen in Nürnberg, die über lockeres Geplauder weit hinausgingen.

Die Regensburger Raupe der Frau Gesandtin ist nach der Notiz, die Maria Sibylla Merian machte und Jahre später in ihr »Studienbuch« eintrug, »verstorben und verdorben«, obwohl sie bei der Ankunft in Nürnberg »noch lebendig« war. Sie fügt

6. Von 1668 bis 1682 lebt Maria Sibylla Graff, geborene Merian, in Nürnberg. Sie ist Ehefrau und Mutter von zwei Töchtern und vielfach beruflich engagiert, unter anderem als Lehrerin und Autorin.

gewissenhaft hinzu, dass sie damals nicht wusste, was die »ordentliche Speise« dieser Raupe war. Als die Expertin Jahre später ein gleiches Exemplar findet, ist sie klüger.

Aus dem »Studienbuch« wissen wir, dass die Familie des Malers Johann Andreas Graff in Nürnberg einen Garten hat. Während das Haus »Zur goldenen Sonne« sich mit Raupenschachteln füllt, ist auch hier Maria Sibyllas Reich: »Alß ich im Anfang July, einmal in meinen Garten, (neben der Schloßkirchen oder keyserlichen Schloß-Capell in Nürnberg) so wohl die Blumen zu besehen, alß Raupen zu suchen, hinauf gienge, fand ich sehr viel grünen Morast auf den grünen Blättern der Goldgelben Lillien …« Sofort ist ihre Neugier geweckt. Mit einem »Stäblein« rührt sie im Morast und findet »sehr viel kleine rothe runde thierlein, wie Käfferlein, gantz dicht mit den Köpfen beysammen sitzend, und gantz unbeweglich, wann ich sie schon hart anrührete«.

Es ist ein ungewohntes Deutsch, nicht selten sperrig und verwickelt, bisweilen schwierig für unsere Ohren, das aus den Originalzitaten von Maria Sibylla Merian und ihren Zeitgenossen über drei Jahrhunderte hinweg zu uns spricht. Etliches wiederum geht leicht von der Zunge, enthält witzige Vergleiche und Bilder, die uns längst fremd geworden sind. Gerade diese Fremdheit, die uns über die Sprache das Flair einer anderen Zeit vermittelt, soll nicht durch Übertragungen in heutiges Deutsch verwischt werden. Wer die Originalzitate laut liest, wird sich schnell hineinfinden.

Wir wissen nicht, welches Schuhwerk Maria Sibylla Graff in ihrem Garten und in der freien Natur trug. Es muss solide gewesen sein, um auch in Gräben längs der Landstraßen und in morastigen Wäldern festen Tritt bei der Raupensuche zu bieten. Kleider und Röcke bedeckten selbstverständlich die Knöchel. Aber für die Arbeit in Blumen- und Gemüsebeeten waren

feine Stoffe unangebracht, Gleiches galt für ihre Forschungsarbeit in freier Natur. Da dürfen wir uns Maria Sibylla in gro-
bem Tuch vorstellen. Auf säuberlich gepflegten Wegen fand
sie ihre Raupen selten.

Zupacken konnte sie und kannte keinen Ekel, weder vor Raupen, die sich in Erde verbuddelt hatten, noch vor den kleinen
roten Tieren, die sich im Morast festkrallten. Sie nahm etliche
an jenem Julitag »mit nach Hause, zu untersuchen, was doch
darauß werden möchte. Sie blieben in dem unsaubern Morast
also liegend.« Längst war sie keine Dilettantin mehr bei ihren
Untersuchungen. Sie wusste: Ihr Experiment – ob und welche
Verwandlung die Käfer durchmachen würden – hielt kritischen
Nachfragen nur stand, wenn die Tiere bei ihr zu Hause in dem
gleichen morastigen Umfeld lebten wie im Garten und das gleiche Futter bekamen, Blätter von der Lilie.

Es ist das Phänomen der Verwandlung in der Natur, dem die
Merian in immer neuen Variationen auf die Spur kommen
möchte: »Es wurden mir einmal zu Nürnberg drey junge Lerchen lebendig gebracht den Eilfften Augusti, welche ich getödt.«
Drei Stunden später, als die toten Vögel gerupft werden sollten, »da waren siebzehn dicke Maden ... an ihnen«, obwohl
die Tiere die ganze Zeit zugedeckt waren.

Jede andere Hausfrau hätte Vögel nebst Maden angeekelt in
den Abfall getan. Die Frau des Malers Graff jedoch ist sogleich
im Forschungsmodus. Das Objekt der Neugierde wird genau
untersucht: »Diese Maden hatten keine Füß, und kundten sich
doch fest an den federn halten.« Dann wird die faszinierende
Entdeckung getrennt von den übrigen Haushaltssachen aufbewahrt. Am andern Tag folgt die nächste Überraschung: Die
Maden »veränderten sich in dergleichen gantz braune Eyer«.
Würden Tiere – und was für welche? – aus den Eiern schlüpfen,
oder würden die Eier vertrocknen, verderben?

Daneben ging der Alltag für die junge Frau Graff weiter: der Unterricht in der »Jungfern-Compagnie«; die Raupen in ihren Schachteln mussten täglich gefüttert und beobachtet und jede Veränderung musste gezeichnet und notiert werden, bei Tag und bei Nacht. Die Schmetterlinge, die aus dem einen oder anderen Kokon schlüpften, richteten sich nicht nach dem Ablauf eines geordneten Haushalts. Wie viel Zeit blieb für die kleine Johanna Helena, 1668 geboren, und den Ehemann? Fühlte sich Johann Andreas Graff vernachlässigt, oder war er stolz auf Maria Sibyllas ungewöhnliche Tätigkeit, die bei befreundeten Familien Anerkennung fand und sich in Nürnberg herumgesprochen hatte?

Der geduldige, genaue Blick auf die braunen Eier, wenn sie einen Augenblick Zeit hatte, war Routine für Maria Sibylla. Doch wahrscheinlich blieben Anspannung und Neugier ein wichtiger Teil der Faszination, seit sie sich als Dreizehnjährige erstmals mit einer Seidenraupe beschäftigt hatte. Bei den Madeneiern wurde die Ausdauer nach fünfzehn Tagen belohnt: »Den 26. Augusti kamen so viel schöne grüne und blaue Fliegen herauß, welch ich grosse Mühe hatte zu fangen, dieweil sie so hurtig waren, ich bekame nur 5 davon, die andern entflohen mir alle.« Die fünf allerdings mussten ihr Leben lassen, wurden mit spitzer Nadel aufgespießt, präpariert und Teil ihrer Sammlung. Es gehörte zu ihrem Selbstverständnis als Forscherin, so viele Beweisstücke wie möglich aufzubewahren.

Im selben Jahr, als ihr eine gute Nürnberger Bekannte eine schöne Raupe aus Regensburg schickte, erhielt Maria Sibylla Graff schlechte Nachrichten von ihrer Frankfurter Familie. Ihr Stiefvater, der angesehene Maler Jacob Marrel, hatte aufgrund politischer Umstände Utrecht verlassen und seinen dortigen Kunsthandel aufgegeben. Ludwig XIV. hatte die Republik der Vereinigten Niederlande überfallen und Utrecht erobert. Als der einst wohlhabende Marrel 1672 zu seiner Ehefrau, Maria Sibyllas Mutter, nach Frankfurt am Main zurückkehrte, besaß er, außer seinen Bildern, nur noch Schulden. Im September beantragte er beim Rat der Stadt Frankfurt in »äußerster Not« Unterstützung wegen der Kriegsschäden. Er wollte auf den Frankfurter Messen mit Ausrufer und Schreiber seine Bilder verlosen, um wieder Einnahmen zu erzielen.

Auch Caspar Merian, Maria Sibyllas Halbbruder, verließ 1672 die Niederlande. Damit endete seine Teilhaberschaft an einem Verlag in Amsterdam; doch der Sohn des unvergessenen Matthäus Merian blieb weiterhin Kompagnon im etablierten Frankfurter Merian-Verlag. Das allerdings tröstete Caspar Merian nicht darüber hinweg, dass er in Amsterdam seine junge Frau und eine kleine Tochter hatte begraben müssen. Wegen eines Augenleidens zog er in die bessere Luft nach Wertheim am Main und machte dort einen eigenen Verlag auf. Caspar Merian war während der 1670er Jahre in Nürnberg, wo die Familie seiner verstorbenen Frau herkam.

Der zwanzig Jahre Ältere war der Einzige aus der Familie ihres Vaters, der den Kontakt zu Maria Sibylla nicht abgebrochen hatte, als ihre Mutter als Witwe von Matthäus Merian in zweiter Ehe Jacob Marrel heiratete. Alles spricht dafür, dass er seine Halbschwester in Nürnberg besuchte. Sie war inzwischen eine Persönlichkeit mit Lebenserfahrung und vielseitigen Interessen; eine Frau, die mit ihrer Insektenforschung einen eigenständigen Weg ging. Maria Sibylla, allem Neuen gegenüber aufgeschlossen, war eine gute Gesprächspartnerin für ihn, denn ihr Bruder war in diesen Jahren auf der Suche nach seinem eigenen Weg. Durch Caspar Merian öffnet sich eine Türe zu innersten Bereichen seiner Schwester, für die es keine schriftlichen Quellen gibt. Aber die Verbindungen zwischen Caspars Glaubenssuche und einer späteren, gewichtigen Lebensentscheidung von Maria Sibylla Merian überzeugen auch ohne Worte.

Matthäus Merian der Ältere hatte seinen Sohn zum Kupferstecher ausgebildet. Caspar wurde die Hauptstütze im renommierten väterlichen Verlagshaus, während sein Bruder, Matthäus Merian der Jüngere, sich als gefragter Maler in Europas Kunstzentren aufhielt. Der Vater wird seinem Sohn im täglichen Zusammensein mitgegeben haben, was sein sehnlichster Wunsch war: dass seine Kinder sich nicht mit den Formeln eines äußerlichen Christentums begnügten, sondern als »Wiedergeborene« in der »Wahren Christlichen Religion« lebten.

Nach den persönlichen Schicksalsschlägen zweifelte Caspar Merian wie einst sein Vater an den Heilsversprechungen und Ansprüchen der etablierten Kirchen. Er sehnte sich nach einem Glauben, der sein Herz bewegte und seinem Leben Sinn gab. In Frankfurt fand er einen Gleichgesinnten, den ähnliche Sehnsüchte und Hoffnungen umtrieben. Es war Johann Jacob Schütz, aus bester Frankfurter Familie, der seit 1667 erfolgreich als Jurist in seiner Vaterstadt arbeitete. Durch die Lektüre spätmittelalterlicher Mystiker hatte er eine stille, aber umso intensivere Bekehrung erlebt. Für Schütz, als Lutheraner getauft, wurde es eine Gewissensentscheidung, dieser persönlichen Bekehrung Taten folgen zu lassen.

Weil ihn die normalen Gottesdienste nicht berührten, machte Johann Jacob Schütz zusammen mit einem Theologiestudenten 1670 dem leitenden lutherischen Pastor in Frankfurt, Philipp Jakob Spener, einen Vorschlag: regelmäßig sonntags und mittwochs sollte sich ein kleiner Kreis von interessierten, akademisch gebildeten Männern im Pfarrhaus treffen. Sie würden Erbauungstexte lesen und im Gespräch darüber zu einer intensiven Frömmigkeit finden, die sich in einem veränderten Lebensstil zeigte und andere zur Nachahmung anspornte. Spener hatte sich durch kritische Schriften den Ruf eines Reformers erworben und griff diese Idee aus Überzeugung auf. Das von Schütz initiierte »Collegium Pietatis« wurde Anstoß und Teil einer innerkirchlichen Reformbewegung unter den Lutheranern, die als »Pietismus« in die Kirchengeschichte eingegangen ist.

Für Caspar Merian konnte es nach seiner endgültigen Rückkehr aus Amsterdam keinen verständnisvolleren und besser informierten Ratgeber bei seiner spirituellen Suche geben als Johann Jacob Schütz. Im November 1673 ließ er sich von ihm auch juristisch beraten und ein Testament aufsetzen. Der religiöse Austausch riss nicht ab. 1675 kommunizierten die beiden Männer brieflich über »Theologica«. Und so viel sei schon verraten: Noch bevor das 1670er Jahrzehnt zu Ende ist, gibt es den ersten nachweisbaren schriftlichen Kontakt zwischen Maria Sibylla Graff und Johann Jacob Schütz. Eine Verbindung, die für Caspar Merians Schwester in den folgenden Jahren von tiefgreifender Bedeutung sein wird.

Zurück in die Nürnberger Zeit, wo Maria Sibylla mit dem Mal-, Zeichen- und Stickunterricht höherer Töchter in der »Jungfern-Compagnie« und der arbeitsintensiven Raupenforschung noch nicht ausgelastet ist. Eine weitere Idee fügt Vergangenheit und Gegenwart zusammen. Ihr Großvater mütterlicherseits, Theodor de Bry, hatte 1612 in seinem Frankfurter Verlag auf Latein und Deutsch ein *Neues Blumenbuch* mit wunderschönen, in Kupfer gestochenen Zeichnungen herausgebracht: *Florilegium Novum – New Blumbuch Darinnen allerhand schöne Blumen frembde Gewächs.* Maria Sibyllas Vater, der das Verlagshaus übernahm und ihm seinen Namen gab, legte das Blumenbuch seines Schwiegervaters 1641, mitten im Dreißigjährigen Krieg, mit zusätzlichen Darstellungen neu auf: *Florilegium Renovatum et Auctum: Das ist, Vernewertes und vermehrtes Blumenbuch.* Warum nicht die Familientradition aufnehmen und mit einem selbst entworfenen Blumenbuch Vorlagen für den Zeichen- und Stickunterricht ihrer Nürnberger Jungfern schaffen? Und sicher gab es darüber hinaus interessierte Käuferinnen.

1675 erscheint das *Florum Fasciculus Primus*, das *Erste Blumenbuch*. Auf dem Titelblatt stellt sich, von einem üppigen Blumenkranz umgeben, die Autorin als »Maria Sibylla Graffin Matthaei Meriani Senioris Filia« vor. Die Tochter von Matthäus Merian dem Älteren war stolz auf ihren Vater und versteht ihre Herkunft als einen Qualitätsbeweis für ihre eigene künstlerische Ambition. Der lateinische Titel unterstreicht, dass es sich um ein seriöses Werk handelt.

Das *Erste Blumenbuch* der Merian setzt sich aus zwölf losen Bildtafeln zusammen, von der Autorin in Kupfer gestochen und nach dem Schwarz-Weiß-Ausdruck von ihr koloriert. Die Blätter zeigen beliebte Blumenarten, Anemone und Tulpe, Lilie, Rose und Hyazinthe, meist als einzelne Pflanzen, mit kleinen Käfern, Spinnen und Schmetterlingen dekorativ arrangiert. Es ist ein reines Bilderbuch ohne Text; gedacht als Vorlagenbuch für alle, die gerne Blumen malen oder sticken, ohne sich die Mühe zu machen, eigene Modelle zu erstellen.

Maria Sibylla Graff, achtundzwanzig Jahre alt, hat nach der »Jungfern-Compagnie« eine weitere Idee mit Energie und Schwung umgesetzt, auf eigenes Risiko. Denn für die Herstellung, vor allem die Kupfertafeln und das Papier, muss erst einmal eigenes Kapital eingesetzt werden. Auch der Verleger will bezahlt sein, denn der Ehemann Johann Andreas Graff, auf der Titelseite erwähnt, war nur für den Verkauf des Buches zuständig und kein Verleger.

Als Maria Sibylla Graff versuchte, mit dem *Ersten Blumenbuch* als unbekannte Autorin auf dem Buchmarkt Fuß zu fassen, machte einer ihrer Vertrauten in Nürnberg im selben Jahr mit seinem Werk weit über Deutschland hinaus Schlagzeilen. 1675 er-

NOBILISS. ET EXCELLENTISS. DN. IOACHIMUS A SANDRART, HÆREDITARIUS IN STOCKAU.
SERENISS. PRINC. COM. PALAT. NEOBURG. CONSILIAR. SECULI NOSTRI APELLES.

Atria qui Supregùm Regùmq Palatia, doctâ
Ornarit, multo clarus in Orbe, manu ;
Qui Linguas callet, morum quem gratiaq oris
ornat, quiq catæ mentis acumen habet:
Hunc meritò summis chærum Magnatibus, ipsa ,
quæ genuit, Natum diva Minerva vocat .

7.   1675 erscheint von Joachim von Sandrart die *Teutsche Academie der Edlen Bau- Bild- und Mahlerey-Künste,* eine kunsthistorische Pioniertat im deutschsprachigen Raum. Darin lobt der angesehene Maler Maria Sibylla Merian als Künstlerin und Naturforscherin.

schien die erste umfassende Geschichte über Kunst und Künstler im deutschsprachigen europäischen Raum – *Teutsche Academie der Edlen Bau- Bild- und Mahlerey-Künste: Darinn enthalten Ein gründlicher Unterricht / von dieser dreyer Künste Eigenschafft / Lehr-Sätzen und Geheimnissen.* Mit dieser enzyklopädischen Leistung schuf der neunundsechzigjährige Joachim von Sandrart ein kunsthistorisches Handbuch, das bis ins 19. Jahrhundert ohne Konkurrenz blieb. Es wurde in Nürnberg gedruckt, aber war auch »in Frankfurt bey Matthaeus Merian zu finden«.

Der berühmte Maler, der einst bei Sibylla Merians Vater in Frankfurt sein künstlerisches Handwerk lernte, hatte sich 1673 durch eine zweite Heirat mit der Tochter eines Nürnberger Kaufmanns und Bankiers endgültig an der Pegnitz niedergelassen. Wer den zweiten Band von Sandrarts Standardwerk liest, erfährt zweierlei: dass er gute Kontakte zur Maler-Familie Graff-Merian hat und dass er von den künstlerischen Fähigkeiten der Ehefrau wesentlich mehr hält als von denen ihres Ehemanns.

Unter der Nummer CCLXXXII stellt die *Teutsche Academie* den »lehr-begierigen Jüngling Namens Moreel« als einen Schüler des Frankfurter Malers Georg Flegel vor. Moreel – es ist Maria Sibyllas Stiefvater Jacob Marrel – verbesserte »seine Wißenschaft zu Utrecht, und kame mit seiner meisterhaften Manier in Blumen, Früchten, Zierbüschelen, Blumenkrügen und andern in großen Ruhm«. Als Nummer CCLXXXIII folgt der Maler »Johann Andreas Graf ... verheuratet sich an Maria Sibilla Merianin, zierliche Mahlerin in Blumen«. Neun Zeilen widmet Joachim von Sandrart dem Ehemann der »Merianin« und gesteht ihm »großen Fleiß« zu.

Dann folgen neununddreißig Zeilen über »des berühmten M. Merian Kupferstechers Tochter, ..., als die von Stamm ab und eigner Begierde zu der edlen Mahlerey inclinierte«. Angeborene Talente und ihre eigene Leidenschaft also haben sie zur

Malerei geführt. Der Autor preist, dass die Merianin in der »ruhmwürdigen Kunst der natürliche Blumen, Kräutern und Thieren, allervollkommenst zu seyn das Lob hat«: sowohl, wenn es um Malerei auf Seide geht, als auch, wenn sie die Bilder »in Kupfer sauber und vernünftig geetzet hat«.

Wer als Frau einen so angesehenen, international vernetzten Förderer hat, für den ist es keine Wertminderung, dass zum Abschluss ihrer Künstlerbiografie in der *Teutschen Academie* eine positive Verbindung zwischen künstlerischen und hausfraulichen Talenten hergestellt wird. Joachim von Sandrart lobt, dass Maria Sibylla Merian »neben dern regulirten guten Haushaltungs-Führung, immerdar der Göttin Minerva ihre Tugenden in dergleichen aufopfert«. Damit bestätigt Deutschlands Kunsthistoriker-Pionier im Jahre 1675, dass Minerva, die Göttin der Künstler und Poeten, Frauen und Männern gleichermaßen gewogen ist.

Noch vor diesem Abschlusslob beweist der Autor, wie genau er über die Arbeiten der Künstlerin und Hausfrau informiert ist. Nicht nur »allerley Zierath in Blumen, Früchten und Geflügel« habe die Tochter des Matthäus Merian »mit großem Fleiß, Zier und Geist, so wol in der Zeichnung, als in den colorirten Farben, und Rundirungen meisterhaft zuwegen gebracht«. In Deutschlands erstem Klassiker zur Kunstgeschichte wird ein Interessengebiet der achtundzwanzigjährigen Maria Sibylla Merian publik gemacht, das nicht zu den gängigen Beschäftigungen eines Künstlers gehört. Sie konzentriere ihren großen Fleiß und ihren Geist, schreibt Sandrart, auch darauf, »besonderlich auch in den Excrementen der Würmlein, Fliegen, Mucken, Spinnen und dergleichen Natur der Thieren auszubilden, mit samt dern Veränderungen, wie selbige Anfangs seyn, und hernacher zu lebendigen Thieren werden, samt dern Kräutern, wovon sie ihre Nahrung haben …«

Aus der nüchtern-präzisen Beschreibung der Raupenforschung spricht die Hochachtung eines gelehrten Mannes, der sich ohne jedes Vorurteil im Nürnberger Schachtel-Reich der Merian genau umgesehen hat und sich von ihr über alle Schritte ihrer Raupenarbeit informieren ließ. Joachim von Sandrart war von dieser ausgefallenen Leidenschaft so überzeugt, dass er sie nicht als private Marotte einstufte. Indem er die Raupenforschung als wichtigen Teil der künstlerischen Arbeit von Maria Sibylla Merian in sein kunsthistorisches Standardwerk aufnahm, noch bevor die Künstlerin damit an die Öffentlichkeit getreten war, erweist Sandrart sich im Nachhinein als prominenter Förderer ihres Raupenprojekts.

Der angesehene Maler und Gelehrte muss 1675 gewusst haben, dass die Künstlerin neben der Herstellung von Blumenbüchern – das *Zweite* erschien 1677 – ein sehr viel anspruchsvolleres Buchprojekt im Sinn hatte.

Nicht ohne Grund beanspruchten die Raupen und ihre Verwandlung weiterhin den größten Teil der Aufmerksamkeit und Zeit von Maria Sibylla Graff: »Diese grosse goldgelb-schwartze Raupe … habe ich in grosser Menge Ao. 1677 im Stattgraben zu Altorff (da die Universität von Nürnberg ist) gefunden im Graß, alwo sie den Klee und Sauer Ampfer zur Speise gebraucht haben …« Nach sorgfältigem Studium ihres Umfeldes in der Natur kamen mehrere Raupen-Exemplare in die Schachtel, und das »Haus zur goldenen Sonne« am Nürnberger Milchmarkt wurde ihre nächste Heimstätte: »… habe sie vom August, bis in den September, alletag darmit gespeisset, darnach haben sie von ihrem Koht, und denen grünen Blättern, ein Gebäw gemacht, und haben sich darinnen verkrochen.«

Sorgfältig pflegte Maria Sibylla auch diesen Raupenschatz, notierte jede Beobachtung und zeichnete den Fortgang auf kleine Pergamente: »Aber es ist mir nichts darauß worden, sondern gar verdorben …« Sie ließ sich vom Misserfolg nicht entmutigen. Für weitere Exemplare ersann sie eine monatelange Spezialbehandlung, um die Verwandlung in einen Schmetterling zu unterstützen: »…und ob ich sie gleich folgende Jahr noch öffters bekame; und mit grosser Sorgfalt ihnen auffgewartet, und allerhand Inventionibus umb ihnen zu ihrer Veränderung behuf zu geben, so blieben sie wohl den winter durch halb so leben, aber endlich verschliessen oder Verschleimten sie.«

Was für ein Aufwand an Zeit und Mühen für ein paar Raupen – und kein Wort der Enttäuschung. Souverän hält Maria Sibylla in ihren Notizen ihre Fehlschläge fest. Sie war dreizehn, als sie mit ihren Untersuchungen begann, und sie wusste sehr bald, worauf sie sich eingelassen hatte. Der ungewisse Ausgang ihrer Raupen-Experimente gehört seit 1660 zu ihrem Forschungsalltag.

Den Winter von 1677 auf 1678 war Maria Sibylla Graff schwanger. Am 5. Mai 1678 kam ihr zweites Kind auf die Welt und wurde in der Nürnberger St.-Lorenz-Kirche vom lutherischen Pfarrer auf den Namen Dorothea Maria getauft. Die zweite Tochter war zehn Jahre jünger als ihre Schwester Johanna Helena. Zwei Kinder im Haus waren für die Mutter kein Grund, ihre Pläne zu verschieben oder gar aufzugeben. 1679 erscheint in Nürnberg, Frankfurt und Leipzig ein ehrgeiziges Werk, das die beiden »Blumenbücher« als lockere Fingerübung weit hinter sich lässt: *Der Raupen wunderbare Verwandlung, und sonderbare Blumen-Nahrung. 1679.*

Das Buch hat fünfzig Schwarz-Weiß-Drucke von Kupfertafeln und einhundertzwei Seiten Text. Alles an dieser Veröffentlichung ist ihr Werk. Selbstbewusst tritt die zweiunddreißig Jahre alte Maria Sibylla Graff, geborene Merian, mit einem ganz neuen Anspruch auf.

5. 1679: Das »Raupenbuch« – eine Pionierleistung der Naturforschung, von klugen Männern gefördert

Der Mann war einfach begeistert. Was englische Insekten- und Raupenforscher über ihre Experimente und Untersuchungen in ihren Schriften hinterlassen hatten, »das hat dir, Engelland, mein Teutschland nachgethan durch kluge Frauenhand«. Worüber sich »der Gelehrten Schaar« den Kopf zerbrochen hat, darüber trauen sich nun die Frauen zu schreiben, und das »ist Verwunderns werth«. Was in den Niederlanden anerkannte Forscher »einst geschrieben, liest man zwar mit Belieben: Jedoch ist Lobens werth, daß ihnen eine Frau es gleich zu thun begehrt«. Was andere Berühmtheiten geleistet haben, hat sich herumgesprochen. Aber nun hat ein »kunstreiches Weib diß alles selbst geleist, zu ihrer Zeit-vertreib«.

»Lobgedicht« hat Christoph Arnold, lutherischer Theologe und Professor für Poesie, Eloquenz und griechische Sprache am Egidiengymnasium in Nürnberg, seine sechsstrophige Hymne überschrieben. Sie gilt nicht dem göttlichen Schöpfer der Raupen, Schmetterlinge und Insekten, sondern ausschließlich der Autorin Maria Sibylla Graff, geborene Merian, und eröffnet ihr erstes »Raupenbuch«. Arnolds Botschaft: Hier stellt sich erstmals eine Frau mit naturwissenschaftlichen Studien den gelehrten Männern an die Seite; das allein ist schon lobenswert. Mehr noch: Sie kann sich mit ihrer Klugheit und ihren Forschungsleistungen ohne Einschränkungen neben den männlichen Berühmtheiten behaupten.

Der zweiundfünfzigjährige Christoph Arnold ist keine beliebige Stimme unter den zahlreichen Universalgelehrten der Barockzeit. Er hat sich drei Jahre in den Niederlanden und vor allem in England unter reformfreudigen Theologen umgesehen, denen konfessionelle Grenzen kaum noch etwas bedeuteten. In der fränkischen Provinz hat Arnold Reiseberichte von Zeitgenossen über das ferne, fremde Korea und Japan herausgegeben und mit informativen Anmerkungen versehen. Über »heidnische« Religionen im Pazifikraum hat der Theologe eigene, religionsvergleichende Aufsätze geschrieben.

Das Äußere des »Raupenbuchs« schmückt ein Titelbild, das natürlich von der Autorin stammt: Es zeigt einen Kranz aus zwei Ästen des Maulbeerbaums, auf den Blättern Raupen, Schmetterlinge und Eier des Seidenspinners, das Tier, mit dem Maria Sibyllas Leidenschaft für die unscheinbaren Wesen und deren Verwandlung in Schmetterlinge und Motten begann. In der Kranzmitte steht der Haupttitel – *Der Raupen wunderbare Verwandelung und sonderbare Blumennahrung. 1679.* Am unteren Bildrand, wo die beiden Äste des Kranzes sich überkreuzen, ist der Autorname eingetragen – »Maria Sibilla Gräffin« auf dem unteren Zweig, auf dem oberen hervorstechend »geb. Merianin«. Der Gesamteindruck ist kompakt und einprägsam.

Auf der dritten Seite, direkt vor dem »Lobgedicht«, folgt die Langfassung des Titels, zugleich eine stolze Kurzfassung der Besonderheiten dieses Buches, die Christoph Arnolds begeisterte Strophen wie ein Echo aufnehmen: *Der Raupen wunderbare Verwandelung, und sonderbare Blumennahrung, worinnen, durch eine gantz neue Erfindung, Raupen, Würmer, Sommervögelein, Motten, Fliegen, und andere dergleichen Thierlein Nahrung, Speisen und Veränderung samt ihrer Zeit, Ort und Eigenschaften, Naturkündigern, Kunstmahlern, und Gartenliebhabern zu Dienst, fleissig untersucht, kürtzlich beschrieben, nach dem Leben abgemahlt, ins Kupfer gestochen, und selbst verlegt von Maria Sibylla Gräffin, Matthaei Merians, des Eltern, Seel. Tochter.*

Mit diesen Zeilen hat die »Gräffin« aufgelistet, was seit knapp zwanzig Jahren im Mittelpunkt ihres Lebens steht, und betont,

8.   »Maria Sibilla Gräffin, geb. Merianin« zeichnet auch das Titelbild zu
ihrem Buch *Der Raupen wunderbare Verwandelung und sonderbare
Blumennahrung* von 1679.

Der
Raupen
wunderbare
Verwandelung /
und sonderbare
Blumen-nahrung /
worinnen/
durch eine gantz-neue Erfindung /
Der Raupen/Würmer/ Sommer-vögelein/ Motten/
Fliegen / und anderer dergleichen Thierlein /
Ursprung/ Speisen/ und Veränderungen/
samt ihrer Zeit/ Ort/ und Eigenschaften /
Den Naturkündigern/Kunstmahlern/und Gartenliebhabern
zu Dienst / fleissig untersucht / kürtzlich beschrieben / nach
dem Leben abgemahlt / ins Kupfer gestochen /
und selbst verlegt/
von
Maria Sibylla Gräffinn /
Matthæi Merians / des Eltern/ Seel. Tochter.

In Nürnberg
zu finden / bey Johann Andreas Graffen / Mahlern/
in Frankfurt / und Leipzig / bey David Funken.
Gedruckt bey Andreas Knortzen / 1679.

9. Im inneren Titelblatt *Der Raupen wunderbare Verwandelung*
schreibt die Autorin, dass sie eine »gantz neue Erfindung« gemacht hat
und alles in diesem Buch ihr Werk ist.

dass sie aus der intensiven Erforschung eines Gesamtprozesses – von der Raupe, die sie in der Natur findet, bis zu ihrer Verwandlung in einen Schmetterling in einer Schachtel im Hause Graff – Erkenntnisse gewonnen hat, die neu und einzigartig sind. Damit ist ohne Umschweife ausgesprochen, was auf den folgenden einhundertzwanzig Seiten überzeugend ausgeführt wird: Maria Sibylla Merian hat sich mit diesem Buch als Pionierin in der Naturwissenschaft, speziell der Raupen- und Insektenforschung, verdient gemacht. Zwei Männer in Nürnberg haben das erkannt, neidlos bewundert und sie als ihre Förderer bei der Herstellung des Buches klug unterstützt.

Christoph Arnold, zu dessen breitem Wissens- und Bildungshorizont auch die modernen Naturwissenschaften gehörten, ist mit der Entstehung des »Raupenbuches« ebenso vertraut gewesen wie der Kunsthistoriker und Maler Joachim von Sandrart. Damit schließt sich ein Kreis, denn Sandrart, in der calvinistischen Nürnberger Gemeinde aktiv, und der lutherische Theologe Arnold waren Freunde. Beide gehören zu den Menschen, mit denen Maria Sibylla Umgang pflegte. Über diese Freundschaft öffnet sich einen Spaltbreit die Tür in ihre Nürnberger Zeit, aus der sich kaum etwas Persönliches erhalten hat.

Zwischen den beiden Männern, die einen Namen hatten, und der forschenden Künstlerin, die entschlossen war, sich mit ihren Forschungen der Öffentlichkeit zu stellen, wird es viele Gespräche gegeben haben. Auf Augenhöhe und ohne jedes Vorurteil gegenüber dem weiblichen Geschlecht; Maria Sibylla Merian hat die Freunde offenbar von ihrem Talent und ihren Forschungen überzeugt.

Der Kunsthistoriker hatte den ersten Schritt getan, als er 1675 die Tochter »des berühmten Kupferstechers« in sein bahnbrechendes Werk *Teutsche Academie* aufnahm und sie als Blumen-Malerin mit dem Lob »allervollkommenst« auszeichnete. Mehr noch: Sandrart verriet den Lesern, dass Maria Sibylla Merian ihren »großen Fleiß und ihren Geist« auch darauf konzentrierte, bei »Würmlein, Fliegen, Mucken, Spinnen und dergleichen Natur« den Prozess der Veränderung bei »lebendigen Thieren« zu studieren, »samt dern Kräutern, wovon sie ihre Nahrung haben …«

Die unbewusste Annahme, dass die Menschen einer fernen Vergangenheit sich nur als Briefschreiber durch ihr Leben bewegen und ständig Dokumente aufsetzen, mit denen sie für die später Geborenen fassbar werden, ist verständlich, aber blutleer. Sie haben geredet und unendlich viele Gespräche geführt. Auch wenn von diesem wichtigen mündlichen Miteinander der Menschen nichts Greifbares geblieben ist, kann schon die bloße Erinnerung daran ein wenig die Distanz überbrücken und durch die Jahrhunderte Lebendigkeit spüren lassen. Die Rolle, die Christoph Arnold übernahm, als es 1679 an die Veröffentlichung des »Raupenbuches« ging, kann gar nicht hoch genug veranschlagt werden. Viele Argumente werden zwischen ihm und der Autorin ausgetauscht worden sein, auf der Basis von Offenheit und gegenseitigem Vertrauen.

Das »Loblied« des Theologen Arnold auf die Forscherin zu Beginn des Buches ist der erste Teil seines sichtbaren Einsatzes. Er wird das Buch auch beschließen, mit einem Lied ganz anderer Art. Wenn man die rund hundert Seiten dazwischen, Maria Sibylla Merians Text, aufmerksam liest, bestätigt sich, wie geplant und klug der Einsatz von Christoph Arnold bei diesem Unternehmen war.

Folgen wir dem Verlauf des Buches, geht es vom »Loblied« zu einem ausführlichen Vorwort der Autorin. Nach einem Hinweis auf ihre Blumenmalerei, wo Raupen und Schmetterlinge nur Verzierung waren, erzählt Maria Sibylla Graff, warum diese »Thierlein« nun im Mittelpunkt stehen. Sie sei »vermittelst der Seidenwürmer, auf der Raupen Veränderung gekommen« und habe »denselben nachgedacht«. Doch sie habe es nicht beim Nachdenken darüber belassen, ob sich alle Raupen – wie die Seidenraupe – in Schmetterlinge »verändern«. Nach »fleißiger und langwieriger Untersuchung« ist sie überzeugt, dass diese Verwandlung tatsächlich für alle Raupen zutrifft. Zweifler weist sie darauf hin, dass es sich um systematische Forschungen handelt, und die Ergebnisse »auch für jedermänniglich, der es zu sehen verlanget, in einer Schachtel aufbehalten und gewiesen sind«.

Nachdem die Autorin dargelegt hat, dass es sich bei ihrem »Raupenbuch« um objektive Forschungen handelt, wechselt sie in eine andere Ebene. Jedes Mal wenn eine Raupe den Prozess der Verwandlung durchlaufe, werde Gottes »Allmacht« sichtbar. Das habe sie »endlich dahin bewogen, zumal da ich oftmals von gelehrten, und fürnehmen Personen, darum ersucht und gebeten worden, der Welt, in einem Büchlein, solches Göttliche Wunder vorzustellen«. Nach der Information, dass die Autorin keine Außenseiterin ist, sondern Kontakt zu Menschen mit Wissen und von hohem Stand pflegt, ist die folgende Aussage kein Lippenbekenntnis: »Suche demnach hierinnen nicht meine, sondern Gottes Ehre, Ihn, als einen Schöpfer auch dieser kleinen und geringsten Würmlein, zu preisen ...«

Matthäus Merian hatte keinen Widerspruch darin gesehen, in seinem Verlag die neuesten Werke der Naturforscher zu drucken und ebenso Traktate, die statt eines formelhaften Christentums einen persönlich verankerten Glauben forderten. In dieser Überzeugung, die für die Minderheit der reformierten Christen im lutherisch geprägten Frankfurt überlebenswichtig war, ist Merians Tochter nach dem frühen Tod des Vaters auch in ihrer zweiten Familie aufgewachsen. Ein solches selbstbewusstes Christentum, das auf einer Gewissensentscheidung beruhte, hatte kein Problem damit, an Gott als den Schöpfer der Welt zu glauben und sich zugleich selbstbewusst auf den Weg zu machen, diese Schöpfung vorbehaltlos zu erforschen.

Nachdem sie ihr Bekenntnis abgelegt hat, weist die Autorin mit Genugtuung auf bisher unbekannte Fakten hin. Sie hat herausgefunden, dass jede Raupenart über die Generationen hinweg ihre Nahrung immer bei der gleichen Blumen- oder Pflanzenart sucht. Weshalb die Schmetterlinge instinktiv ihre Eier »fast nirgends anderst hinsetzen, als wo sie wissen, daß dero Jungen (die Raupen) ihre Nahrung oder Speise haben«. Das Stichwort »Speise« führt Frau Graff mitten hinein in ihre Forschungen.

Unverblümt lobt sie ihren handfesten Einsatz, »daß es mich grosse Mühe und Zeit gekostet, solche Thierlein zu suchen, ihnen ihre Speise viel Tage, auch Monate zu reichen; denn wofern sie ihre gewöhnliche Nahrung nicht bekommen, so sterben sie entweder, oder spinnen sich ein«. Immer wieder beschreibt Maria Sibylla, wie gründlich sie bei diesem Thema vorgegangen ist, spricht von »fleißigen und langwierigen Untersuchungen« und von »höchster Sorgfalt«. Maria Sibylla tut gut daran, ihren Einsatz zu betonen, denn was die herausragende Pionierleistung ihrer Forschung ist, scheint fast eine Selbstverständlichkeit.

Und hier verbindet sich die Leistung der Forscherin gleichwertig mit der der Künstlerin. Auf den fünfzig Bildtafeln der Maria Sibylla Graff, geborene Merian, in ihrem Buch über *Der Raupen wunderbare Verwandelung* wird zum ersten Mal in der Geschichte der Raupen- und Insektenforschung zusammen mit der jeweiligen Raupenart ihr ökologischer Lebensraum dargestellt. Es ist die Wirtspflanze, auf deren Blätter die Raupe als Nahrung angewiesen ist. Auch das andere, ebenso bahnbrechende Ergebnis ihrer Raupen-Forschung fasst die Autorin im

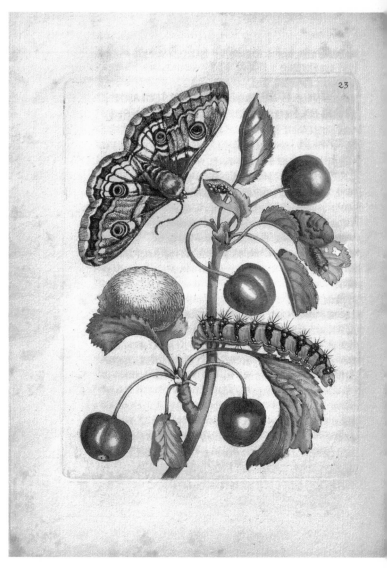

10. Der 23. kolorierte Kupferstich des *Raupenbuches* zeigt »süsse/ frühe Kirschen«; dazu die Raupe, die sich von diesen Blättern ernährt, den Kokon und die Motte, die nach der Verwandlung zum Vorschein kommt.

XXIII.

Süsse / frühe Cerasus major,
Kirschen. fructu subdulci.

ALs ich vor vielen Jahren diese grosse / und von
der Natur überaus nett= gezeichnete Motte das
erste mal sahe/hab ich mich nicht genugsam über
ihre schöne Schattirung und abgewechselte Farben ver=
wundern können; und sie damals auch oft in meiner
Mahlerey gebraucht. Nachdem ich aber etliche Jahre
darnach/durch GOttes Gnad/ die Verwandelung der
Raupen gefundē/ist mir die Zeit sehr lang gefallen/ bis
dieser schöne Motten=vogel auch hervorgekommen: War
also dazumal / als ich ihn bekam/ mit so grosser Freude
umgeben/ und in meinem Willen so vergnügt/ daß ichs
nit genug beschreiben kan. Nach der Zeit aber hab ich des=
sen Raupen etliche Jahre nacheinander gehabt/und mit
süssen Kirschen=Apfel=Birnen=und Zwetschgen=blät=
tern/bis in den July/erhalten; die eine so schöne/grüne
Farb / wie im Früling das junge Gras/ hatte/ mit ei=
nem schönen / geraden / schwartzen Strich über
den gantzen Rucken / und auf jedem Glied hin=
abwarts auch einen schwartzen Streiff/worauf
vier weisse/runde Körnlein/gleich den Perlen ge=
schienen: Worunter ein gold=gelbes/länglichtes
Düpfelein ist/und unter diesen noch ein weisses
Perlen. An den drey untersten / ersten Gliedern
haben

11. Die Merian entdeckt als Erste den Zusammenhang zwischen
der Raupe und ihrer jeweiligen Wirtspflanze. Neben jedes Bild im
Raupenbuch stellt sie rechts ihren ausführlichen Text.

Vorwort zusammen: »Daß insgemein alle Raupen aus ihrem Samen, so die Vögelein zuvor gepaart, hervorkommen…«

Das Wort »Schmetterlinge« kommt in den Texten der Merian nicht vor. Sie bleibt bei einer damals vor allem in Süddeutschland gebräuchlichen Bezeichnung und erläutert sie im Vorwort des »Raupenbuches«: »… ich aber will das Wort Sommer-Vögelein darum behalten, dieweil sie mehrenteils im Sommer fliegen …« Bei Motten, die ebenfalls dem Kokon von Raupen entschlüpfen, entscheidet sie sich für »Motten-Vögelein«: »… diese sind bey Tag fast unbeweglich, fliegen mehrenteils des Nachts, und werden bey ihren dicken Köpfen erkannt …« Samen nennt sie die Eier, die von Schmetterlingen – oder Motten, in jedem Fall »Vögelein« – nach der Paarung gelegt werden.

Aber ist in der zweiten Hälfte des 17. Jahrhunderts unter Experten nicht bekannt, wie sich Insekten fortpflanzen und dass aus den Eiern wiederum Raupen entstehen?

Der italienische Arzt und Jurist Ulisse Aldrovandi gilt mit seinem Buch *De animalibus insectis libri septem*, das 1602 in Bologna erschien, als Begründer der Insektenkunde. Das Interesse an kleinen Dingen und Lebewesen gewann mit dem 17. Jahrhundert zusehends an Fahrt. Umso mehr, als durch die Erfindung des Mikroskops sich gerade im Kleinen ein ungeahnter Kosmos eröffnete, beim Wassertropfen angefangen.

Das nächste umfassende naturwissenschaftliche Werk, John Jonstons mehrbändige *Naturgeschichte der Tiere*, brachte Matthäus Merian mit seinen Kupferstichen 1650 in seinem Frankfurter Verlag auf den Weg. Der fünfte und letzte Band, über *Insekten, Schlangen und Drachen*, erschien 1653 unter Merians Nachfolgern, und die junge Maria Sibylla hat mit Sicherheit staunend darin geblättert.

Bis dahin waren Europas Gelehrte und Experten von der Lehre des Aristoteles überzeugt. Der wirkungsmächtigste Philosoph der Antike nennt in seiner *Geschichte der Lebewesen* Insekten »blutlose Tiere«, die sich durch eine Urzeugung in Schlamm und faulenden Stoffen fortpflanzen. Erst dem Italiener Francesco Redi, Leibarzt des Großherzogs von Toskana, gelang es 1668, in einem Experiment nachzuweisen, dass eine Urzeugung nicht existiert und Insekten sich durch Eier fortpflanzen. »Omne vivum ex ovo« – alles Leben kommt aus dem Ei – war Redis These, und sie wurde zu einer Grundlage der Naturwissenschaften.

Doch in einer Epoche, wo Kommunikation auf reitende Boten und mündliche Gespräche angewiesen ist, brauchte es seine Zeit, bevor sich Informationen in der wissbegierigen, aber kleinen Schar der Gelehrten herumgesprochen hatten. 1669 erschien der dritte und letzte Band des niederländischen Insektenforschers Jan Goedaert über die *Metamorphosis Naturalis* in Niederländisch und in einer lateinischen Übersetzung. Ein bekanntes Werk, für das Goedaert die Insekten selbst züchtete und die einzelnen Phasen von der Raupe bis zum Schmetterling zeichnete. Allerdings nicht so konsequent durchgehend wie die Merian; oft fehlen die sogenannten Puppen. Und im Gegensatz zum Buch von *Der Raupen wunderbare Verwandelung* sind auf seinen Bildern die Raupen nur ausnahmsweise in ihrer natürlichen Umgebung mit ihrer Nahrungspflanze zu sehen.

Jan Goedart aus Middelburg war auch Forscher und Maler. Aber mit seiner Malkunst erreichte er nicht annähernd die Präzision und künstlerische Qualität der Merian-Zeichnungen. Auch über den neuesten Stand der Wissenschaft war er nicht informiert. Und auf seinen Bildern sind keine Eier zu sehen; der niederländische Entomologe ging noch von der Urzeugung aus.

Den größten Namen in der Entomologie des 17. Jahrhunderts erwarb sich Jan Swammerdam aus Amsterdam, Arzt und Anatom. Seine Spezialität war das Sezieren von Insekten, die er selbst züchtete, und eine detailgenaue Wiedergabe dessen, was sich in ihrem Inneren befand. Seine Darstellungen und Beobachtungen füllten 1669 seine *Historia Insectorium Generalis*, ein Standardwerk in niederländischer Sprache. Auch er hat eine einseitige Sicht auf die Raupen. Weil ihn die Einzelheiten vor dem Ganzen interessieren, zeigt kein Bild in seinem Buch den gesamten Raupen-Kosmos mit den Pflanzen, die ihre jeweilige Nahrung sind.

Als Jan Swammerdam an seiner *Allgemeinen Geschichte der Insekten* arbeitete, sah er in den Ergebnissen seiner akribischen Forschung den Beweis seiner religiösen Überzeugung: dass Gottes Weisheit sich gerade in den kleinsten Dingen seiner Schöpfung spiegelt. Sein Glaube an das problemlose Miteinander von Religion und Forschung bekam tiefe Risse, als Swammerdam unter dem Einfluss der französischen Prophetin Antoinette Bourignon in extremes religiöses Fahrwasser geriet. Er konnte nur noch in Allegorien forschen. Seine Untersuchungen über die »Eintagsfliege« erschienen 1675 unter dem Titel *Ein Sinnbild für des Menschen armseliges Leben*. Schließlich gab Jan Swammerdam seine Forschungen ganz auf.

In seinem »Loblied« zum Auftakt des »Raupenbuchs« nennt Christoph Arnold die Namen von Redi, Goedaert und Swammerdam – neben einigen anderen – in einem Atemzug mit dem der Merian. Folglich wird auch die Autorin diese Werke gekannt haben. In ihrem ausführlichen Buchtitel weist sie denn auch auf die Einzigartigkeit ihrer Forschungen hin und grenzt sich damit von den schon vorliegenden ab. Swammerdams Blick durch das Mikroskop hat das bisher unbekannte Innere der Insekten entdeckt. Doch die Tiefe seiner Forschungen wird mit dem Ausschalten des breiten Horizonts bezahlt, den die

Forscherin für jede ihrer Raupen in ihren Zeichnungen penibel wiedergibt.

Alle fünfzig Bilder umfassen ohne Ausnahme die aufeinanderfolgenden Stadien des Lebensprozesses von den Eiern über die Raupe zur Puppe bis zur Verwandlung in einen Schmetterling oder eine Motte mitsamt der lebensnotwendigen Pflanzennahrung. Alle Stadien mit ihren Veränderungen und unterschiedlichen Stellungen der Tiere – mal hängend, mal liegend, mal eingesponnen – werden nicht nur beobachtet und aufgeschrieben, sondern »mit höchster Sorgfalt nach dem Leben abgebildet«. Und das ist noch nicht alles. Die Abbildung auf Pergament wird anschließend zur Erinnerung koloriert, denn die Autorin bietet ihr »Raupenbuch« in zweifacher Ausführung an.

Das übliche Buch enthält die schwarz-weißen Zeichnungen der Kupfertafeln. Aber geschäftstüchtig offeriert die Malerin gegen Ende des Vorworts mehrere Alternativen: »... wofern aber der Natur- und Kunstliebende Leser alle solche Blätter sauber mit Farben, oder nur die Raupen und Veränderungen sampt den Vögelein, allein illuminiert verlangt; der beedes bey uns habhaft werden.« Dass dafür extra bezahlt wird, muss sie nicht erwähnen.

Wie die Zeichnungen ist auch der Text zu den Abbildungen nach einem festen Schema aufgebaut, wie es sich für einen Forschungsbericht gehört. Der Monat, die Jahreszeit wird genannt, der Beginn der Raupensuche – allein oder mit anderen –, der Ort und wie die Tiere in ihrer Umgebung eingebettet sind. Es folgt der Bericht vom Weiterleben in den häuslichen Schachteln, von der oft schwierigen Ernährung. Die Forscherin erzählt, wie sie mit Tricks – aus langer Erfahrung gewonnen – versucht, ihre Raupen am Leben zu erhalten, bis sie sich in einen Kokon – die Puppe, den »Dattelkern« – eingesponnen haben. Doch selbst wenn das gelingt, garantiert alle Mühe keineswegs die Metamorphose in ein Sommer- oder ein Motten-Vögelein.

Die Bewunderung der Natur und das Staunen über alles, was in ihr kreucht und fleucht, beginnt nicht erst, als die Wissenschaft im 17. Jahrhundert ansetzt, diesen Wundern auf den Grund zu gehen. Im Gegenteil. Als Ansporn für die Menschen genügte der Glaube, dass die Natur Zeichen und Chiffren bereithält, die Gottes Allmacht spiegeln. Weiter gehende Erklärungen waren unnötig, in den Augen der theologischen Wächter sogar gefährlich: Sie hätten die grenzenlose göttliche Macht in Frage stellen und den Menschen auf überhebliche Gedanken bringen können. Die allegorische Deutung beginnt schon mit den Psalmen in der hebräischen Bibel. »Ein Mensch ist in seinem Leben wie Gras, er blüht wie eine Blume auf dem Felde; wenn der Wind darüber geht, so ist sie nimmer da, und ihre Stätte kennet sie nicht mehr«, sagt Psalm 103.

Die Christen deuteten die Verpuppung der Raupe und die anschließende Metamorphose in einen Schmetterling als attraktive Allegorie für einen ihrer zentralen Glaubenssätze: Wenn der Mensch gemäß den göttlichen Gesetzen lebt, wird er mit seinem irdischen Körper sterben, aber von Gott am Jüngsten Tag zu einem neuen Leben erweckt werden.

Natürlich kannte Maria Sibylla Graff diesen Vergleich. Im zweiten Text ihres Buches schildert sie eine Raupe, die sie auf einer purpurfarbenen Tulpe entdeckt und ab April zu Hause gefüttert hat. Das lebendige Tier wird zu einem »Dattelkern«, »der gantz todt zu seyn geschienen«. Die Forscherin ist neugierig, macht ein Experiment und gibt ihre Erfahrung an ihre Leser weiter: »Sobald man ihn aber auf eine warme Hand gelegt, hat er sich stracks bewegt, und kunte man deutlich sehen, daß in solcher veränderten Raupe, oder vielmehr seinem Dattelkern, ein rechtes Leben seyn müste.«

Das ist eine spektakuläre Beobachtung, die der üblichen allegorischen Deutung widerspricht: Im Gegensatz zum Menschen stirbt die Raupe gar nicht, bevor sie sich verwandelt. Aber die Merian verzichtet auf jede weitere Erklärung und damit auch auf jede religiöse Interpretation. Ohne Worte, für die informierten Leser jedoch überdeutlich, signalisiert sie: Dieses Buch soll nichts als meine Forschungsarbeit transportieren und öffentlich machen. Die Gedanken sind frei; da mischt sich die Autorin nicht ein.

Keine Angst vor Einmischung hat sie dagegen, wenn es um Eingriffe in den natürlichen Ablauf der Metamorphose geht. Da hat ihre Neugier Vorrang. Im Text zu Blatt XXXVII – »Große, rothe, saure Johannesbeere« – erzählt die Forscherin, dass sie die abgebildete »schöne Raupe« im August gefunden und mitgenommen hat. Anfang August verwandelte sich das kleine Tier in seiner Schachtel in einen »rötlich-braunen Dattelkern«. Daraus wurde im Februar des folgenden Jahres ein »Schönes Motten-Vögelein«. Die Autorin lässt die Leser an ihrem Experiment teilhaben: »Ich halte aber dafür, daß, weil ich dieser Raupe Dattelkern den Winter über in meiner Wohnstube aufbehalten, derselbigen Wärme eher zu dieses Vögeleins Geburts-Kraft merklich geholfen; da es sonst, wo es irgend im freyen Feld, in der Kälte, oder anderstwo still gelegen, vielleicht späther heraus kommen wäre.«

Ihr Bekenntnis im Vorwort – »Suche demnach hierinnen nicht meine, sondern Gottes Ehre« – deckt eine Seite ihrer Überzeugung ab. Für sie ist es jedoch kein Widerspruch, sich daneben mit allem Verstand und ganzem Einsatz in dieses Projekt einzubringen. Maria Sibylla Graff liegt daran, die beiden unterschiedlichen Seiten öffentlich zu machen und zu gewichten. Weit über neunzig Prozent ihres Textes und ihrer Argumentation beschäftigen sich nüchtern mit ihrer konkreten Forschung.

Mehrfach stellt die Autorin ihren großen und gewissenhaften Arbeits- und Zeitaufwand heraus. Blatt XVII hat den Titel »Wunder-Raupen«. Die untere der zwei abgebildeten Raupen habe sie von einem »hohen Liebhaber« erhalten. Noch am selben Tag habe sich die Raupe »in ihre Veränderung begeben, und in etlichen Stunden in lauter Haare eingesponnen; also daß ich dieselbe von Mitternacht an, bis Morgens, abmahlen müssen…«

Die Raupe in Blatt XIII, deren Nahrung die »Damascenische Pflaumen-Büe« – Blüte – ist, verwandelt sich in eine Motte. Das wusste die Merian schon. Aber sie war ein seltenes Exemplar, und das forderte ihren Forschungseifer heraus: »Weß wege ich dann keine Mühe gespart, bis ich die Raupe selbst gefunden, und endlich den Vogel davon bekommen habe.« Der Lohn dieser – und anderer – Mühen geht über nüchterne neue Erkenntnisse weit hinaus.

Viel Zeit verging, bis in ihrer Wohnung eine »von der Natur überaus nett-gezeichnete Motte« schlüpfte, das Kleine Nachtpfauenauge. Als es endlich dazu kam, war die Raupen-Liebhaberin »mit so grosser Freude umgeben, und in meinem Willen so vergnügt, daß ichs nit genug beschreiben kann«. Kopf und Herz waren betroffen, anders hätte die Forscherin diesen Kraftakt wohl nicht stemmen können. Zur Erinnerung: Im Jahr vor dem Erscheinen des »Raupenbuchs« hatte Maria Sibylla Merian ihr zweites Kind geboren.

Während die Pflanzen auf den Bildern mit ihren deutschen und lateinischen Bezeichnungen beschrieben sind, haben die Raupen, Schmetterlinge und Vögel keine Namen. Die haben ihnen erst die folgenden Generationen von Entomologen gegeben. Aber Maria Sibylla Graff hat alle Tiere so exakt gezeichnet, dass eine spätere Klassifizierung keine Probleme machte.

Zur Offenheit, mit der die Autorin ihre Experimente wie ihre

Gefühle schildert, gehört auch, den Leser an der eigenen, keineswegs immer gradlinigen Meinungsbildung teilhaben zu lassen: »Es möchte jemand vermeinen, wie ich dann auch selbst anfangs in dieser Meinung gewest, daß eine schöne Raupe auch ein wolgestaltetes Motten- oder Sommer-Vögelein, hingegen eine heßliche Raupe eben dergleichen Vögelein gebe: Ich befand aber nach und nach, aus so vielfältiger Erfahrenheit, daß meine Meinung nicht recht; ja vielmehr das Widerspiel meistentheils sich ereigne: Indem zum öftern aus einer vermeinten, heßlichen Raupe ein gar schönes, und aus einer schönen ein sehr heßliches Vögelein erwachsen.« Diese Erkenntnis aus Erfahrung steht im Text zu Bild XXXI, der »Kleinen, weißen Stichelbeere«. Ihr Gast ist eine dunkle, dicke Raupe, die sich in eine kräftige Motte verwandelt.

Im folgenden Bild XXXII über das »Gemein Wiesen-Gras« und seine Bewohner greift die Forscherin den kurzen Hinweis in ihrem Vorwort auf, dass auch die unscheinbaren Dinge in der Natur ihren Ursprung in Gott haben und zur Bewunderung ihres Schöpfers einladen. Es ist das einzige Mal in ihren vielseitigen Texten der Lebensgeschichte von fünfzig unterschiedlichen Raupen, dass Maria Sibylla Merian auf diese religiöse Ebene zu sprechen kommt, die in allen anderen Texten deutlich von ihrer Forschungsarbeit getrennt bleibt.

Sie belehrt nicht von hoher moralischer Warte, nicht der Hauch eines Bekehrungsversuches stellt sich ein. Die Autorin spricht eine feinfühlige Einladung aus, die es jedem und jeder überlässt, dieser Möglichkeit nachzugehen: »So nun jemand all diesem weiter nachzusinnen beliebt, und sein Gedanken ein wenig anwenden will, wie Gott oft manches ganz unachtbares, und (wie wir vermeinen) auch unnütz Ding so wunderbar und schön durch seine Magd die Natur ausziere, der hat genugsam Anlaß hierzu, seine Andachts-Gedanken besser auszuüben.«

Es ist eine individuelle Entscheidung. Wer die angedeuteten Andachtsübungen im Rahmen dieser Lektüre unterlässt, hat das Wesentliche des Merian-Buches nicht verfehlt.

Der Text des »Raupenbuches« ist kein Anhängsel; er steht gleichwertig neben den Zeichnungen. Aus jeder Zeile, aus den sprachlichen Variationen und anschaulichen Vergleichen spricht eine selbstbewusste Autorin. Es ist alles ihr Werk, wie die Tochter von »Matthäus Merian dem Älteren seelig« es auf dem ausführlichen Titelblatt sehr direkt angekündigt hat. Ihr Ehemann – »Johann Andreas Graffen, Mahlern« – wird immerhin, wenngleich klein gedruckt, am untersten Ende des Titelblatts als Vertreiber ihres Buchs genannt. Einen eigenen Verlag hat er demnach nicht. Ist das alles?

Am Ende vom ersten Teil ihres Vorworts weist die Autorin auf ihre Mühe, ihre Sorgfalt und ihren Fleiß hin, mit dem sie alle Stadien der Raupenentwicklung »nach dem Leben« gezeichnet hat. Unvermittelt fährt sie fort: »Und mir ferner fürgenommen, bey jeglicher Gattung, mit wolgeleister Hülfe meines Eheliebsten, dero nach dem Leben abgemahlte Speisen hinzu zu fügen.« Die »Speisen« der Raupen sind jene Blumen, Sträucher und Gräser, die die Forscherin bei ihrer Raupensuche im Umfeld der Tiere wahrgenommen und notiert hat. Durfte der Ehemann bei der endgültigen Herstellung der Bilder etwas hinzufügen? Eine Blüte, einen Stängel, ein Blatt? Die Ehefrau lässt es im Ungefähren. Der Gedanke drängt sich auf, dass von einem konkreten Beitrag des Malers Johann Andreas Graff zu ihrem Buch nicht die Rede sein kann.

Dass Frauen im 17. Jahrhundert in der Öffentlichkeit auftreten, als Malerinnen, Schriftstellerinnen, Handwerkerinnen, ist keine Ausnahme. Doch weibliche Demutsgesten, wie sie selbst Hildegard von Bingen, als Äbtissin, Prophetin und Schriftstellerin schon zu Lebzeiten gerühmt, im 12. Jahrhundert in ihre

Schriften und Briefe einstreute, werden von ihnen erwartet. Maria Sibylla Graff bedient solche Erwartungen im Haupttext mit einer minimalen Geste. Gegen Ende des Buches, bei den Informationen zu Blatt XLI, spricht sie eine »neulich an mich gethane Frage« an. Maria Sibylla Graff will sie »beantworten und erörtern« und thematisiert dabei zum ersten und zum letzten Mal, dass eine Frau dieses Buch verfasst hat.

1679 hat es eine Raupenplage gegeben; viele tausend sehr große und gefräßige Tiere sind vor allem über die Blätter und Blüten der Obstbäume hergefallen. Ob das für die Zukunft Böses bedeuten könne, ist die Forscherin gefragt worden: »Worauf ich, nach meiner weiblichen Einfalt, diß wenige zur Antwort gebe: Daß dieses fressige Raupenzeug ... uns allbereit nichts gutes bedeute, zeigen die fast leeren Fruchtbäume ... ob das weiter so geschieht kan man leicht muthmassen; doch wird's die Zeit lehren ...« Sie hat sich überlegt aus der Affäre gezogen. Der Hinweis auf ihre »weibliche Einfalt« lässt sich sogar als ironische Anmerkung zu klischeehaften Frauenbildern deuten.

Es folgen noch neun Zeichnungen mit Text, dann sind die angekündigten fünfzig Blätter erreicht. Blatt L, das letzte, zeigt einen Ast vom »Eichelbaum, samt der Frucht« mit mehreren Raupen nebst Dattelkern und Motte. Diese Raupen hatte sie in einem August erhalten, »im December nun sind gar schöne Motten-Vögelein heraus kommen«. Nachdem die Tiere in allen farblichen Einzelheiten geschildert wurden, so dass die Käufer der Schwarz-Weiß-Ausgabe die Bilder mühelos selbst kolorieren konnten, geht die Autorin unvermittelt in ein Schlusswort über. Sie habe »alles dieses zu Gottes Ehre allein« erklärt und hoffe, »daß sein Ruhm und Lob auch diesen (dem äusserlichen Ansehen nach) sehr geringen, und bey manchen vielleicht verächtlichen Dingen, unter uns irdisch gesinnten Menschen desto heller und hertzlicher hervor leuchten möchte«.

Vorbei ist es mit dem locker präzisen Ton, der die sachlichen Texte des Buches prägt. Der Abschluss klingt wie eine Pflichtübung, auch wenn dahinter eine ehrliche Überzeugung steht. Der Forscherin ist offenbar daran gelegen zu wiederholen, was fast wörtlich am Anfang ihres Vorworts steht – »suche demnach hierinnen nicht meine, sondern Gottes Ehre, Ihn, als einen Schöpfer auch dieser kleinen und geringsten Würmlein zu preisen«. Die orthodoxen Glaubenshüter sollen ihre Forschungsarbeit nicht zu Fall bringen. Maria Sibylla Graf, Ehefrau und Mutter von zwei Töchtern, kommt den traditionellen Überzeugungen einen weiteren Schritt entgegen.

Vier Jahre zuvor, 1675, hatte ihr Förderer Joachim von Sandrart in seinem Buch *Teutsche Academie*, dem aufsehenerregenden ersten Standardwerk über die Geschichte der Kunst und Künstler im Deutschen Reich, die Tochter von Matthäus Merian als Malerin vorgestellt. Zugleich erwähnte er ihre Heirat mit Johann Andreas Graff und hob ihre hausfraulichen Qualitäten lobend hervor. Eine ähnliche Verbeugung vor den herkömmlichen Gottes- und Frauenbildern macht nun auch Maria Sibylla Graff. Wäre ihre Arbeit nicht ausschließlich »zu Gottes Ehre« geschehen, hätte sie »diß mühsame Werklein nie angefangen, viel weniger in Druck zu geben mich überreden lassen«. Zumal, fügt sie demütig hinzu, man ihr als Frau – auch wenn sie alles nur »neben ihrer Haussorge« zusammengestellt habe – unziemlichen Ehrgeiz unterstellen könne.

Doch solche Worte löschen die selbstbewusste Botschaft der Autorin im Titelblatt des Buches nicht aus: Dieses »Raupenbuch« ist in allem mein Werk. Die fünfzig folgenden Zeichnungen mit den einhundertzwanzig Seiten Text beweisen es und sind ein überwältigender Beweis gegen den Schlussabsatz mit seinem Tribut an die Konventionen. Zu hell klingt noch das »Loblied« des Gelehrten und Theologen Christoph Arnold in den Ohren, der zum Auftakt des Buches hervorhebt, dass in Deutschland eine Frau – die Tochter des Matthäus Merian – sich mit den Arbeiten berühmter Insektenforscher in England, Holland und Italien messen kann.

Der Widerspruch innerhalb des Buches ist unüberhörbar. Aber die Hinweise auf die eigenständige Forschungsarbeit überlagern die wenigen Demutsgesten vielfach. Es spricht für Maria Sibylla Graff, dass sie diesen Widerspruch öffentlich macht, aber zugleich im Vorwort ohne Umschweife verkündet, dass ihr nächstes Werk schon geplant ist: »Wolan, Der Anfang ist gemacht; wird dieses nun belieben, / so werd ich mich forthin, zu Dienst dem Leser üben, / das ich ihn bey dem Lust erhalte, durch die Kunst, / damit man Lob verdient, und grosser Herren Gunst!« Wer das reimt, ist nicht schüchtern und schätzt augenzwinkernde Ironie. Diese Frau ist ehrgeizig, und sie verhehlt es nicht.

6. Die Merian-Familie als religiöse Außenseiter

Die Selbstsicherheit, mit der die Autorin ihre Forschungsarbeit als etwas Neues und bisher Einzigartiges vorstellt, spricht für ihre Zuversicht, in der Welt der Gelehrten auf Interesse und Anerkennung zu stoßen. Die Blumenmalerin Maria Sibylla Graff, die sich für diese Arbeit nicht entschuldigen musste, weil sie zum vorgegebenen Bild von Weiblichkeit passt, ist endgültig Vergangenheit. Mit dem Buch über die Verwandlung der Raupen hat sie einen neuen Weg eingeschlagen. In dieser Richtung will sie weitergehen und ihre Talente bündeln: als Künstlerin, Forscherin und Autorin.

Es lohnt sich, genau hinzusehen. Mit ihrem ersten gewichtigen Buch über ihre Raupenforschung entscheidet sich die historische Stellung der Maria Sibylla Merian beim Aufbruch der Wissenschaften in die Moderne. Sie gehört zu den Pionieren. Der zweiunddreißig Jahre alten Tochter des Matthäus Merian muss bewusst gewesen sein, dass sie mit ihrer Leidenschaft für die kleinen blutlosen Tierchen die Schwelle in eine neue Zeit übertreten hat: eine Zeit, in der der Glaube an den christlichen Schöpfergott wie bisher einen Menschen prägen kann, aber kein Hindernis mehr ist, Tiere, Pflanzen und Menschen – die Natur und den gestirnten Himmel – mit kühlem Verstand und ohne religiöse Vorgaben oder Verbote zu erforschen.

Der große Insektenforscher Jan Swammerdam verlor über so viel Freiheit und Eigenverantwortung des Individuums den Kopf. Er flüchtete zurück in den Elfenbeinturm der Religion, bevor er 1680 starb. Maria Sibylla Merian fürchtete sich nicht. Ihr eigenständiger reformierter Glaube, an ihr Gewissen gebunden, war ihre Lebensgrundlage, aber er kollidierte nicht mit ihrer irdischen Leidenschaft und Wissbegier. Doch der Autorin war nicht an Skandal gelegen. Sie wollte ihre Karriere als Forscherin und Buchautorin auf solide Erfolge gründen.

Als kluge Geschäftsfrau mit Gespür für Angriffsflächen sicherte sie sich in ihrem Buch mit prominenter Unterstützung gegen Kritik ab. Ihr Verbündeter war Christoph Arnold. Der gelehrte Theologe und Professor in Nürnberg muss von ihrer Forschung sehr überzeugt gewesen sein, denn er war bereit, die Autorin auf zweifache Weise zu unterstützen.

Das »Loblied« am Buchanfang hatte Arnold in seiner Eigenschaft als Kenner der Naturwissenschaften geschrieben, der in Frauen ebenbürtige Partnerinnen sah. Mit keinem Wort kam bei diesem »Loblied« Gott ins Spiel; es ging allein um die Wissenschaft.

Christoph Arnold war es auch, der das Buch abschloss. Diesmal trat er als Theologe vor das Lesepublikum. Sieben Strophen hat sein »Raupen-Lied«, das auf die Melodie »Jesu, der du meine Seele« gesungen werden soll. Gleich die ersten Strophen setzen das Leitmotiv:

»Herr! Du Schöpfer aller Dinge,
Deine grosse Weisheit macht,
da ich von den Wundern singe,
sie du so wol hast bedacht:
Denen ist nichts zu vergleichen,
mein Verstand kann nicht erreichen
Deiner Werke Art und Weis;
Dir allein geziemt der Preis! ...

Dadurch wird mein Hertz gerühret!
Diese bunten Vögelein,
die Gott herrlich hat gezieret,
sollen meine Zeugen seyn;

daß ich sein Geschöpf hoch achte,
und, mit sondrem Fleiß, betrachte
alles, was auf Erden kreucht;
die von Gottes Güte leucht. …«

In der letzten Strophe nimmt Arnold den Kern der Forschung
von Maria Sibylla Merian – die Verwandlung der Raupen – in
den religiösen Kontext hinein und stützt ihn durch eine populäre Allegorie:

»Liebster Gott, so wirst Du handlen
auch mit uns, zu seiner Zeit;
wie die Raupen sich verwandlen,
die, durch ihre Sterblichkeit,
wiederum lebendig werden,
gleich den Todten in der Erden:
Laß mich armes Würmelein
Dir alsdann befohlen seyn.«

Die Forscherin selbst hat, wie wir gesehen haben, in den ausführlichen Texten des »Raupenbuches« mit keinem Wort die Metamorphose der Raupen als Sinnbild für Tod und Auferstehung
angesprochen. Sie hat mit einem »Dattelkern«, der eingesponnenen Raupe, ein kleines Experiment gemacht und ihre Erkenntnisse veröffentlicht. Der Dattelkern, »der gantz todt zu seyn geschienen«, hat sich in ihrer warmen Hand »stracks bewegt«.
Maria Sibylla Merians Schlußfolgerung: dass in dem Dattelkern
beziehungsweise der veränderten Raupe »ein rechtes Leben
seyn müste«. Das deutet nicht auf Vergänglichkeit, sondern
auf einen ewigen Lebenskreislauf hin. Um eine verwegene Pa-
rallele zu den radikalen christlichen Bewegungen der Barockzeit zu ziehen, die in Maria Sibyllas Vater einen Anhänger und

Förderer hatten: Schon in diesem irdischen Leben gibt es für Christen, die ein persönliches Bekehrungserlebnis haben, einen Neuanfang, eine »Wiedergeburt«.

Die erste Biografie nach dem Tod von »Maria Sibylla Merian, der Tochter des berühmten Kupferstechers Matheus Merian«, erschien 1718, ein Jahr nach ihrem Tod, in Arnold Houbrakens Kunstgeschichte über die »niederländischen Kunstmaler und Malerinnen«. Das Jahrhundert der Aufklärung, das tiefe Wurzeln im vorangegangenen barocken Zeitalter und seinen Pionieren hat, nahm seinen Anfang. Für den Maler Houbraken ist seine deutsche Kollegin, die seit 1691 in Amsterdam lebte, Teil der niederländischen Künstlerszene. Er lobt: »Sie bewahrte die Liebe zur Kunst, ungeachtet ihrer Geburten und häuslichen Sorgen.« Das war ein Pluspunkt in den Augen einer aufgeklärten Zeit.

Dann bringt der Maler neidlos die besondere Leistung dieser Frau auf den Punkt: »Aber es genügte ihr nicht, lediglich die Thiere mit den ihnen eigenthümlichen lebhaften Farben, auf Pergament nachzuahmen, sondern sie hatte auch Lust, die Veränderungen derselben und die wunderbaren Umwandlungen der Raupen in geflügelte Schmetterlinge, nebst den mannigfaltigen Arten ihres Fortkommens zu ergründen, und auch der Nahrung, von welcher sie leben, nachzuforschen.« Die Raupen-Forschungen der Merian sind für den Kunsthistoriker »wissenswürdige Wahrnehmungen«. Es ist der »Drang nach Wissen«, der sie zu weiteren Forschungen angetrieben hat, für die »die Wissenschaft ihr Dank schuldet«.

Die Freiheit der Wissenschaft hatte sich 1718 im Kern durchgesetzt. Aber vierzig Jahre zuvor, 1679, gehörte Mut dazu, wie Maria Sibylla Graff, geborene Merian, Forschungen zu veröffentlichen, die sich auf eigene Experimente gründeten und überkommenen Autoritäten widersprachen. Auch protestantische

Theologen stritten in diesen Jahren dafür, weiterhin den Thesen des heidnischen Philosophen Aristoteles zu folgen. Mit jedem Jahrzehnt des 17. Jahrhunderts, als mit dem Beginn der modernen Wissenschaften Gelehrte die von Gott geschaffenen Geschöpfe genauer unter Lupen und Mikroskope nahmen – seien es Menschen oder Raupen –, fühlten sich die etablierten Hüter des christlichen Glaubens mehr herausgefordert. In Nürnberg und Frankfurt war es die lutherische Geistlichkeit. Für sie hatte der Name Merian nicht den Glanz, den er bei Gelehrten, Autoren und Buchliebhabern besaß. Bei den Pfarrern, die kraft ihrer kirchlichen Ämter über die Einhaltung der orthodoxen Lehre wachten, konnte eine Autorin aus dem Hause Merian nicht mit Wohlwollen rechnen, hatte ihr Name geradezu einen gefährlichen Klang.

Das Misstrauen der geistlichen Herren begann bei grundsätzlichen Bedenken: dass der neue Wissensdrang die Religion von ihrem alles beherrschenden Platz in der Gesellschaft verdrängen würde. Die Bindekraft der Konfessionen schwand innerhalb der Gesellschaft und unter ihren Mitgliedern. Die Reformation des Martin Luther hatte religiösen Freigeistern Auftrieb gegeben. In der seit den 1630er Jahren anwachsenden protestantischen Subkultur schlossen sich einzelne unzufriedene Christen zu kleinen Gemeinschaften zusammen. Sie ermutigten sich untereinander, einen direkten Weg zu Gott einzuschlagen und abseits der verknöcherten kirchlichen Strukturen ein einfaches Leben wie die ersten Christen zu führen. Sie setzten darauf, dass ihr glaubwürdiges Beispiel unter Frauen und Männern Nachahmer finden würde.

Der Verleger Matthäus Merian gehörte zu solchen Ermutigern und führte eine ausführliche Korrespondenz mit gleichgesinnten Christen, vor allem in Nürnberg. Außerdem setzte er seine Beziehungen als Drucker und Verleger ein, um den engagierten christlichen Zirkeln, die in den Großkirchen als Ketzer und »Schwärmer« abgestempelt wurden, mit dem Druck von Büchern und Traktaten verbotener Theologen und Mystiker eine breite geistliche Grundlage zu schaffen. Es waren radikale kritische Schriften, die Heuchelei, ja satanische Verderbtheit vor allem bei der lutherischen Geistlichkeit anprangerten. Nicht wenige Autoren forderten dazu auf, die übermächtigen Kirchen zu verlassen. Die Gegenschläge der Angegriffenen, die christlichen Außenseiter mit Verboten und Verfolgung mundtot zu machen, blieben nicht aus.

Vor diesem geistig-geistlichen Zeithintergrund bekommt das Buchprojekt der Maria Sibylla Merian über die »Verwandelung der Raupen« seinen wahren Stellenwert an der Schwelle zu einer neuen Zeit und wird lebendige Geschichte. Da stehen Joachim von Sandrart und Christoph Arnold mit der Forscherin zwischen den Raupenschachteln, lassen sich voller Bewunderung die Experimente und Metamorphosen erklären und sind in intensive Gespräche vertieft, wie man das Risiko einer Veröffentlichung – zu der beide der Zweiunddreißigjährigen Mut machen – möglichst gering halten kann. Joachim von Sandrart, seit mehr als einer Generation mit der Merian-Familie befreundet, hat die Anklagen der Frankfurter lutherischen Geistlichkeit gegen den Merian-Verlag in unguter Erinnerung.

1639 beschwerte sich das lutherische Ministerium beim Rat der Stadt Frankfurt über Ketzereien und Sekten, vor allem unter den Calvinisten, und forderte, »giftige Bücher« einzuziehen. 1642 bis 1646 folgten neue Beschwerden, es fällt der Name Merian. Allerdings hatte der Rat kein wirkliches Interesse, gegen steuerkräftige und international berühmte Bürger wie den Verleger Matthäus Merian vorzugehen. 1646/47 wurden in Nürnberg »Sektierer« aus der Stadt gewiesen, weil sie die Kirche spalten wollten.

1650 stirbt Matthäus Merian der Ältere; sein Schwiegersohn Christoph Leblon übernimmt die religiöse Sparte des Verlagshauses und setzt die unangepasste Tradition fort. Vermehrt werden puritanische Reformtheologen aus England gedruckt; Leblon hat enge Kontakte zu eigenwilligen niederländischen Autoren, die sich an Christen jenseits konfessioneller Grenzen wenden. Im März 1664 muss sich der Frankfurter Rat wieder mit einer Beschwerde des lutherischen Ministeriums befassen: Es würden zusehends ketzerische Bücher gedruckt; vierundvierzig Bücher sollen eingezogen werden. Christoph Leblon wird als führender Übeltäter genannt. Der Rat lässt sich Zeit. Bevor eine Entscheidung fällt, wie gegen den Verleger vorzugehen ist, stirbt Leblon. Sein religiöses Buchangebot wird von den anderen Merian-Teilhabern nicht fortgesetzt. Aber einer von ihnen, Caspar Merian, Halbbruder von Maria Sibylla, macht die religiösen Extravaganzen dieser Familie erneut zum Stadtgespräch.

Für die Menschen im Umkreis von Caspar Merian, gelernter Kupferstecher und Verleger, war dessen radikale Entscheidung keine Überraschung. Auch die zwanzig Jahre jüngere Maria Sibylla, mit der er in Verbindung geblieben war, hatte er sicherlich eingeweiht. 1677, Caspar Merian war fünfzig Jahre alt, löste er sämtliche beruflichen Verpflichtungen und Geschäfte, hinterlegte in seiner Geburtsstadt Frankfurt am Main ein neues Testament und machte sich auf die Reise ins holländische Friesland.

Dort hatte nahe dem Städtchen Wieuwerd, nicht weit von Leeuwarden, im Jahr zuvor die »kleine Kirche« der Labadisten, die sich im Gegensatz zu den Monopol-Konfessionen der Lutheraner, Katholiken und Reformierten als die wahre christliche Kirche sah, auf geschenktem Grund und Boden rund um das Schloss Waltha eine autarke Gemeinschaft gegründet. Über hundert Menschen lebten hier nach den Regeln und Visionen des charismatischen Jean de Labadie – Jesuit in Frankreich, calvinistisch-reformierter Prediger in Genf und den Niederlanden –, der 1669 in Amsterdam bewusst den Bruch mit der reformierten Kirche herbeigeführt hatte. 1674 war Labadie inmitten seiner Getreuen im toleranten Altona bei Hamburg, das damals zu Dänemark gehörte, gestorben. Unter neuer Leitung folgten die Labadisten 1675 dem großzügigen Angebot dreier adliger Schwestern und Anhängerinnen, die auf Schloss Waltha zu Hause waren, ins friesländische Wieuwerd. Hier sollte unter Führung der »Erwählten« das »neue Jerusalem« als Leuchtturm eines von Grund auf reformierten Christentums entstehen.

Bald wird über die Glaubens- und Arbeitskommune der Labadisten ausführlich zu erzählen sein. Jetzt gilt es, nach Caspar Merians radikaler Abkehr von seinem bisherigen Leben und seiner »Wiedergeburt« in Wieuwerd, die Spur zu verfolgen, mit der er seine Halbschwester Maria Sibylla in der Welt draußen indirekt an die Labadisten bindet. Das Bindeglied ist der Frankfurter Jurist Johann Jacob Schütz, mit dessen entschiedenem Eintreten für einen sichtbar gelebten Glauben die Reformbewegung des Pietismus im lutherischen Frankfurt begonnen hat. Seit 1674 hatte Schütz, der rastlose Sucher, enge briefliche Kontakte zu führenden Labadisten in Altona, mit deren Ausrichtung auf die Urchristen er sich sehr verbunden fühlte. Religiöse Fragen waren ein zentrales Thema in seiner Freundschaft mit Caspar Merian, der von Johann Jacob Schütz aus erster Hand Informationen über die radikalen Christen und ihre Niederlassung in Wieuwerd bekam.

Der Frankfurter Jurist wird seinen Anteil daran gehabt haben, dass Caspar Merian 1677 zur Labadisten-Gemeinschaft in Holland übersiedelte. Es scheint, dass Caspar Merian zuvor noch einen Kontakt zwischen Schütz und Maria Sibylla herstellte. Vielleicht wünschte er, dass Maria Sibylla, zu der er eine enge emotionale Bindung hatte, in Schütz ebenfalls einen Vertrauten fand, mit dem sie Lebensfragen offen erörtern konnte.

Johann Jacob Schütz, der Frankfurter Jurist, hat über seine Korrespondenz penibel Buch geführt und in einem Kopierbuch viele seiner eigenen Briefe festgehalten. Am 14. Juni 1679 notierte er einen Brief, den er nach Nürnberg geschickt hatte: »Danck vor gemählt verehret. Hierbey 1. ducaten vor das töchtergen vor ein paar handschuh.« Als Stichwort stand »Gräfin« am Rand. Maria Sibylla Graff, geborene Merian – »Gräfin« nach dem damaligen verkürzenden Sprachgebrauch – war die Adressatin.

Der Brief muss Johann Jacob Schütz wichtig gewesen. Er revanchierte sich für ein »Gemälde« – vielleicht eine kolorierte Zeichnung –, die ihm Caspar Merians Schwester geschickt hatte. Mit dem »Töchterchen« wird die im Mai 1678 geborene Dorothea Maria gemeint sein; die erste Tochter der Merian war elf Jahre alt. Der Grund des Schreibens und das persönliche Präsent sprechen für einen Kontakt zwischen Schütz und Maria Sibylla Graff, der abseits juristischer Belange liegt. Es ist nicht der letzte Brief an die »Gräfin«, den Schütz in sein Kopierbuch eintrug.

1679 ist das Jahr, in dem das Buch über die »Wunderbare Verwandelung der Raupen« herauskommt. Nur zwei Jahre zuvor hat Caspar Merian mit seinem Weggang zu den Labadisten demonstrativ ein Zeichen gegen die etablierten Kirchen gesetzt. Keine Frage, dass er damit in Frankfurt und Nürnberg, wo die Familie seiner verstorbenen Frau herkam, Aufsehen erregt hat. In den Augen der offiziellen Geistlichkeit ein weiterer religiöser Negativposten in Bezug auf die Merian-Familie. Und falls sich die Kontakte zwischen Maria Sibylla Graff und Johann Jacob Schütz, dem unbequemen christlichen Querdenker, herumgesprochen hatten, war das ein weiterer Grund, dem »Raupenbuch« der Tochter des Matthäus Merian mit größter Skepsis zu begegnen.

Das alles werden die Autorin und ihr Bewunderer und Unterstützer Christoph Arnold besprochen haben. Wie aufgeschlossen dieser Theologe der neuen Zeit begegnete, zeigen die von ihm herausgegebenen Reiseberichte und seine Aufsätze über »heidnische Religionen«. Doch Arnold war seinen orthodoxen Kollegen nicht verdächtig, weil seine frommen geistlichen Lieder, die Aufnahme in das Nürnberger Gesangbuch fanden, als Ausweis seiner Rechtgläubigkeit überzeugten. Unter diesem positiven Vorzeichen war das »Raupenlied« von Christoph Arnold ein kluger, beruhigender Abschluss des Buches von Maria Sibylla Graff für alle diejenigen, die sich im alleinigen Besitz der überkommenen Wahrheiten über Gott und die Welt wähnten und es voller Misstrauen aufschlugen.

Es gab keine Klagen der Geistlichkeit gegen die Raupenforschungen der Merian und ihre Veröffentlichung. Die Autorin hatte ohnehin keine Zeit, Gedanken an mögliche offizielle Einwände zu verschwenden. Neben den Raupen galt ihre Leidenschaft dem Büchermachen. Schon 1680 kommen in Nürnberg zwei weitere Bücher von »M. S. Gräffin, M. Merians des Ältern seel. Tochter« auf den Markt.

7. 1680: Das *Neue Blumenbuch* und der gelungene Wettstreit zwischen Kunst und Natur

Eine kluge Geschäftsfrau stellt ihr Licht nicht unter den Scheffel und hat keine Hemmung, Werbung in eigener Sache zu machen. Sie habe, schreibt Maria Sibylla Graff in ihrem Vorwort, »diß neue Blumenbuch nicht um eigenes Nutzens willen ... sondern vielmehr der Lehrgierigen Jugend zum besten, und dann auch der künftigen Nachwelt zum Angedenken, an das Liecht stellen wollen: Damit solches so wol zum Nachreissen und Mahlen, als dem Frauenzimmer zum Nähen, und allen Kunstverständigen Liebhabern zu Nutz und Lust dienstlich seyn möchte.«

Nach dem Willen der Autorin bot das *Neue Blumenbuch*, das 1680 in Nürnberg erschien, den Käuferinnen und Käufern vielfältige Möglichkeiten für ihr Geld: Die von Maria Sibylla Graff gezeichneten und in Kupfer gestochenen Einzelblumen, Sträuße, Blumenkörbe, Kränze und Ornamente sollten als Vorlagen und Muster zum Nachzeichnen – »reissen« – und Malen anregen, zum Nachsticken und Nähen auf Stoffen, aber auch dank ihrer kunstvollen Darstellung für »kunstverständige Liebhaber« eine zweckfreie Augenlust sein.

Dann fügt die Buchautorin selbstbewusst hinzu, sie habe »das zuversichtliche Vertrauen«, dass die genannten Personen ihr *Blumenbuch* »mit derselben Gunstgewogenheit zu würdigen geruhen, womit Sie das jüngsthin ausgegebene Raupenbüchlein in spürbarem Maße an- und aufgenommen haben«. Nichts ist erfolgreicher als der Erfolg. Das Buch über *Der Raupen wunderbare Verwandelung* hat Maria Sibylla Graff, Tochter des Matthäus Merian, 1679 vor allem unter den Insektenforschern und Gelehrten Anerkennung verschafft. Der Erfolg ist eine ideale

Ausgangslage, schnell ein weiteres Buch nachzulegen – zumal eines, das ebenfalls für ein bürgerlich-gebildetes und zugleich noch breiteres Publikum gedacht ist.

Was die nun Dreiunddreißigjährige – Künstlerin, Forscherin, Texterin, Verlegerin –, deren zweite Tochter gerade zwei Jahre alt war, sich vorgenommen hat, das zieht sie durch. Auch wenn es nur ein Jahr nach dem Erscheinen des »Raupenbuches« wiederum ein Kraftakt gewesen ist. Die Familie fordert ebenso Maria Sibyllas Zeit wie die gefräßigen oder eingesponnenen Raupen in vielen über das Haus verteilten Schachteln, deren Beobachtung weiterhin zu ihrem Lebensrythmus gehört.

Genau genommen waren es zwei neue Bücher, für die Maria Sibylla Graff 1680 verantwortlich zeichnete, vom Vertrieb abgesehen, den wieder ihr Mann Johann Andreas Graff übernahm. Auf das *Erste Blumenbuch* von 1675 – ihr allererstes Buch überhaupt – war 1677 das *Zweite Blumenbuch* gefolgt. Sie gab ihnen lateinische Titel – *FLORUM FASCICULUM PRIMUM* und *FLORUM FASCICULUM ALTER* –, das erste und das zweite »Blumenbündel«. Denn die Zeichnungen füllten lose Blätter, die von den Besitzerinnen gebunden wurden. 1680 erschien zum einen das dritte »Blumenbündel« – *FLORUM FASCICULUM TERTIUS* – und zusätzlich als besonderer Verkaufscoup das *Neue Blumenbuch*: Es fasste alle drei »Blumenbündel« in einer gebundenen Ausgabe zusammen. Ein kluger Schachzug, denn die ersten beiden »Bündel« waren inzwischen ausverkauft.

Das 1675 erschienene »Blumenbuch« hatte einen lateinischen Titel, wohl um den qualitativen Anspruch der Autorin zu betonen, die sich als »Maria Sibylla Graffin / Matthaei Meriani / Senioris Filia« vorstellte. Der Titel für die drei Bücher in einem verkündete 1680 auf Deutsch: »M. S. Gräffin, / M. Merians des Ältern seel: Tochter. / Neues Blumenbuch / Allen Kunstverständigen / Liebhabern zu Lust, Nutz und Dienst, / mit fleiß verfertiget. / Zu finden bey / Joh. Andrea Graffen, / Mahlern in Nürnberg. / Im Jahr 1680.« Ob auf Latein oder Deutsch: Maria Sibylla Graff produzierte keine Durchschnittsware, dafür stand als Gütezeichen der Name »Merian«. Ein wichtiger Hinweis, denn auf dem Buchmarkt waren Blumenbücher in Mode gekommen.

Das neue Merian-Blumenbuch zeigt auf sechsunddreißig Kupfertafeln populäre Blumen, die in Zier- und Schmuckgärten beliebt sind: darunter Narzissen, Hyazinthen, Anemonen, Rosen und Lilien, Tulpen natürlich, aber auch das »Dreyfaltigkeits-Blümlein, sonst Stiefmütterlein, auch Je länger je lieber, genant«, wie das Register anzeigt. Kräuter oder medizinische Heilpflanzen haben hier keinen Platz; sie passen nicht als Tischdecken- oder Kissen-Dekoration. Blumen spielen die Hauptrolle auf allen Zeichnungen; Schmetterlinge, Raupen und Käfer treten diesmal in wesentlich kleinerem Format zur Zierde und am Rande auf.

Waren im »Raupenbuch«-Register die Blumen und Pflanzen mit ihrer deutschen und lateinischen Bezeichnung angegeben, nennt das *Neue Blumenbuch* nur die deutschen Namen. Die Autorin weiß ihr Lesepublikum zu unterscheiden, ohne deshalb das Niveau zu senken. Die »Vorrede an den Natur- und Kunstliebenden Leser«, mit dem das Buch beginnt, ist ein kleines Meisterwerk.

Ohne langatmigen Einstieg erzählt Maria Sibylla Graff anschaulich und mit leichter Feder drei Geschichten, angefangen beim Kaiser Maximilian an der Wende vom 15. zum 16. Jahrhundert. Er schenkte einem alten Bauern hundert Gulden, weil der einen Dattelbaum pflanzte, von dessen Früchten erst seine Nachkommen profitieren würden. Sie schildert die holländische »Tulpensucht« in den 1630er Jahren, als Menschen für eine Tulpenknolle, deren Preis in schwindelnden Höhen lag, Haus und Hof versetzten. Die letzte Geschichte führt bis zum

»12. November« des Jahres 1679, als »der jetzige Papst« nach der Besichtigung einer Kirche in Mailand, wo ihm »auf dem Ruckweg einige Blumen verehret wurden«, sich mit einem »Brief von etlichen tausend Cronen« bedankte.

An solchen Auswüchsen, zu denen die Natur »grosse Liebhaber« verführt, Kritik zu üben, ist nichts Originelles, zumal unter protestantischen Zeitgenossen. Dass die Tochter des Matthäus Merian anderes im Sinn hat, wenn sie mit ihrem »Blumenbuch« die »holdselige Zierde« der Natur präsentiert, versteht sich von selbst. Tatsächlich nutzt die Autorin die Geschichten, um schon auf der ersten Seite der »Vorrede« mit vier kleingedruckten Fußnoten auf ihre Belesenheit hinzuweisen.

Kenner werden die Abkürzungen darin schnell entschlüsselt haben. Maria Sibylla Graff bezieht sich auf eine Geschichte der Niederlande, 1647 in Leiden erschienen; auf den gedruckten Bericht über eine niederländische Gesandtschaft am Hof des Kaisers von China 1655-1657; auf den 1679-1688 in Prag herausgegebenen ersten Band einer Geschichte über das Königreich Böhmen. Auf Seite zwei der Vorrede schildert sie eine »Wunderblume«, die »ihre Farb täglich zweymal verändert; indem sie bald Purpurfarb, bald Schneeweiß ist«. Eine Entdeckung, die im mehrbändigen illustrierten Blumen-Klassiker *De Florum Cultura* des italienischen Jesuiten, römischen Professors und Botanikers Giovanni Battista Ferrari, erschienen ab 1632, nachzulesen ist. Auch über die besonderen Blumen, mit denen der »Chur-Pfältzische Lustgarten aus Engelland bereichert und gezieret worden«, informiert die Autorin des *Neuen Blumenbuchs* ihre Leser.

Die »Vorrede« ist eine gelungene Mischung aus Unterhaltung und Information. Dabei drängt Maria Sibylla Graff, geborene Merian, sich ihrem Lesepublikum nicht auf, stellt sich nicht eitel in ein grelles Licht. Aber sie versteckt sich auch

12.   Ihre drei »Blumenbücher«, die seit 1675 als Vorlagen zum Malen und Sticken erscheinen, fasst die Merian 1680 in einem *Neuen Blumenbuch* zusammen. Es enthält neben einem originellen Text 36 Zeichnungen von ihr. Schon das Titelblatt macht Lust zum Kaufen.

nicht hinter nüchtern-neutralem Expertenwissen. Sie zeigt sich in ihrem Text als eine kommunikative, selbstbewusste Persönlichkeit, die am Schreiben ebenso Vergnügen hat wie am Zeichnen. Die auf zwei Seiten Schwerpunkte zu setzen weiß und neben allgemeinen Lebensweisheiten eigene Bilder und Gedanken einbringt.

Gott ist der Schöpfer der Natur: Diese Selbstverständlichkeit erwähnt die gläubige Calvinistin Maria Sibylla Graff in ihrer Einleitung nur einmal kurz, verbunden mit sehr irdischen Hintergedanken. Als in der ersten Geschichte Kaiser Maximilian den Bauern fragt, warum er einen Baum pflanzt, der erst in hundert Jahren Früchte trägt, antwortet der alte Mann: »... ich thue es aber Gott zu Ehren und den Nachkommen zu Nutz!« Damit ist dem geistlichen Aspekt Genüge getan. Von religiösen Allegorien, die bei Blumen zum alltäglichen Bestand in Gedichten, Schriften und Predigten gehören, ist keine Rede.

Mit dem letzten Absatz der »Vorrede« wechselt die Künstlerin und Herausgeberin vom hohen Gedankenflug zum praktischen Hintergrund der Vorlagen im *Neuen Blumenbuch* – zum Nachzeichnen, Malen und Nähen. Ohne Umschweife folgt eine Werbung für ihr »Raupenbuch«. Aber darüber vergisst sie ihren Anspruch nicht, auch mit dem »Blumenbuch« mehr als flüchtiges Tagewerk zu produzieren. Es soll »der lehrgierigen Jugend zum besten und dann auch der künftigen Nachwelt zum Angedenken« dienen.

Dann verrät die Autorin ihren Lesern und Leserinnen in einem letzten originellen Bild, was sie im Kern zu diesem Buch animiert hat. Es ist der »freywillige und anmuthige Zweykampf«, zu dem »in dieser Blü- und Blumenreichen Frühlingszeit, die Kunst von der Natur gleichsam ausgefordert wird«. Maria Sibylla Graff, geborene Merian – Künstlerin, Blumenliebhaberin, Raupenforscherin, Buchautorin und Geschäftsfrau –, wird über diesen »Zweikampf«, den sie seit ihrer ersten Begegnung mit einer Seidenraupe in sich selber austrägt, zur Dichterin. Es ist ein tiefer Blick in ihr Herz, den die Dreiunddreißigjährige zulässt:

So muss Kunst und Natur stets mit einander ringen,
bis daß sie beederseits sich selbsten so bezwingen,
damit der Sieg besteh' auf gleichen Strich und Streich:
Die überwunden wird, die überwindt zugleich!
So muß Kunst und Natur sich hertzen und umfangen,
und diese beederseits die Hand einander langen:
Wol dem, der also kämpft! Dieweil, auf solchen Streit,
wann alles ist gethan, folgt die Zufriedenheit.

Vom *Neuen Blumenbuch* haben sich drei Exemplare erhalten, in denen die Künstlerin die ursprünglichen Schwarz-Weiß-Zeichnungen mit Wasserfarben koloriert hat. Sie geben den Blumen in ihrer klassischen Einfachheit – ob es die prachtvolle »Große Tulipan Diana« oder ein »Schlüsselblümlein« ist – eine unaufdringliche Leichtigkeit, wie sie nur höchste Kunst zustande bringt. Nichts verrät das Ringen der Künstlerin, den Kampf um eine kongeniale Wiedergabe, die viel mehr ist als bloße Reproduktion.

Wer in diesem Buch blättert, bekommt gute Laune. Bei aller Präzision sind diese Blumen nicht gekünstelt, haben auch auf dem Papier ihre Natürlichkeit erhalten. Das ist das Geheimnis der Künstlerin und Naturforscherin Maria Sibylla Merian. Und wir ahnen nun etwas von der Zufriedenheit, mit der sie nach getaner Arbeit erfüllt war.

Bis zu diesem Zeitpunkt, dem Jahre 1680, haben wir keinen Brief von Maria Sibylla Merian, kein persönliches Wort spricht zu uns durch die Jahrhunderte. Doch mit der »Vorrede« hat sich wieder eine Tür in ihren Alltag geöffnet: Zwischen aller Arbeit nimmt sie sich Zeit, Bücher zu lesen und Gespräche zu führen, sich auszutauschen über das, was sie gelesen hat; Anregungen für neue Lektüre zu bekommen. Wir sehen sie nicht nur im lebhaften Gespräch mit ihren beiden Förderern und Freunden – Christoph Arnold, dem gelehrten Theologen, und Joachim von Sandrart, dem Maler und Kunsthistoriker. Sie plaudert mit Clara Imhoff, ihrer Freundin und Schülerin in der »Jungfern-Compagnie«, und den naturforschenden Verwandten, in deren Nürnberger Gärten sie nach Raupen suchen darf. Oder mit Frauen und Männern, Liebhabern von Kunst und Natur, die der Frau Gräffin eine Raupe vorbeibringen.

Alles ist eingeplant in einen Alltag, wo Menschen und Tiere ihre Zeit forderten, ohne sich an feste Pläne zu halten. Eine Pause von der Raupenforschung kam für Maria Sibylla Graff nicht in Frage: »Eine von dieser Raupen Art … habe ich zu Nürnberg gefunden im April 1680, welche ich mit Schlehen blättern biß den 20 May ernehret hab, da hat sie sich in ein Ovalrundes Ei eingesponnen; Alß es aber lang gelegen, war es verdorret, und nicht darauß geworden.« Den Beobachtungen vom April 1680 folgt im nächsten Jahr die nächste Enttäuschung: »Noch habe ich 1681 den 20 May, Zu Kraftshof, (eine Meil ausser Nürnberg vor einem Dorff,) in dem sogenannten Poeter- oder Irrgarten … etliche eben derselben Raupen gefunden, … aber auß denen ist mir auch nichts geworden.«

Doch kein Wort über vertane Zeit oder vergebliche Mühe, obwohl der »Irrgarten« im Nürnberger Reichswald nicht leicht zu erreichen war. Jede Raupe, die in einer ihrer Schachteln landete und sorgsam gepflegt wurde, war Teil eines lebenslangen Experiments, dem sich die Künstlerin verschrieben hatte. Ausgang ungewiss – das gehörte jedes Mal aufs Neue dazu. Die forschende Neugier der Merian war unersättlich.

8. Wieder heimisch in Frankfurt am Main. 1683:
Das »Zweite Raupenbuch« und mehrere Paukenschläge

In ihren Aufzeichnungen über Raupenfunde in den Jahren 1680
und 1681 in und um Nürnberg schildert Maria Sibylla Graff
einen Raupenfund an einem frühen Frühlingsmorgen des folgenden Jahres: »Alß ich aber 1682 (nach 14 Jähriger Wohnung
zu Nürnberg, durch Gottes Schickung) wieder nach F am Mayn
zoge, fand ich an dem Bockenhaimer Wege den 14 May zu frühe an den Schlehenhecken ein grosses Gespinst, worauf etlich
und 70 Raupen, welche noch sehr klein waren ...« Damit hat
sie in ihrem »Studienbuch« ihre Nürnberger Zeit eindeutig markiert. 1668 ist sie mit ihrem Ehemann, dem Maler Johann Andreas Graff, und der im Mai geborenen Tochter Johanna aus
ihrer Geburtsstadt Frankfurt nach Nürnberg, der Heimatstadt
ihres Mannes, aufgebrochen. Vierzehn Jahre hat sie mit ihrer
Familie im Haus »Zur goldenen Sonne« am Milchmarkt gewohnt. Das war in ihren Augen Gottes Schickung, und ebenso
der Grund, warum Maria Sibylla Graff 1682 wieder zurück nach
Frankfurt zog.

Seit dem November 1681 war ihre Mutter Johanna Sibylla
Marrel, verwitwete Merian, zum zweiten Mal Witwe. Am elften
des Monats musste sie ihren zweiten Mann, den Maler und
Kunsthändler Jacob Marrel, beerdigen. Im August 1651 hatten
die beiden geheiratet. Johanna Sibyllas erster Mann, Maria Sibyllas Vater Matthäus Merian, war 1650 gestorben. Marrel wurde Maria Sibyllas Stiefvater und bildete das junge Mädchen in
allen Techniken und Künsten der Malerei aus.

Dass Matthäus Merian der Jüngere, Maria Sibyllas Halbbruder, ein gefragter Maler, seine Stiefmutter samt ihrer neuen
Familie mit Verachtung strafte, muss die Heranwachsende ge-

schmerzt haben. In seiner späteren Autobiografie nennt der Nachfolger im Frankfurter Verlagshaus seines Vaters Jacob Marrel geringschätzig »einen kleinen Mahler«, der mit seiner Frau, Maria Sibyllas Mutter, »das gute Gelt« aus der Merian-Erbschaft verzehre. Nach Marrels Tod habe die Witwe deshalb »das Gnadenbrot bei ihrer Dochter essen« müssen.

Der Eintrag im »Studienbuch« über ihre Raupenjagd am 20. Mai 1682 im »Bockenhaimer Weg« ist der erste Hinweis, dass Maria Sibylla Graff bald nach dem Tod ihres Stiefvaters zu ihrer Mutter nach Frankfurt aufgebrochen ist. Wie weit Emotionen eine Rolle spielten, darüber lässt sich nicht einmal spekulieren. Aber seit das Testament des Jacob Marrel geöffnet war, gab es einen praktischen Grund. Der Maler und Kunsthändler hinterließ einerseits einen Berg Schulden, aber auch dreihundertzwanzig Gemälde, die durchaus ihren Wert hatten. Die direkten Erben waren Marrels Witwe und seine Tochter Sara aus erster Ehe, mit der zusammen Maria Sibylla aufgewachsen war. Die Erben zerstritten sich sofort. Maria Sibylla zog mit ihrer Mutter vor Gericht; Erbschaftsprozesse konnten Jahre dauern. Die Tochter hatte sich mit dem Umzug darauf eingestellt, dass ihr Aufenthalt in Frankfurt am Main kein kurzer Besuch sein würde, und ihre Raupenschachteln an den Main mitgenommen.

Die siebzig kleinen Raupen auf dem Gespinst am »Bockenhaimer Weg« lagen »gantz dichte in einem Runden Zirckel beysammen« und sahen aus wie ein »sammtener schwarzer Fleck«. Über zwanzig Jahre sammelte Maria Sibylla nun lebende Raupen, um deren Weg über die Metamorphose zum Schmetterling bei sich zu Hause mit aller Sorgfalt zu begleiten. Siebzig auf einen Streich konnten sie nicht schrecken: »… da nahm ich den gantzen Zweig miteinander nach Hauß, und gab Ihnen täglich noch solche frische Schlehen Zweiglein, die steckte ich neben das gespinst, in einen Krug in die Luft.« Doch die Raupen sind eigensinnig. Sie weigern sich, ihre Nahrung, die ihnen abends um sieben Uhr vorgesetzt wird, zu fressen.

Auch als die Forscherin sie »mit Gewalt auf ihre Speise gesetzt« – die Schlehenzweige –, »so haben sie sich doch nicht geregt, sondern unbeweglich liegen blieben«. Maria Sibylla muss sie die ganze Nacht beobachtet haben, um protokollieren zu können: »Wann aber die 9 Uhr herbey gekommen sind, da sind sie herumb gelauffen, und ihre Speise gesucht.« Es waren nicht nur Wochen und Monate. Vom Mai 1682 bis in den März 1683 hielten die siebzig Raupen die Forscherin auf Trab, und ihrem seit Jahren geschulten Auge entging nichts.

Die Raupen hatten sich ein Gespinst mit einem runden Loch gesponnen, durch das sie ein- und auskriechen konnten. Jeden Abend um sieben legten sie sich als runder Flecken für die Nacht zusammen: »Solches haben sie getrieben biß den 24 Juny, da sind etliche eingesponnen in solches Vogel Ey, worinnen sie den gantzen winter in einer warmen stuben geblieben sind biß den 5 Merz, da kam mir das erste Vögelein herauß, daß war eine solche Leberfarbe Motte mit 6 füßlein, den 7. Mertz ist wieder eins herauß gekommen.« Kein Wort verliert Maria Sibylla über die unzähligen Stunden, die ihre Forschungsarbeit sie kostet. Auch bei der Mutter in der Frankfurter Wohnung wird alles genau notiert, aufgezeichnet und mit den entsprechenden Farben versehen. In ihren Zeilen schwingen staunende Neugier mit, Freude und Zufriedenheit, solche Entwicklungsprozesse lebendiger Natur miterleben zu dürfen.

Solange der Erbschaftsprozess lief, war Maria Sibyllas Mutter mittellos und tatsächlich auf ihre Tochter, ihr einziges noch lebendes Kind, angewiesen. Um den nötigen finanziellen Unterhalt regelmäßig zur Mutter nach Frankfurt zu bringen, hätte sich ein Weg gefunden. Zumal Maria Sibylla Graff sich in

Nürnberg zwei feste Einnahmequellen geschaffen hatte: die »Jungfern-Compagnie« und den Handel mit Farben, anderen Malutensilien, getrockneten Pflanzen und Tierpräparaten noch über ihren Malkurs hinaus. In ihrem »Haus zur goldenen Sonne« hatte sie ihre Werkstatt und viele Plätze für ihre Raupenschachteln eingerichtet. Sie war in Nürnberg in einen Kreis von befreundeten Familien, Freundinnen, Gesprächspartnern und Bewunderern eingebunden.

Ihr Ehemann, der Maler Johann Andreas Graff, war in Nürnberg geboren und aufgewachsen, hier hatte er seine Auftraggeber, seine Kontakte. Wie dachte er über den Umzug zu seiner Schwiegermutter? Gab es Diskussionen, vielleicht Streit zwischen den Eheleuten? Das bleibt alles im Dunkeln. Aber eine Antwort liegt nahe: Die Entscheidung, auf unbestimmte Zeit – wenn nicht für immer – zurück in ihre Vaterstadt zu ziehen, hat Maria Sibylla getroffen, schnell und ohne zu zögern. Dafür spricht, dass im Mai 1682 in der Frankfurter Wohnung ihrer Mutter alles darauf ausgerichtet war, siebzig Raupen aufzunehmen und, wenn nötig, über den folgenden Winter zu betreuen.

Am 25. Juli 1682 schreibt »Maria Sibila Graffin« einen Brief an ihre Malschülerin und Freundin Clara Imhoff aus alter Nürnberger Patrizierfamilie: »Wohl Etle VielEhren und Tugentreiche Insonders Vielgeliebte Jungfer, Ihr angenehmes brifflein habe ich wohl empfangen und mit freuwden ihrer aller guten Zustandt vernohmen … meine wenige berson Sambt den Meinigen dancken Gott herzlich vor gesundtheit, und guten wohlstand …« Damit wird eine Frage zwar nicht exakt, aber hinreichend beantwortet: Maria Sibylla ist nicht alleine, sondern mit ihrer Familie, Ehemann und Töchtern, nach Frankfurt gezogen – »samt den Meinigen«. Einige Zeilen weiter wird klar, dass die Frau des Malers Graff sich inzwischen in Frankfurt eine feste Arbeits- und Lebensperspektive geschaffen hat.

Zusammen mit ihrem Brief schickt Maria Sibylla als Dank »vielfaltiger Empfangener freundtschafft« Zeichnungen aus ihrem Raupen- und Blumenbuch und hofft, sie werden »nicht übel« aussehen, wenn Clara sie mit Farben ausgemalt hat. Mehr noch, die farbigen Zeichnungen sollen der ehemaligen Schülerin »zu großem ruhm gereichen, dan ich Sie schon vielfaldig gegen meine jezige Jungfern Combanny gerühmet habe …« Eine Überraschung: Kaum war Maria Sibylla zurück in ihrer Geburtsstadt, hatte sie wie in Nürnberg eine private »Compagnie« für junge Frauen gegründet, die sie im Malen, Zeichnen und Sticken unterrichtet. Für eine »Merian« werden sich in der Metropole am Main die Türen der besten bürgerlichen Kreise wie von selbst geöffnet haben. Stolz schickten die Familien ihre Töchter zu der angesehenen Malerin und Buchautorin, die ein gutes Honorar wert war.

Die Lehrerin versorgte auch ihre Frankfurter Schülerinnen gegen Bezahlung mit Farben, Pergament und anderen nützlichen Utensilien. Ihren bisherigen Nürnberger Handel mit Farben, teilweise selbst aus Pflanzen hergestellt, Firnis und Tierpräparaten gab sie dennoch nicht auf. Dorothea Maria Auer, wie Clara Imhoff einst ein Mitglied der »Jungfern-Compagnie«, das zur Freundin wurde und zur Patin der jüngeren Tochter Dorothea Maria, nahm Maria Sibyllas Ware in Nürnberg ab und verkaufte sie weiter. Die Frau des Malers Graff hatte sich wieder einmal als erfolgreiche Geschäftsfrau erwiesen: Ohne längere zeitliche Unterbrechung verschaffte Maria Sibylla sich auch in Frankfurt ab Frühjahr 1682 regelmäßig eigene Einnahmen, unabhängig von dem, was sie mit ihren Büchern verdiente.

Über den interessanten Informationen gerät fast in Vergessenheit, dass Maria Sibylla, fünfunddreißig Jahre alt, mit dem Brief an Clara Imhoff erstmals im Originalton eines persönlichen Dokuments greifbar wird. Fast dreihundertfünfzig Jahre trennen uns von diesen Zeilen. Was damals zum guten barocken Schreibstil gehörte, klingt in unseren Ohren gekünstelt und kommt wie auf sprachlichen Stelzen daher. Doch der lockere direkte Merian-Ton, der sowohl die »Blumenbücher« wie das faktenreiche »Raupenbuch« auszeichnet, lässt solche Formalitäten hinter sich. Zum Briefende bittet Maria Sibylla die Freundin, »mir meine übelle schrifft nicht übell aufzunehmen, dan es in Eill geschehen«. Und schließt mit den optimistischen Wünschen: »Adieu, Sie lebe Vergnücht, und verbleibe mir gewogen.«

Der nächste Brief aus dieser Korrespondenz hat sich vom 24. März 1683 erhalten. Wie vertraut die Familien Graff und Imhoff miteinander sind, wie sehr Maria Sibylla an dieser freundschaftlichen Beziehung gelegen ist, zeigen ihre Abschlussworte: »Meine Mutter, und man, und töchter, wie auch meine wenige berson, Grüßen meine hochgeEhrt Jungfer, dinst freundlich, wie auch ihren herren Vatter, und frauw Mutter …« Damit ist dokumentiert, dass Maria Sibyllas Ehemann im Frühjahr mit ihr in Frankfurt lebt. Und der Erbschaftsprozess findet kein Ende.

1683 überrascht die Frau des Malers Graff – die »Gräffin« – mit einem weiteren Kraftakt. In Frankfurt erscheint *Der Raupen wunderbare Verwandelung und Blumen-Nahrung / Anderer Theil*. Das erste »Raupenbuch« von 1679 zierte als Titelbild ein Kranz aus Maulbeerzweigen, die Nahrung der Seidenraupen, weil die Autorin mit diesem »allernutzlichstem Wurm«, ihre andere Bezeichnung für Raupe, ihre gesammelten Forschungen begann. Vier Jahre später entscheidet sich Maria Sibylla Merian für einen dichten bunten Blumenstrauß als Titelbild-Attraktion. Vielleicht ein geschickter Verkaufsanreiz, denn damit schließt dieses »Raupenbuch« optisch an das erfolgreiche *Neue Blumenbuch* von 1680 an.

Eines allerdings erstaunt: Gerade einmal zwei kleine Raupen räkeln sich auf den Blumen, während vier Bienen, optisch herausgehoben, um die Blüten fliegen oder Honig saugen. Im Vorwort der Autorin erhält der Leser den ersten Hinweis. Nach der nützlichen Seidenraupe, die mit ihrem Faden die Grundlage für kostbare Seide spinnt, folgt die Biene als »nutzbarstes Tier«, das köstlichen Honig liefert. Für Maria Sibylla Graff liegt darin kein Widerspruch zu einem Raupenbuch. Gleich im ersten Kupferstich mit dem »Blauen Märzveilchen« macht »die wunderbare Verwandelung der bekanten Biene anjetzo den Anfang«. Auf der Zeichnung ist eine Made zu sehen, die »erste Gestalt einer Biene«. Es folgt die »zweite Gestalt«, die »hat schon sechs Füße«. Die »dritte Gestalt hat bereits Flügel« und auch einen Stachel. Verwandlung – Metamorphose – steht im Zentrum von Maria Sibylla Merians Raupenforschung, ein Phänomen, das die gesamte Natur durchzieht.

Das farbige Blumenkranz-Titelbild umgibt den Kurztitel von *Der Raupen wunderbare Vewandelung ... Anderer Theil. 1683.* Die nächste Seite schließt mit einem ausführlichen Titel an, der bis auf wenige Zusätze den Auftakt zum ersten »Raupenbuch« kopiert: »Worinnen, durch eine gantz neue Erfindung, Der Raupen, Würmer, Maden, Sommervögelein, Motten, Fliegen, Bienen und anderer dergleichen Thierlein, Ursprung, Speisen, und Veränderungen, samt ihrer Zeit, Ort, und Eigenschaften, den Naturkündigern, Kunstmahlern, und Gartenliebhabern zu Dienst selbst fleissigst untersucht, kürzlich beschrieben, nach dem Leben abgemahlt, und wiederum in fünfzig Kupfer (darauf über 100 Verwandlungen), gestochen und verlegt, Von Maria Sibylla Gräffin, Matthäi Merians, des Eltern, Seel. Tochter. Zu finden in Frankfurt am Mayn, bey Johann Andreas Graffen, Mahlern, zu Leipzig und Nürnberg, bey David Funken. Gedruckt durch Joh. Michael Spörlin 1683«.

Der
Raupen
wunderbare
Herwandelung,
und sonderbare
Blumennahrung
Anderer Theil.
1683.

Maria Sibylla Gräffin sculpsit.

13.   1683 bringt Maria Sibylla Merian ihr »Zweites Raupenbuch« heraus. Ihre Texte und Zeichnungen erzählen von über hundert neuen Raupenexperimenten. Das Titelblatt lockt mit einem Blumenstrauß.

Die interessanteste Veränderung hat die Autorin bei ihrer Ankündigung bescheiden in Klammern gesetzt. Auf den fünfzig Kupferstichen in Band eins waren 1679 fünfzig Raupen mit ihrer jeweiligen Wirtspflanze dargestellt und ihre Lebensstadien auf rund hundert Seiten Text beschrieben worden. Auch im zweiten Band hat sich die Künstlerin für fünfzig Kupferstiche entschieden – doch auf ihnen sind insgesamt »über 100 Verwandlungen« zu sehen, die auf den jeweils folgenden Seiten beschrieben werden. Im Vorwort erklärt die Autorin diese Neuerung. Sie habe, »dem Liebhaber zu Nutzen, und die Weitläufigkeit zu vermeiden, die Sache etwas enger zusammen gezogen, und diejenigen Raupen, so einerley Speise gebraucht, zugleich auf ein Kupferblat gesetzt«. Genau gezählt sind es diesmal 143 neue Spezies, die Maria Sibylla durch alle Entwicklungsstadien in ihren Schachteln bei Tag und Nacht bis zur Verwandlung in einen Schmetterling, eine Motte oder Fliegen sorgfältig beobachtet, notiert und aufgezeichnet hat. Die Kompositionen von diesen Tierlein nebst ihren Pflanzen hat sie exakt und mit jedem Detail in fünfzig Zeichnungen festgehalten und anschließend selbst in fünfzig Kupfertafeln geritzt.

Die Tochter des Matthäus Merian verkörpert 1683 mehr denn je außerordentliche Talente, professionelle Routine, handwerkliches Können, nie versagende Forschungslust und die Fähigkeit, das alles strukturiert in die Zeit für ihre Familie und die beiden Töchter einzubauen. Außerdem hat Maria Sibylla spätestens nach dem Umzug begonnen, ihre ältere Tochter Johanna Helena, im Mai 1668 in Frankfurt geboren, ebenfalls zur Malerin auszubilden.

Und nicht zu vergessen: Die Suche nach immer neuen Raupen auf langen Gängen im Freien und die Versorgung und Beobachtung der Raupen in ihren Schachteln gehören neben Haushalt, Familie und den Buchproduktionen zum Alltag der

Maria Sibylla Graff. Sie liest neue Bücher zur Naturforschung und Insektenkunde, zu Kunst und Geschichte und lebt nicht im sozialen Elfenbeinturm. Der Lohn für dieses Arbeitspensum war eine fröhliche Zufriedenheit, die aus ihren Texten spricht und auf ein zielgerichtetes, erfülltes Leben schließen lässt.

Mit dem zweiten »Raupenbuch« hat die Forscherin 1683 den Klassiker der Insektenforschung, die *Metamorphosis Generalis* des Niederländers Jan Goedaert aus dem Jahre 1669, weit übertroffen. Er benennt darin 153 Metamorphosen, die er aber nicht in allen Entwicklungsstadien beobachtet hat und deshalb auch nicht vollständig zeichnet und beschreibt. Seine deutsche Kollegin dagegen beschreibt und zeichnet in ihren zwei Raupenbüchern mit eindrucksvoller Genauigkeit insgesamt 195 unterschiedliche Raupen samt ihrem natürlichen Umfeld und ihrer Nahrung.

Ihren ersten öffentlichen Auftritt als Insektenforscherin im »Raupenbuch« von 1679 hat der Theologe Christoph Arnold mit zwei »Lobgedichten« eingerahmt und gegen die misstrauische lutherische Geistlichkeit abgesichert. Damit kein Kirchenmann auf die Idee kam, die Autorin wolle mit ihren Untersuchungen Zweifel an Gott und seiner Schöpfermacht säen. Der Kontakt zu dem weltoffenen Geistlichen ist auch nach dem Umzug der Autorin an den Main nicht abgerissen.

Auf der Rückseite des Titelblatts zum zweiten »Raupenbuch« folgt ein »Lobgedicht« des sechsundfünfzigjährigen Christoph Arnold: »Die Erde wird nicht müd, das Jahr erholt sich wieder / Die Raupe legt sich nieder / Als wäre sie fast todt; / Und wann sie gantz erblasst, wird sie doch wieder roth.« Das klingt wie die Fortsetzung seines abschließenden Loblieds im ersten Buch, wo er die traditionelle Allegorie von Raupen-Verwandlung und christlicher Auferstehung bestätigt hatte: »Liebster GOTT, so wirst Du handeln / Auch mit uns, zu seiner Zeit; / Wie die Rau-

Christoph. Arnold. Prof. Gymn. Norib. publ. et Diac. Mar.
Natus d. 12. April. 1627.   Denatus d. ult. Jun. 1685.
Symbol.   Contemta Amo.
Tutus amas contemni : hoc non obstante sagaces.
Principis exemplo, Te coluere viri.   Beck sc:

14.   Der lutherische Theologe Christoph Arnold hat die »Raupenbücher« mit »Lobgedichten« auf die Autorin begleitet. Sein guter Ruf
war ein Schutz gegen die amtliche Geistlichkeit, die hinter wissenschaftlichen Werken Kritik am Schöpfungsglauben vermutete.

pen sich verwandlen / Die, durch ihre Sterblichkeit / wiederum lebendig werden / gleich den Todten in der Erden …«

Das Loblied von 1683 enthält keinerlei religiöse Anspielungen. Jetzt vergleicht der Theologe die Rückkehr der Raupen ins Leben nach ihrer Verpuppung mit der Energie des Menschen, der – von intensiver Forschungsarbeit ermüdet – wieder neue Kräfte entwickelt: »… so wird er doch nicht matt / indem er immerdar noch mehr zu forschen hat. / Dann gibt Gott neue Kraft, der Geist wird frisch und munter / Der Muth ligt niemals unter: / Wann ein Werk ist vorbey / nimmt er ein mehrers für, dass er nicht müssig sey.« Mit den poetischen allegorischen Bildern ist es im Raum der Wissenschaft vorbei. Der Lutheraner Arnold, kein Ketzer oder Radikaler, liefert im zweiten »Raupenbuch« der Merian die theologische Begründung für die Botschaft einer neuen Zeit: Gott selbst ist es, der Forscher und Forscherinnen befähigt, ihrer Neugier keine Grenzen zu setzen.

Der Theologe nennt auch in diesem Gedicht ausländische Insektenforscher. Aber nur um zu betonen, dass »der Teutschen Fleiß und Sprach« auf deren Wissensgebieten mithalten kann. Damit ist auch Maria Sibylla Merian gemeint. Nach dieser selbstbewussten Bilanz schließt der Nürnberger Gelehrte mit einer traditionellen Formel: »So hat auch ihren Fleiß Frau Gräffin wollen mehren / Fürnemlich Gott zu Ehren; / Denn diß ist unser Ziel: / Ich wünsch Ihr Gottes Gnad' / und solcher Werke viel.« Die gelassenen Schlussworte nehmen den klaren Aussagen des »Lobgedichts« und den anschließenden nüchternen Forschungsberichten der Merian nichts von ihrer eindeutigen Zielrichtung.

Die Sechsunddreißigjährige hat auch diesmal kein Andachtsbuch für fromme Seelen geschrieben, die in der Natur nichts anderes als einen Gottesbeweis suchen, sondern ein fundiertes, selbstbewusstes Buch über ihre Raupenforschung. Der reformierte Glaube, mit dem Maria Sibylla aufgewachsen ist, erschüttert ihre Neugier, Gottes Geschöpfe – und gerade die geringsten – zu erforschen, nicht. Und warum soll es nicht möglich sein, dass am Ende ihrer sorgfältigen Forschung »Gottes Lob aus seinen Geschöpfen vermehrt« wird?

In ihrem kurzen Vorwort zum zweiten Band kündigt die Autorin dem »hochgeneigten, kunstliebenden Leser« an, sie »werde noch künftig, so viel mir Gott Gnade verleihen wird, in meiner Untersuchung fortfahren«. Mit dreizehn Jahren hat Maria Sibylla ihre Leidenschaft für die Raupen entdeckt. Die ist nach über zwanzig Jahren so frisch wie am ersten Tag, ebenso wie ihre religiöse Überzeugung: »Zumalen ich ein seltsames Vergnügen noch täglich darinnen befinde, indem ich wohl sehe, daß auch das allergeringste Thierlein, so Gott geschaffen, und dabey von vielen Menschen für unnütz gehalten wird, ihnen dannoch Gottes Lob und Weisheit vor Augen stellet.« Warum soll dieser bejahende Blick auf Gottes Geschöpfe die Menschen davon abhalten, mit kritischem Verstand und mit Experimenten so viel wie möglich über sie zu erfahren? Der Majestät Gottes tut das keinen Abbruch, so wenig wie dem persönlichen Glauben der Forscherin. Mit dieser Überzeugung lässt das Buch von 1683 das Mittelalter hinter sich, ist ein Produkt der neuen modernen Zeit.

Die Autorin quält sich nicht mit Ängsten und religiösen Skrupeln von gestern. Der Text, in dem Maria Sibylla die Geschichten erzählt, die sich hinter den Zeichnungen der Kupfertafeln verbergen – der Raupen und Maden, der Dattelkerne, Sommer- und Mottenvögelein –, enthüllt immer aufs Neue ihre staunende Neugier, ihre Unvoreingenommenheit gegenüber den Prozessen in der Natur und ihr Bemühen, diese nüchtern und genau festzuhalten.

Wer nach ihrem ersten »Raupenbuch« an der Leistung von

Maria Sibylla Graff, geborene Merian, noch zweifelte, kann sich 1683 überzeugen: Sie ist eine Pionierin der Insektenforschung und übertrifft ihre berühmten Vorgänger. Ihr Forschungsansatz hat sich auch bei den über hundert Raupen im zweiten Buch bewährt. Allerdings haben die Bücher des Insektenforschers Jan Goedaert den großen Vorteil, auf Latein, Englisch und Französisch erschienen zu sein. Merians zwei Raupenbücher erschließen sich nur deutschsprachigen Experten. Aber ihr Ansehen verbreitet sich dennoch. Mitglieder der Royal Society in London merken sich ihren Namen. In Deutschland wird der Philosoph, Diplomat und Universalgelehrte Gottfried Wilhelm Leibniz, gerade ein Jahr älter als die Merian, auf ihre Forschungsarbeit aufmerksam und zählt zu ihren Bewunderern.

Der Ruhm der Merian ist kein Strohfeuer. Das *Cabinet des Gelehrten Frauen-Zimmers* wirbt 1706 begeistert für die Arbeit der Forscherin: »Neugier erweckt das, was vor kurzem die äußerst ruhmvolle Frau, die hochbegabte Maria Sibylla Graff, über die Insekten aus eigener Erfahrung in Frankfurt veröffentlichte: ein Werk, gleichermaßen elegant und den Augen angenehm wie den Geist belehrend, so daß es nicht genügend empfohlen werden kann.«

Auch im zweiten »Raupenbuch« hält sie an ihrer Publikationsmethode fest. Die Künstlerin und die Forscherin – Bild und Text – bilden eine ausgewogene Einheit; Kunst, Wissenschaft und die schriftstellerische Begabung der Merian greifen ineinander. Das Ergebnis ist ein lebendiger Prozess auf Papier, der interessierte Leser in seinen Bann zieht. Wer ein frommes Andachtsbuch erwartet, wird diese Lektüre nach wenigen Seiten beiseitelegen. Nur wer die Leidenschaft der Autorin für das Miteinander von Natur und Kunst teilt, wird nicht müde, sich auf jeder Seite den unterschiedlichsten Variationen von Raupen, Maden und Fliegen oder einer Motte zu ergötzen, »die einen überaus übelen Geruch« hatte, »einen schwartzen Kopf und Leib, samt sechs dunkel-gelben Füssen«.

Im ausführlichen Titel nennt Maria Sibylla Graff die Zielgruppen, die sie auch mit ihrem zweiten Buch erreichen will: Naturkundige, Kunstmaler und Gartenliebhaber. Am Ende ihrer kurzen Einleitung kommt die Geschäftsfrau zum Vorschein, empfiehlt noch einmal den ersten Band und die Möglichkeit, sich alle Zeichnungen von der Künstlerin farbig ausmalen zu lassen: »Im übrigen beziehe ich mich auf die Vorrede meines ersten Theils, und wofern jemand den vorigen oder diesen Andern Theil gantz illuminiert verlangt, alles, was im Kupfer gestochen, mit Farben übermahlt zu kauffen begehrt, oder nur die Verwandlungen allein übermahlt …, der kann solches, nach Belieben, allhier von uns zu Kauf bekommen. Der Gunst- und Kunstbegabte Leser, bediene sich solches wolgemeynten Fleisses, und lebe wol.« Eine nonchalante Aufforderung, etwas mehr als das Übliche in den Kauf ihrer Bücher zu investieren.

Und die Autorin fordert ihr Lesepublikum am Ende des zweiten »Raupenbuches« auf, bei ihren Büchern Verstand und Sinne gemeinsam einzusetzen: »Die Augenlust recht zu geniessen / Lass dich / O Leser / nicht verdriessen / daß du nicht urtheilst zu behend; Lis mich von Anfang bis zu END.« Es geht Maria Sibylla eben nicht nur um schöne Bilder; ihre Texte sind ebenbürtige Begleiter. Die Naturwissenschaft ist für sie eine ernste Angelegenheit.

Ansatzweise lüftet die Autorin im zweiten »Raupenbuch« den Vorhang zu ihrem privaten Leben. Im Text zum »Blüenden Storchschnabel«, Kupferstich XXVI, erzählt Maria Sibylla Graff, dass sie Anfang März mit ihren »Lehr-Jungfern in das Grüne« gegangen ist, »allda die Frü-blumen zu besehen; wie auch zu untersuchen, ob noch nichts von Räuplein oder anderen Thierlein sich hervor begebe«. Wie ihre Bücher lebt der Malunterricht der Sibylla Maria Graff von lebendiger Anschauung und der Überzeugung, dass die Kombination aus Studierstube und Feldforschung der Wahrheit in der Natur am nächsten kommt. Damit hat sie in der Nachfolge Albrecht Dürers, dessen bahnbrechendes »Großes Rasenstück« erstmals die Malerei in den Dienst der Naturerforschung stellte, einen weiteren Schritt getan. Gemäß der Devise des Meisters aus Nürnberg, »das Leben in der Natur gibt zu erkennen die Wahrheit der Ding«.

Ob es sich bei den »Lehr-Jungfern« um ihre »Jungfern-Compagnie« in Nürnberg oder in Frankfurt handelt, geht aus dem Text nicht hervor. An zwei anderen Stellen jedoch nennt sie ausdrücklich die Dürer-Stadt. Der Text zum Kupferstich VIII »Taub- oder Todten-Nessel, mit der weissen Blüe« beginnt: »Eine sehr sinnreiche adeliche Jungfrau in Nürnberg führte mich einsmals in ihren schönen Lustgarten, worinnen allerley rare Gewächse anzutreffen waren; der ungezweifelten Meynung, auf solchen besondere Würmer zu finden.« Das war ein Trugschluss, wie die Raupenexpertin umstandslos zugibt: »Weil wir aber nichts darauf angetroffen, so begaben wir uns zu den gemeinen Kräutern; allda fanden wir auf der Taub- oder Todten-nessel … dieses einige Raupe …« Die Raupe kam in eine der Merian-Schachteln und verwandelte sich in einen »schönen Sommervogel«, der allerdings nicht wie ein Schmetterling, sondern wie eine Motte agierte: »Des Tages flog er nicht viel, sondern nur gegen dem Abend und des Nachts.« Die Merian hat es beobachtet, ihre Zeit investiert und alles sorgfältig aufgeschrieben.

Tafel XX zeigt »Blüenden Spitz- oder kleinen Wegerich«. Die Geschichte einiger Raupenbewohner auf diesem Bild führt sehr nah an das Privatleben der Frau Gräffin: »Als man einsten, im May, vor unsrer Hausthür zu Nürnberg, in stein-sandichter Erden grub, fand man etliche derer krummen, wunderlichen Würmer, wie zu unterst einer zu sehen; ... mit welcher Erde ich sie auch, bis zu Ende des Juny erhalten.« Die Würmer – Raupen – verpuppten sich, und »mitten im July aber kamen solche Fliegen heraus«.

Ein Buch herauszubringen und die Forschungsergebnisse in das helle Licht des Tages zu stellen, ist neben Mühe und Arbeit mit innerer Anspannung verbunden. Bei allem Selbstbewusstsein nagt im Hinterkopf die Frage, ob die gelehrte Öffentlichkeit das eigene Werk gebührend beachten und anerkennen wird. Da tut es gut, dem gewohnten Alltag nachzugehen. Für die Jahre 1683 und 1684 hat Maria Sibylla Merian im »Studienbuch«, wo sie wenige Jahre später ihre Notizen ordnete und fortlaufend weitere Experimente aufschrieb, etliche ihrer alltäglichen Raupenzüge ganz gegen ihre Gewohnheit mit Jahreszahlen markiert. Vielleicht um festzuhalten, dass ihre Forschung weiterlief, egal, wie viele Bücher sie auf den Markt brachte. Es war eben keine persönliche Eitelkeit, die sie antrieb, sondern wissenschaftliche Neugier, die nie an ein Ende kommen würde.

Am 20. Februar und am 21. April 1683 brachte ihr »in Frankfurt unser Schreiner« jeweils eine Raupe, die er im Holz gefunden hatte. Am 1. Mai fand die Forscherin einen »Raupen-wurm auf einem grünen Quittenblatt«. Zu Hause hat sie ihn »mit eben solchen Blättern ernehrt«, wie üblich sorgsam beobachtet und Aufzeichnungen gemacht. Das kleine Tier »war sehr unruhig und immer hin und her lauffend. Isset oft und wenig, aber mit grosser Geschwindigkeit. Hat sich den 4 May eingesponnen in ein solches Ey. Und den 24 May, ist ein dergleichen-Farb graues, Sommervögelein hervorgekommen«.

Im Sommer machte Frau Graff eine Reise in das nahe Schwalbach. Für Frankfurter Bürger ein beliebter Kurort, um sich von den Strapazen in der Metropole am Main zu erholen. Bei einem solchen Erholungsaufenthalt war ihr Vater Matthäus Merian im Juni 1650 gestorben. Dreiunddreißig Jahre später ist Maria Sibylla sechsunddreißig Jahre alt, und ihre Umgebung weiß, womit sie der berühmten Tochter eine Freude machen kann. Es ist »ein weiß-gelber Raupe, welche ich, zu Schwalbach, Ao 1683 den 24 Juny zugebracht, bekommen ...«.

Die Forscherin nimmt das Tier in ihre Obhut und beobachtet, wie es sich zu einer Puppe einspinnt: »... sie war sehr stiller Art, den 26 Juny hat es ein Gespinst gemacht, und ist darinnen zu einem Ogerfarbigen Dattelkern geworden. Den 9 July ist dieses Ogergelbe schönes Vögelein darauß worden, welches einen schnellen Flug hatte, hat vier Füßlein.« Weil man ihr die Raupe ohne deren pflanzliche Umgebung brachte, muss sie offen lassen, was ein wesentlicher Teil ihrer Forschung ist: »Aber die Speiß, was es ißt, ist mir unbewust.« Falls Maria Sibylla Graff in der Zwischenzeit zurück nach Frankfurt gefahren ist, war der Transport für das Tierlein in der Kutsche wahrscheinlich weniger unbequem als für seine Pflegerin.

Schon in Nürnberg hatte sich Frau Graff für Maden interessiert, die sich in aufgeschnittenen Lerchen, eigentlich zum Braten gedacht, breitmachten. In Frankfurt schneidet sie im April 1684 eine Drossel auf und findet in deren Magen einhundertachtundfünfzig Larven. Sie werden aufgehoben und beobachtet, und das Ende ist der Forscherin eine Notiz wert: Es sind Fliegen daraus geschlüpft.

Auch am Main erhält die Raupenliebhaberin immer wieder Nachschub, ohne dafür einen Schritt ins Freie tun zu müssen: »Den braunen Raupen ... habe ich den 20 May 1684 bekommen und ihme latuc Salat und Rossenblätter zu essen geben biß den 6 Juny da hat er sich in eine dunckel Rotte farb verändert, und hat sich den 9 Juny ein gespinst gemacht worinen er zum tattel worden, und den 29 Juny ist ein solches Vögelein darauß geworden.« Ein solches Vögelein: Neben jedem Text im »Studienbuch« klebt auf der linken Seite das Pergament mit den kolorierten Zeichnungen, die sie aktuell gemacht und aufbewahrt hat.

Auch im Jahre 1684 ging der Prozess um das Erbe ihres Stiefvaters weiter. In der Korrespondenz mit der Nürnberger Freundin, aus der sich ein weiterer Brief vom 8. Dezember 1684 erhalten hat, ist das kein Thema. Mit dem Brief war ein »Päcklein« abzuliefern, denn Clara Imhoff hatte in Frankfurt einige Ingredienzien für ihre Malerei bestellt: »... schicke Also hier 2 muschel grundtfarb, und ein gläßlein gutten firniß ...« Den Firnis, mit dem die Oberfläche eines Ölbildes glänzend fixiert wird, hat die Kennerin besonders zubereitet und gestreckt: »... ich habe ihn düner gemacht, auf daß sich lange halten soll, ... wan Sie etwaß gefirnist hat und ist drucken und glenst nicht genuchg, So kann Sie es noch ein mahl überstreiche, biß es Seinen glanß hat ...«

Die Bezahlung läuft über Dorothea Maria Auer, ihren geschäftlichen Brückenkopf in Nürnberg. Die »Jungfer Auerin« und Clara Imhoff kennen sich seit Jugendzeiten. Deshalb kann Maria Sibylla ihre Freundin ohne Hemmungen auf ein weiteres Geschäft hinweisen: »... und wan Sie mehr farben Von nöten hat ich habe der Jungfer Aurwin schöne farben geschickt, da kann Sie es bekommen.« Zum Abschluss werden die beiden Familien grüßend zusammengeführt: »... und bitte demütig einen schönen gruß Von mir und Allen den meinigen, an Sie und alle liebe Angehörigen Abzulegen ...«

Allen den Meinigen: Mit aller Vorsicht darf aus der diffusen Information geschlossen werden, dass im Dezember 1684 die ganze Familie Graff – die Eheleute mit ihren zwei Töchtern – zusammen mit Maria Sibyllas Mutter in Frankfurt das Christfest feierten. Die Töchter sind bei ihrer Mutter, keine Frage. Aber ist der Ehemann Johann Andreas Graff wirklich auch dabei? Beweise gibt es keine. Er kann nicht so leicht wie seine Frau, die als Forscherin und Autorin in eigener Verantwortung und Freiheit arbeitet, seine Malgeschäfte von Nürnberg nach Frankfurt transferieren. Graff ist ein solider Künstler. Doch er hat sich, wiederum im Gegensatz zu seiner Frau, bisher keinen besonderen Namen gemacht und ist auf Kontakte zu Auftraggebern und Kunsthändlern angewiesen. Eine schwierige, unausgewogene Situation, die jede Ehe belasten kann. Er ist in diesen Jahren wohl mehrfach zwischen Frankfurt und Nürnberg gependelt, während sich seine Frau wieder erfolgreich in ihrer Geburtsstadt eingelebt hat.

Am 19. Februar 1685 schickt der Frankfurter Jurist Johann Jacob Schütz eine Sendung mit fünfundzwanzig Zeichnungen an den Drucker Nikolaus Häublin in Hanau und schreibt dazu: »Hierbey 25. Zeichnungen von H (errn) Grafen. Er fordert vom Stück 25. X. Erwarte cito Antwort.« Schütz ist nicht nur ein angesehener Rechtsgelehrter, sondern weit über Frankfurt hinaus als engagierter Kämpfer für ein gründlich reformiertes Christentum bekannt. Dieser geistliche Hintergrund hat ihn zum vertrauten Berater von Caspar Merian gemacht, der seit 1677 in Wieuwerd lebt, der radikal-christlichen Kommune der Labadisten im holländischen Friesland. Über Caspar Merian kam wohl der Kontakt zu Maria Sibylla, Caspars Halbschwester, zustande. Bei ihr hatte sich Johann Jacob Schütz wie erwähnt im Juni 1679 brieflich für ein Gemälde bedankt.

Keine Frage: Die Korrespondenz wurde durch persönliche Begegnungen ersetzt, als »die Gräffin« sich Anfang 1682 wieder in Frankfurt niederließ. Johann Jacob Schütz hatte 1680 mit vierzig Jahren Katharina Elisabeth Bertels geheiratet. Sie kam aus einer reichen Frankfurter Bankiers- und Kaufmannsfamilie, deren Vorfahren als lutherische Flüchtlinge das spanisch-katholische Antwerpen verlassen hatten. Dass Schütz sich im

Februar 1685 für einen Verkauf von Johann Andreas Graffs Bildern einsetzte – pro Stück 25 Kreutzer –, spricht für einen engeren Kontakt der Familien.

Aus dem Jahre 1685 haben sich zwei Briefe von Maria Sibylla an ihre alte Freundin Clara Imhoff in Nürnberg erhalten. Am 8. Mai schreibt sie: »Ihr angenehmes schreiben ist mir wohl worden, habe mit freuwden darinen ersehen ihrer Aller gutten wohlstandt ...« Der Anfrage, für das Stammbuch von Claras Bruder eine Zeichnung anzufertigen, will sie nachkommen und »so balde ich gelegenheit werde haben, es übersenden«. Sie bittet wegen der Verzögerung um Nachsicht, »es ist eben noch alleß bey mir in unordnung, dan es ist mit dem außziehen durcheinander geworfen worden, hoffe aber, daß ich balt wider in die ordnung bringen will«. Am Briefende folgt ein Zusatz: »Alle die meinig lassen Sie Sämbtlich demütig grüssen.« Was ist passiert, dass sie wegen des Durcheinanders kurzfristig nicht ihrer künstlerischen Arbeit nachgehen kann? Ist sie mit der Familie ausgezogen? In eine andere Stadt umgezogen? Die erste Frage muss offenbleiben; für die zweite folgt wenig später die Antwort.

Als Absendeort hat Maria Sibylla Graff in allen bisherigen Clara-Briefen »Franckfurt« angegeben, ohne Straßenangabe, weshalb wir nicht wissen, wo genau sie gewohnt hat. Schon am 3. Juni 1685 folgt ein weiterer Brief mit der Angabe »Franckfurt«; damit steht fest, dass sie weiterhin in der Stadt am Main lebt. Die Malerin teilt Clara Imhoff mit, dass sie ihr Pergament, die Zeichnung für des Bruders Stammbuch, mit diesem Schreiben einem Herrn Krauss, »unser gutter freundt«, mitgebe. Dann fährt Maria Sibylla fort: »Neuwes weisz ich nichts, alsz dasz mein Man lust hat, nach Nürnberg zu reisen, wie balt es aber in dasz werck gericht wirdt, weisz ich noch nicht ...« Eine weitere rätselhafte Andeutung. Erst die unerklärliche »Unordnung«, nun der Auszug ihres Mannes. Dass sie ihn nicht zurück nach Nürnberg begleiten wird, sagen die folgenden Zeilen allerdings überdeutlich.

Pragmatisch und gänzlich unaufgeregt fährt sie fort: »…wan Sie noch etwasz verlangt zu haben, So beliebe Sie es nur zu berichten, dan Soll er es mit bringen.« Doch gleich darauf die nächste rätselhafte Andeutung in Bezug auf ihren Mann: »… und bitte ich wan er einen gutten Rat vonnötten hat, Sie Seine wenige berson sich lassen recommantiert Sein dan er wohl gutten Ratt wirdt vonnötten haben …« Das ist ein Paukenschlag. Maria Sibylla Merian, achtunddreißig Jahre alt, seit zwanzig Jahren mit Johann Andreas Graff verheiratet, zwei Töchter haben die beiden, deutet an, dass ihr Mann demnächst getrennt von seiner Familie in Nürnberg leben wird. Maria Sibylla ist offenbar überzeugt, dass eine Situation eintreten wird, in der ihr Mann guten Rat nötig haben wird – den sie ihm aber nicht geben kann. Und bittet die Freundin, für die Ehefrau einzuspringen.

Über dem rätselhaften und bedeutungsschweren Inhalt des Briefes geht fast verloren, dass Maria Sibylla sich diesmal doppelt in französischer Sprache übt. Schon der Brief vom 8. Mai war an »Madamoiselle Clara Regina im Hoff presentement a Nürnberg« adressiert. Am 3. Juni fehlt zwar die Adresse, und es gibt nur die Anrede »Madamoyselle«. Aber am Ende verbleibt die Schreiberin »negst Göttlicher Empfehlung Madammoyselle Votre treshumble servade Marie Sibile Gräffin«. Zu ihrer Zeit war Latein die Sprache der Gelehrten, Französisch sprach man bei Hofe, in adligen Familien und sehr gebildeten Kreisen. Maria Sibylla Merians Mutter und ihre Verwandtschaft waren als reformierte Religionsflüchtlinge aus dem Französisch sprechenden Wallonien nach Frankfurt und Umgebung emigriert. Vielleicht hatte sie als Kind ein wenig von der fremden Sprache

15. Ein rätselhafter Brief. Am 6. Juni 1685 schreibt die Merian aus Frankfurt an »Madamoyselle« Clara Imhoff, ihr Mann werde allein nach Nürnberg zurückkehren. Er werde guten Rat nötig haben, und sie bittet die Freundin, sich um ihren Mann zu kümmern.

aufgeschnappt und hatte ihre Wissbegier im Sommer 1685 ein neues Ziel gefunden? Vielleicht.

Das letzte eindeutige Zeichen vom Aufenthalt der Künstlerin und Forscherin Maria Sibylla Graff im Jahre 1685 in Frankfurt datiert vom 17. Juni. Im »Studienbuch« wird sie Jahre später notieren, dass sie an diesem Tag eine Schlange aufgeschnitten und untersucht hat. Keine alltägliche Arbeit für eine Frau. Im Zusammenleben mit ihrer Mutter hatte sie offenbar freie Hand für ihre wissenschaftlichen Untersuchungen.

Das »Studienbuch« liefert auch den ersten datierten Hinweis von Maria Sibylla für das Jahr 1686: »Ao 1686 im Abril habe ich in Frieslandt observert ... schnitt das weiblein auf.« Die Nachricht ist so verblüffend wie eindeutig: Im April 1686 lebt die Künstlerin, Raupenexpertin und Buchautorin Sibylla Maria Graff, geborene Merian, wie ihr Halbbruder Caspar in der Labadisten-Kommune Wieuwerd im westholländischen Friesland und geht ausgedehnten Naturforschungen nach. Sie hat einen weiblichen Frosch seziert und wird ihn für ein Experiment nutzen. Was ist passiert in den neun Monaten, seit sie im Juli 1685 in ihrer Frankfurter Wohnung eine Schlange aufgeschnitten und untersucht hat? Lebt sie allein in Wieuwerd? Vor allem: Was hat die fast Vierzigjährige bewogen, Frankfurt zu verlassen und in dieser von der Welt abgeschiedenen Gemeinschaft der »Auserwählten«, denn dafür hielten sich die Labadisten, eine neue Heimat zu suchen?

9. Entscheidung für die »Auserwählten« in Holland. Wofür stehen die Labadisten und Anna Maria van Schurman, ihre prominenteste Wortführerin?

Genau zehn Jahre bevor die Ehe von Maria Sibylla und Johann Andreas Graff in eine schwere Krise geriet, war der kunsthistorische Klassiker *Teutsche Academie der Bau- Bild- und Mahlerey-Künste* erschienen. Darin fasste der international angesehene Maler Joachim von Sandrart erstmals die Geschichte der Kunst und die Biografien aller namhaften Künstler im deutschsprachigen Raum zusammen. Sandrart, schon mit Maria Sibyllas Vater befreundet, gehörte zu ihrem Freundeskreis in Nürnberg. In seiner *Teutschen Academie* stellte er 1675 die Tochter von Matthäus Merian einem breiten Publikum vor, lobte ihre »ruhmwürdige Kunst«, Blumen und Tiere »allervollkommenst« zu malen und in Kupfer zu ätzen. Mit dem Zusatz, dass die Künstlerin auch die Veränderung von »kleinen Thieren« studiere, wies er indirekt auf ihre Raupenforschung hin. Maria Sibylla Graff hat das bahnbrechende Buch ihres Freundes natürlich gelesen.

Die Ehre, sein Kunstbuch zu beschließen, hat Joachim von Sandrart einer Frau vorbehalten: »Damit diese Erzählungen mit einem Kunst-Wunder beschlossen werden, so soll diesen letzten Platz erfüllen der Name und Ruhm von Anna Schurmanns, Mahler und Bildhauerin ... Diese Dame ... konnte dreijährig schon lesen und sechsjährig allerhand Figuren aus Papier schneiden. Mit Zuwachs der Jahre wurde sie vortrefflich in allen Künsten ... sie war in der Theologie und Philosophie und fast in allen Sprachen grund-gelehrt, Brief-wechselte mit den Gelehrten von unserer Zeit ... und hat mit ihrem Exempel viele ihres Geschlechts zu ergreiffung guter Studien aufgemahnet: welchem wir hiemit fernern Wachstum anwünschen.«

Joachim von Sandrart gehörte zu den Männern im barocken 17. Jahrhundert, die weibliche Talente und Karrieren in den Künsten wie den Wissenschaften schätzten und öffentlich unterstützten.

Anna Maria van Schurman, 1607 in Köln geboren und 1678 in der Labadisten-Gemeinschaft in Wieuwerd gestorben, wurde in ihrer ersten Lebenshälfte als die »holländische Minerva« und das »Wunderwerk ihrer Zeit« in Europas männlicher Gelehrtenfamilie anerkannt und bewundert. 1636 wurde sie in Utrecht Europas erste Studentin, und sie war die letzte für lange Zeit. Als sie 1669 allem weltlichen Ruhm entsagte, als glühende Anhängerin dem Prediger Jean de Labadie folgte und das prominenteste Mitglied der Labadisten-Gemeinschaft wurde, begann ihr zweites Leben. Joachim von Sandrart hat es wohlweislich verschwiegen, um mit seinem Kunstbuch nicht in heftigen religiösen Streit gezogen zu werden. Er war mutig mit seinem Lob auf die Schurman, denn er konnte davon ausgehen, dass seine Leser Bescheid wussten über das, was er nicht zur Sprache brachte.

Der Kunsthistoriker wird in Nürnberg auch mit der befreundeten Frau Graff über diese eindrucksvolle Frau gesprochen haben, die mit ihren Erfolgen andere Frauen ermuntern wollte. Und über Anna Maria van Schurman und Jean de Labadie öffnet sich ein neuer Zugang zu Maria Sibyllas Gedanken und Gefühlen bis in die Mitte der 1680er Jahre. Damals traf sie lebenswichtige Entscheidungen, über die kein Wort von ihr, keine Erklärung, nach außen drang oder überliefert wurde.

Die »Bekehrung« der gelehrten Frau in Utrecht zu den theologischen Provokationen des Jean de Labadie war ein Schock für ihre Bewunderer, zumal Anna Maria van Schurman ihr Wissen nun einsetzte, um klug und unerschütterlich für ihren neuen Glauben zu werben. Bis zu ihrem Tod blieben ihre Aktivitäten und ihre Schriften Gesprächsstoff in Europas intellektuellen Kreisen. Gottfried Wilhelm Leibniz verfolgte mit großem Interesse ihren Lebensweg nach dem tiefen Einschnitt ihrer Bekehrung.

Anna Maria van Schurman und Jean de Labadie gehören zur vergessenen Geschichte des 17. Jahrhunderts. Zu Lebzeiten bewegten sie Menschen in ganz Europa über alle politischen und konfessionellen Grenzen hinweg. In die Geschichtsbücher aber schaffen es vor allem politische Großereignisse wie der Dreißigjährige Krieg oder machtprotzende Staatsmänner wie Ludwig XIV., der »Sonnenkönig«. Auch die großen Namen der Geistesgeschichte wie Descartes oder Leibniz gehen in das historische Gedächtnis ein. Aber über den »großen Namen« und Ereignissen geht leicht verloren, was den Geist der barocken Zeit in der bürgerlichen Schicht ausmachte. Was an Sehnsüchten und Erwartungen in der Luft lag. Was die Gespräche interessierter Zeitgenossen, Männer wie Frauen, bestimmte, was zu Streitschriften und heftiger Polemik führt. Wo Vertrautes brüchig und Zukünftiges sichtbar wurde und wie aufgewühlt die religiöse Landschaft des 17. Jahrhunderts war. Wie sehr Menschen, die längst vergessen sind, zu geistig-geistlichen Leuchtfeuern wurden und andere herausforderten, ihr Leben grundsätzlich zu überdenken.

Nach den rätselhaften Hinweisen in ihren Briefen an die Nürnberger Freundin im Sommer 1685 klärt sich in den folgenden Monaten die Lebenssituation von Maria Sibylla Graff ein wenig auf. Was gewiss ist: Sie verlässt Frankfurt mit ihren Töchtern und ihrer Mutter und bittet in der religiösen Kommune der Labadisten im holländischen Wieuwerd, wo ihr Halbbruder Caspar seit 1677 lebt, um Aufnahme. Ob ihr Ehemann sie begleitet? Auf diese bisher verneinte Frage geben neu entdeckte Dokumente neue Antworten.

Non nisi dimidia spectatur imagine Virgo
Maxima quod totam nulla tabella capit.

ANT.ÆMIL.

16.   Ihr Studium in Utrecht ab 1636, ihr Wissen und ihre Sprach-
kenntnisse machten Anna Maria van Schurman zu einer Berühmtheit
im 17. Jahrhundert. Als selbstbewusste Frau wurde sie die prominenteste Anhängerin des radikalen Theologen Jean de Labadie.

Aber zuerst drängt sich die Frage auf: Was bewegt Maria Sibylla Merian? Warum verlässt die erfolgreiche Autorin ihre vertraute Lebenswelt? Über den radikalen Bruch ist kein einziges Wort der Achtunddreißigjährigen überliefert. Doch auch Umwege können ans Ziel führen. Wenn die persönliche Entscheidung von Maria Sibylla mit dem Lebensbild der Anna Maria van Schurman überblendet wird, stellen sich wie von selbst Zusammenhänge her. Wieder öffnet sich eine Tür, und der Spalt lässt ein wenig Licht auf das Leben der Künstlerin und Forscherin um die Mitte der 1680er Jahre fallen.

Die Großeltern von Anna Maria van Schurman verließen – wie viele reformiert-calvinistische Bürger und Kaufleute – gegen Ende des 16. Jahrhunderts wegen ihres Glaubens Antwerpen, damals in den katholischen Spanischen Niederlanden gelegen. Wie Frankfurt nahm auch Köln Religionsflüchtlinge offen auf; Anna Maria wurde dort geboren. Doch die Zeit der Toleranz war nur von kurzer Dauer. Nachdem 1610 in Köln der reformierte Gottesdienst verboten worden war, zogen die Eltern mit der achtjährigen Tochter 1615 nach Utrecht. Anna Maria van Schurman lebte dort bis 1669.

Sie war ein Wunderkind, Joachim von Sandrart hat es richtig beschrieben. Von ihrem Vater gefördert, durfte Anna Maria mit den Brüdern Latein lernen, dazu Griechisch, Französisch, Arithmetik, Astronomie, Musik und Malerei. Ab 1620 war die Kunst ihr Schwerpunkt; Porträts, Blumenbilder, Papierarbeiten entstanden mit leichter Hand. Nach dem Tod des Vaters lebte sie ab 1626 mit der Mutter und zwei unverheirateten Tanten in einem Haus direkt am Domplatz in Utrecht. Sie entschied sich bewusst gegen eine Heirat, das Familienerbe erlaubte ihr ein unabhängiges Leben.

Der erste Mann, der ihr Leben entscheidend beeinflusste, war Gisbert Voetius, calvinistischer Professor für Theologie und orientalische Sprachen und führend in der niederländischen Bewegung »Nadere Reformatie«. Sie forderte nach der Erneuerung der theologischen Lehre durch Luther und Calvin eine zweite, »intensivere«, lebensnahe Reformation. Professor Voetius, der auch am Domplatz in Utrecht wohnte, war von den geistigen Fähigkeiten und Sprachkenntnissen seiner Nachbarin so beeindruckt, dass er Anna Maria ab 1634 privaten Unterricht in Theologie und orientalischen Sprachen gab. 1636 setzte er durch, dass seine Schülerin aufgrund ihrer exzellenten Lateinkenntnisse das Lobgedicht zur offiziellen Eröffnung der Utrechter Universität schreiben durfte.

Anna Maria van Schurman bedauerte in ihren Versen, dass die heiligen Hallen der Universität Frauen bisher verschlossen waren, wofür es keinen Grund gebe. Das Gedicht wurde unzensiert gedruckt, und die Verfasserin erhielt von Professor Voetius die Einladung, an seinen theologischen Vorlesungen in der Universität teilzunehmen. In einer Loge in einer Ecke der Vorlesungshalle folgte sie von da an regelmäßig den Vorträgen in Theologie, Literatur und auch Medizin. Zwar saß sie hinter einem Vorhang, aber die Universität verheimlichte ihre Anwesenheit nicht.

1638 schrieb sie ihre Dissertation über Frauenbildung in den Wissenschaften, die auch im Druck erschien. Die einunddreißigjährige Studentin argumentierte, eine Frau habe ein Anrecht auf das Studium aller Wissenschaften: »Was den Verstand eines Mannes ziert, ist auch einer christlichen Frau angemessen.« Allerdings nannte Anna Maria van Schurman als Voraussetzung für studierende Frauen, dass sie neben sichtbarer Begabung genug Geld und Zeit brauchten und keine Aufgaben im Haushalt erledigen mussten. Schurman übernahm die These ihres Lehrers Voetius, dass Frömmigkeit und Wissenschaft vereinbar seien. Wissen ist nicht des Teufels, sondern die Grundlage, die zur wahren Erkenntnis Gottes führt; vor allem durch das Erlernen vieler Sprachen.

Anna Maria van Schurman beherrschte außer Deutsch und Niederländisch Englisch, Französisch und Italienisch, dazu perfekt Latein, Griechisch und Hebräisch. Sie lernte das Syrische, das Aramäische und das Äthiopische, weil alle Sprachen »Hüter des Glaubens« und »die Dolmetscher dessen sind, was uns das gelehrte Altertum hinterlassen hat«.

Auch die Naturwissenschaften interessierten Anna Maria van Schurman. Sie wollte wissen, »ob die Erde eine viereckige Form hat oder eine runde«. Irgendwann wurde Professor Voetius die Wissbegier seiner genialen Schülerin unheimlich: »Ich bitte Sie inständig, liebe Frau, lassen Sie meinem Geschlecht auch noch etwas übrig und belasten Sie Ihre geistigen Kapazitäten, mögen sie auch noch so umfänglich sein, nicht über Gebühr! In allem muss man Maß halten.« Kein schlechter Rat, denn ihr Körper reagierte auf die unendlich vielen Arbeitsstunden mit heftigen Kopfschmerzen.

Neben dem Studium baute Anna Maria van Schurman unermüdlich zwei briefliche Netzwerke aus: eines, das sie mit männlichen Gelehrten, Professoren, Literaten und Forschern aus den Niederlanden und weit darüber hinaus verband. In dem anderen ergriff sie bewusst die Initiative, mit gelehrten Frauen von Irland bis Frankreich, die in ihren Schriften für weibliche Rechte und Bildungschancen eintraten, zu korrespondieren. Keine Frau hatte ab Mitte der 1630er Jahre einen solchen gelehrten Ruf auf Europas Kontinent wie Anna Maria van Schurman. Die Königin von Polen stand im Winter 1645 in Utrecht vor ihrer Türe. 1649 kam Descartes bei ihr am Domplatz vorbei, bevor er nach Schweden reiste, um der Einladung von Königin Christina zu folgen. 1654 erschien Christina von Schweden, die abgedankte Königin, selbst inkognito in Utrecht.

Dann aber traf Anna Maria van Schurman den Mann, der ihr Leben wie niemand zuvor veränderte. Durch ihren Bruder erfuhr sie Anfang der 1660er Jahre von der geistlichen Überzeugungskraft und dem radikalen Reformprogramm des französischen reformierten Predigers Jean de Labadie aus Genf, der seine religiöse Karriere als Jesuit begonnen und dann mit der katholischen Kirche gebrochen hatte. Als im niederländischen Middelburg die Pfarrstelle der wallonisch-reformierten Gemeinde – wo man Französisch sprach – frei wurde, gelang es ihr, Labadie brieflich zu überzeugen, seine Botschaft in Zukunft in Holland zu verkünden. Im Juni 1666 kam der Sechsundfünfzigjährige in Utrecht an und nahm für zehn Tage in Anna Maria van Schurmans Haus am Domplatz Quartier. Von seinen geistlichen Kollegen, auch von Professor Voetius, wurde Jean de Labadie mit größtem Wohlwollen empfangen, und die Gläubigen strömten zu seinen stundenlangen Predigten.

Für die Neunundfünfzigjährige, von Europas Gelehrtenwelt mit Anerkennung überschüttet, finanziell abgesichert, stand plötzlich ihr bisheriges Leben auf dem Prüfstand. Theologie war das Zentrum ihrer Gelehrsamkeit, aber vor dem Anspruch dieses Gottesmannes an den persönlichen Glauben schien sie – wie alle Wissenschaften – nur eine Ansammlung toter Buchstaben: »Und in der Öffentlichkeit hielt er ganz glänzende und für alle Zuhörer erbauliche Predigten, voll der reinsten Wahrheiten und der heiligsten Ermahnungen, die Geist und Herz zu einer wahren und unverbrüchlichen Frömmigkeit antrieben.« Vor den Gläubigen stand ein Mann in der Nachfolge der Propheten. Es war Gottes Wille, ihm zu folgen: »So gelangten wir schließlich zu der Überzeugung, er sei ein von Gott selbst geschaffenes Werkzeug, nicht weniger zu unserer eigenen Führung zu einem reineren Christentum als zu einer umfassenden Reformation der Kirchen ...«

17. Der reformierte Prediger Jean de Labadie gründete 1669 in Amsterdam seine eigene Kirche nach dem Vorbild der ersten Christen. Auch Caspar Merian, Maria Sibyllas Halbbruder, wurde ein Mitglied der Labadisten. 1677 zog er in ihre radikale Kommune Wieuwerd.

Jean de Labadie traf mit seinem Ruf zur Umkehr Anna Maria van Schurman, den »Stern von Utrecht«, mitten ins Herz: »Ich jedenfalls konnte mich kaum losreißen von solchen Reden, die so wenig nach Mühe und dem nächtlichen Lampenöl menschlicher Anstrengung rochen, sondern nach dem einfachen, wirkungsvollen und natürlichen Fluss irgendeines himmlischen Öls, das aus seiner Brust direkt in die Herzen der Zuhörer strömte.«

An diesem Bekenntnis zu Jean de Labadie als dem Werkzeug Gottes hat Anna Maria van Schurman seit den Junitagen 1666 in unverbrüchlicher Treue festgehalten. Sie reiste mit Freundinnen zu seinen Predigten nach Middelburg und in andere holländische Städte. Sie überzeugte wohlhabende, gebildete Anhängerinnen aus angesehenen Familien, darunter die adligen Schwestern Anna, Maria und Lucia van Aerssen van Sommelsdijk aus dem holländischen Friesland, dem religiösen Außenseiter zu folgen. Sie stand an seiner Seite, als Labadies Visionen, die reformierte Kirche der Niederlande zu einem ursprünglichen, reinen Christentum zurückzuführen, am Widerstand der etablierten Pastoren scheiterten. Der Prediger aus Frankreich brandmarkte die reformierte Kirche in seinen Schriften als einen »Tempel des Götzendienstes«. Wer sich nicht von ihr trenne, den werde Gott richten. Die reformierten geistlichen Führer nannte Labadie »Huren« und »Schweine«.

Im Frühjahr 1669 wurde Jean de Labadie endgültig aus den Reihen der holländischen Reformierten ausgeschlossen. Im Sommer gründete er mit rund fünfzig Getreuen – Männern und Frauen – in Amsterdam, wo ihn reiche Kaufleute und wohlgesinnte Politiker unterstützten, seine eigene Kirche: eine Hausgemeinschaft nach dem Vorbild der ersten Christen, die allen Besitz miteinander teilten.

Im Herbst 1669 verkauft Anna Maria van Schurman ihr Haus und den gesamten Hausrat in Utrecht. In Amsterdam stellt ihr

Jean de Labadie im Erdgeschoss seines Hauses ein »sehr bequemes und von den anderen abgesondertes Zimmer« zur Verfügung. Damit tritt die prominenteste Frau Europas, bisher ein Mitglied der reformierten Gemeinde in Utrecht, in aller Öffentlichkeit in die »kleine Kirche« der Labadisten ein. Sie gehört nun zu den »Erwählten«, die überzeugt sind, in der »Nachfolge Christi« im Besitz der einzigen Wahrheit zu sein. Ihre langjährigen gelehrten Freunde in Utrecht und anderswo sind ehrlich entsetzt. Viel Tinte und Papier wird genutzt, um sie zur Abkehr von diesem »Esel mit zwei Füßen« zu bewegen; »einem Gockel, der aufhören soll, eine Hühnerschar um sich zu sammeln«. Anna Maria soll wieder »über sich selbst herrschen« und diese »unwürdige Rotte« verlassen.

Doch weder freundliche noch bittere Worte können die Bekehrte umstimmen. Sie habe, so wird sie in ihrer Autobiografie schreiben, von einer »toten Religion« zum »lebendigen Glauben« gefunden. Die Bindung zu ihrer neuen »Familie« wird noch enger, als die Labadisten auch im toleranten Amsterdam nicht mehr gern gesehen sind. Anna Maria van Schurman, die zusehends unter Altersbeschwerden leidet, gehört zum Reisetross, der 1670 die Weltmetropole verlässt. Nach kurzem Aufenthalt im westfälischen Herford finden die Labadisten 1672 in Altona bei Hamburg, damals dänisch, eine neue Heimstatt. Der Halbbruder des dänischen Königs gehört zu den Fürsprechern und Unterstützern der eigenwilligen, abgesonderten Christen.

Bei Gelehrten, Theologieprofessoren und protestantischen Pfarrern in ganz Europa fand die radikale christliche Interpretation des Jean de Labadie und die Odyssee seiner Gemeinschaft Widerhall. Der Anspruch, die einzig wahren Christen zu sein, wurde stets mit Anna Maria van Schurman verbunden, der prominentesten Labadistin, und zum Streitpunkt in weiten Kreisen. Pamphlete pro und contra erreichten die Öffentlichkeit. In der Liste der gelesenen Bücher des Philosophen und Universalgelehrten Gottfried Wilhelm Leibniz ist 1671 »Nifani von der Religion Schurmännin« notiert. Es handelt sich um eine Streitschrift des protestantischen Bielefelder Pastors und Superintendenten Christian Nifanius gegen die Labadisten, in der Anna Maria van Schurman eine wichtige Rolle spielt. Für Leibniz wiederum symbolisierte »die Schurmännin« die Religion des Jean de Labadie.

Jean de Labadie starb im Kreis seiner Anhänger nach schwerer Krankheit am 13. Februar 1674, seinem 64. Geburtstag. Der Franzose Pierre Yvon, seit den Genfer Tagen sein treuer Begleiter, wurde Labadies Nachfolger und geistlicher Führer der Gemeinschaft. Neben »Papa Yvon« blieb Anna Maria van Schurman die »Mutter« der Gemeinschaft und pflegte mit einer weit verzweigten Korrespondenz weiterhin informierend und werbend die Verbindung der Labadisten zur Außenwelt.

Ab Mai 1675 verhandelten einige Altonaer Labadisten über eine attraktive Ansiedlung im holländischen Friesland. Dort lag bei Wieuwerd, nicht weit von der Provinzhauptstadt Leeuwarden, Schloss Waltha, das zum Familienbesitz derer van Aerssen van Sommelsdijk gehörte. Die drei adligen Sommelsdijk-Schwestern, glühende Labadisten seit den Anfängen, verfügten im Rahmen eines Erbschaftstausches mit ihrem Bruder Cornelis, dass Schloss Waltha und der Grundbesitz ringsum von Pierre Yvon und seiner Gemeinschaft kostenlos zur Gründung einer christlichen Kommune genutzt werden konnten. Die jüngste der Schwestern, Lucia, hatte 1671 Jean de Labadie geheiratet.

Nachdem die Provinzverwaltung der Labadisten-Ansiedlung zugestimmt hatte, machte sich die übrige Gemeinschaft mit Pierre Yvon und Anna Maria van Schurman im Juni 1675 per

Schiff von Bremen auf die Reise und kam nach einem heftigen Sturm sicher im westlichen Friesland an. Teils über Land, teils mit Kähnen über schmale Wasserstraßen erreichte der bunte Haufen sein Ziel: Schloss Waltha bei Wieuwerd mit seinen Äckern und Wiesen, Windmühlen und Bauernhöfen. Ab sofort wurde das kleine holländische Wieuwerd zu einem Markierungspunkt auf Europas religiöser Landkarte. Hier kamen Menschen zusammen, die alles teilten, nur von ihrer Hände Arbeit und streng von der Welt getrennt lebten. Die wunderbare Geschichte der autarken labadistischen Kommune – das »Neue Jerusalem« im platten Friesland – bot Freunden und Feinden spannenden Gesprächsstoff.

Jean de Labadie entwarf eine neue Welt in der radikalen Nachfolge Christi. Doch er hatte auch ein Gespür dafür, wie wichtig Öffentlichkeitsarbeit war, damit seine Ideen sich verbreiten und seine kleine Schar sich erweitern konnte. Schon in Amsterdam kaufte er eine Druckerpresse, die über Altona bis nach Wieuwerd transportiert und von Fachkräften unter den Labadisten bedient wurde. Zu Labadies Lebzeiten druckte sie vor allem seine Schriften. Aber noch vor seinem Tod war 1673 in Altona mit Labadies Zustimmung ein Werk aus einer anderen Feder gedruckt worden, das sogleich Aufsehen im gelehrten Europa erregte.

Unter dem Titel *Eukleria seu melioris partis electio* veröffentlichte Anna Maria van Schurman den ersten Teil ihrer Autobiografie. Bewusst schrieb sie *Die gute Entscheidung oder die Wahl des besseren Teils* auf Latein. Ihr lag daran, »den berühmten Männern, die mir bis vor kurzem außerordentlich gewogen waren« und die ihre »neue Lebensweise in höchstem Maße missbilligen«, die Gründe darzulegen, »warum ich meinen Lebenswandel in so bedeutsamer Weise verändert habe«. Zugleich wollte sie Zeugnis ablegen für die »kleine Kirche« des Jean de Laba-

die, in der sie endlich vom »rechten Glauben« und der »Erkenntnis der göttlichen Wahrheit« wie von einer »unbezwinglichen
Kraft« erfüllt wurde. Eine holländische Übersetzung erschien
1684.

Selbst ihre Gegner beeindruckte an dieser Bekenntnisschrift,
was Anna Maria van Schurman stets ausgezeichnet hatte. Die
Eukleria ist keine polemische Abrechnung. Die Sechsundsech-
zigjähre bleibt in ihrem Rückblick sachlich, gelassen und selbst-
kritisch. Sie habe sich als »gelehrte Dame« auf die »Theaterbüh-
ne glänzender Berühmtheit« führen lassen. Umso entschiede-
ner schwört sie ihren wissenschaftlichen Leistungen ab: »Ich
widerrufe daher hier vor den Augen aller Welt ... alle diejenigen meiner Schriften, die mit einer so schändlichen Gedan-
kenlosigkeit oder in jenem eitlen und weltlichen Geist verfasst
sind, und erkenne sie nicht mehr als die meinigen an.«

Der generellen Abrechnung folgt eine differenzierte Ausein-
andersetzung mit einem Thema, das ihr – immer noch – am
Herzen liegt. Mit einer »Dissertatio« hatte sich Anna Maria van
Schurman 1638 für das Frauenstudium und weibliche Bildung
eingesetzt, in ihrer Zeit und noch lange danach eine unerhörte
Herausforderung der männlichen akademischen Welt. Jetzt
kann sie ihre damalige Schrift »nicht ohne Schamröte« lesen.
Aber entschieden verwahrt sie sich dagegen, dass für sie als
Labadistin »alle wahren Wissenschaften und nützlichen oder
notwendigen Künste ohne Unterschied verwerflich seien«. Die
»Reinen« könnten sich »auf eine reine und nützliche Weise einiger von ihnen bedienen«. Ihr Blickwinkel auf die Welt hat
sich gründlich gewandelt, aber nicht Anna Maria van Schurmans Persönlichkeit. Die Umkehr zu den Idealen der Urkirche,
wie Jean de Labadie sie predigte, ändert nichts an ihrem Selbstbewusstsein als Frau. Nirgendwo in der *Eukleria* entschuldigt
sie sich für ihr Frausein. Sie verweigert weibliche Demutsfor-

meln, wie sie die Tradition von Autorinnen und Künstlerinnen verlangt.

Kaum war der erste Teil ihrer Autobiografie in Altona erschienen, verschickte ihn Anna Maria van Schurman eifrig an ehemalige Freunde, Bewunderer und Meinungsmacher überall draußen in der Welt. Ihren Glaubensgenossen war das sehr recht, denn die Autorin warb aus persönlicher Überzeugung und mit gelehrten Argumenten für ihre geistliche Gemeinschaft in Wieuwerd und für einen Glauben, der sich außerhalb der großen Konfessionen verwirklichen ließ. Sie erhielt begeisterte Post von unbekannten Lesern, denen die Autorin ausführlich antwortete.

Einer dieser Leserbriefe kam im Frühjahr 1674 aus Frankfurt am Main von Johann Jacob Schütz. Es begann ein intensiver Briefwechsel zwischen Anna Maria van Schurman und dem engagierten Christen Schütz, der in Jean de Labadie einen geistlichen Seelenverwandten entdeckte. Es war genau in dieser Zeit, dass der Jurist der vertraute Gesprächspartner von Caspar Merian in religiösen Fragen war. Der »Umweg« über Anna Maria van Schurman und Jean de Labadie wird sehr bald zu Maria Sibylla Graff und in das Jahr 1685 führen.

In Wieuwerd machte sich Anna Maria van Schurman 1674 an den zweiten Teil ihrer Autobiografie. Von der Haushaltsarbeit, die sich alle Frauen in der Gemeinschaft teilen mussten, war sie schon in Altona befreit worden. Altersbeschwerden und Krankheiten plagten sie. Sie saß in einem Stuhl, an dessen vier Beine Räder montiert waren. Doch das Schreiben ging ihr weiter schnell von der Hand. Der Gedankenaustausch zwischen Anna Maria van Schurman und Johann Jacob Schütz in Frankfurt riss nicht ab. Der Frankfurter Jurist tauschte auf ihre Vermittlung hin auch Briefe mit Pierre Yvon, dem geistlichen Führer der »Auserwählten« nach dem Tod von Jean de Labadie.

Das Ende vom ersten Teil ihrer Autobiografie zeigt eine glückliche Frau, die mit sich selbst im Reinen ist und nur einen letzten Wunsch hat: »Nachdem ich also bewiesen habe, dass mein gegenwärtiger Zustand der glücklichste ist und dass ich wirklich das beste Teil, das beste Schicksal gewählt habe, das ich hier mit ›Eukleria‹ bezeichnet habe, schließe ich nun und antworte, gemeinsam mit der Kirche Christi, auf die Worte ihres Bräutigams (Offb 22,20) ›Ja, ich komme bald, Amen‹ mit den Worten der Braut ›Komm, Herr Jesus‹«.

Am 14. Mai 1678 starb Anna Maria van Schurman auf Schloss Waltha. Sie wurde auf dem Friedhof von Wieuwerd anonym begraben. Wie sie es gewünscht hatte: Kein Stein, kein religiöses Zeichen markierte ihr Grab.

Die »Mutter« der Gemeinschaft hatte den zweiten Teil ihrer *Guten Entscheidung* noch fertiggestellt. Er wurde posthum veröffentlicht. Die Autorin geht in der Fortsetzung ihrer Autobiografie auf die Kritik an ihrem ersten Band ein. Scharf weist sie die Interpretation zurück, dass ausgerechnet sie – einst als gelehrteste Frau Europas gerühmt – sich grundsätzlich gegen alle Wissenschaften gewandt habe. Der »außerordentlich gelehrte Mann«, der das behauptet, »hat sich aus den nicht ganz verstandenen Sätzen in meiner ›Eukleria‹ etwas zusammengeschustert, um meine Irrmeinung zu belegen«. Wer die Eukleria, Band 1, »mit offenen Augen liest, könne niemals zu solchen Schlussfolgerungen kommen«. Bekräftigend wendet sie ihre Auffassung ins Positive: »Niemals käme es der Schurman in den Sinn, alle Wissenschaften abzulehnen, die Lektüre und den Gebrauch aller profanen Bücher vollkommen in Abrede zu stellen.«

Die Vehemenz ihrer Verteidigung verrät, wie sehr ihr auch als Labadistin die Bildung von Frauen am Herzen liegt, die unter radikaler Wissenschaftsverachtung am meisten leiden würden. Anna Maria van Schurman weiß, dass sie ihren geschulten Intellekt nicht nur ihren Talenten, sondern ebenso der akademischen Bildung verdankt, mit der sie für ihren neuen Glauben in den besten gelehrten Kreisen werben kann und ernst genommen wird. Weder Jean de Labadie noch sein Nachfolger Pierre Yvon haben die Autorität und geistige Freiheit der Schurman innerhalb der Labadisten-Gemeinschaft in Frage gestellt.

Die heftig angefeindete Kommune in Wieuwerd war stolz auf ihr prominentes Mitglied. Ihre Führer wussten, wie wichtig Anna Maria van Schurman für die Außenwirkung und die Rekrutierung neuer Mitglieder – vor allem gut situierter, gebildeter Frauen – war.

Im August 1674 bat Johann Jacob Schütz in seinem ersten Brief an Pierre Yvon, ihm einen Bericht über die christliche Gemeinschaft von Wieuwerd zu schreiben. Postwendend kam eine positive Antwort; auf Französisch, denn das war ihre Kommunikationssprache, während die Briefe zwischen der Schurman und Schütz auf Latein gewechselt wurden. Der Frankfurter Jurist, immer daran interessiert, Menschen für die gute Sache eines lebendigen Christentums zu gewinnen, übersetzte den Text. Mit Zustimmung von Pierre Yvon und dem schriftlichen Dank von Anna Maria van Schurman erschien er zur Frankfurter Herbstmesse 1675 als *Kurtzer Bericht Vom Zustand und Ordnungen jener Personen, welche Gott versamlet, und zu seinem Dienst vereinigt hat, durch das Ampt seines treuen Knechts, Weyland Herrn Johann de LABADIE, Und ... Hn. Peter Yvon ...*

Im selben Jahr 1675 gab Schütz eine eigene Erbauungsschrift heraus, um seine Zeitgenossen aufzurütteln, ein *Christliches Gedenkbüchlein zur Beförderung eines anfangenden neuen Lebens, worin zur Ablegung der Sünde, Erleuchtung des inneren Menschen und der Vereinigung mit Gott in möglichster Kürze und Einfalt die erste Anregung geschieht.* Die Schrift des frommen Juristen bekam starke Konkurrenz von einem alten Bekannten.

Frankfurts lutherischer Hauptpastor Philipp Jakob Spener, auf den Schütz seine Hoffnungen für eine gründliche Veränderung von Klerus und Gemeinden gesetzt hatte, versuchte ebenfalls 1675, die Gläubigen und seine Pfarrkollegen aufzurütteln. Über seine Schrift *Pia Desideria oder Herzliches Verlangen nach gefälliger Besserung der wahren evangelischen Kirche* allerdings wurde, wie Schütz 1676 in einem Brief schrieb, »viel geredet, aber nichts nachgelebt«. Was als Meilenstein des Pietismus in die Geschichtsbücher eingegangen ist, war in der aktuellen Situation ein Misserfolg.

Tief enttäuscht setzt Johann Jacob Schütz in seiner Frankfurter Gemeinde Ende 1676 ein Zeichen. Er besucht weiterhin die Gottesdienste, aber am Abendmahl nimmt er nicht mehr teil. Mit unwürdigen Christen – und das sind für ihn die allermeisten Gemeindemitglieder – kann er die Gemeinschaft mit dem Leib Christi im Abendmahl nicht teilen.

Im September 1684 veröffentlicht Johann Jacob Schütz die Schrift *Abdruck eines DISCURSES über die Frage: Ob die Auserwählten verpflichtet seien, sich notwendig zu einer heutigen großen Gemeinde und Religion insonderheit zu halten?* Die Antwort des vierundvierzigjährigen Juristen aus angesehener Frankfurter Familie ist ein eindeutiges Nein. Es sei notwendig, sich von der lutherischen Kirche fernzuhalten, um die wahre »Gemeinschaft der Heiligen« wieder aufzurichten.

Schütz selbst bleibt formell Mitglied der lutherischen Kirche, seine Kinder lässt er lutherisch taufen. Aber mit seiner Schrift bestätigt er anderen radikaleren Reformern und »Auserwählten«, dass ein Trennungsschritt gerechtfertigt ist. Nichts anderes hat Jean de Labadie gepredigt, von dessen Theologie Schütz zweifellos aufgrund seines Briefwechsels mit Wieuwerd beeinflusst wurde. Doch der Frankfurter Lutheraner wollte mit Gleichgesinnten keine eigene Kirche gründen und sich von den Mitmenschen nicht absondern. Erst Christus werde bei seiner Wiederkunft am Ende aller Tage »das gantze Israel, die Fülle der Heyden« und alle Gläubigen in der einen »wahren Kirche« zusammenführen.

Als Maria Sibylla Graff Anfang 1682 mit Kindern und Ehemann von Nürnberg zu ihrer Mutter, die seit wenigen Monaten Witwe war und einen Prozess um die Erbschaft führte, nach Frankfurt zog, konnten persönliche Begegnungen den bisherigen Briefwechsel mit Johann Jacob Schütz ersetzen. Zwei kommunikative Persönlichkeiten trafen sich. In Nürnberg hatte Maria Sibylla, die reformierte Christin, mit dem befreundeten Theologen Christoph Arnold, der ihre Forschungsarbeit bewunderte, beraten, wie man mögliche Einwände der orthodoxen Lutheraner gegenüber ihrem ersten »Raupenbuch« umgehen konnte. Schütz, der nicht aufdringlich, aber doch mit Überzeugung andere an seiner religiösen Entwicklung teilnehmen ließ, wird in ihr eine interessierte Gesprächspartnerin gefunden haben.

Ein Blick voraus bringt Licht in die rätselhaften Frankfurter Ereignisse von 1685 um Maria Sibylla Merian. Am 14. April 1690 schreibt Johann Andreas Graff einen langen Brief an den »Hochedlen und Hochgelährten Herrn Johannes Jacob Schütz«. Es ist ein wütender und wirrer Brief voller Beschimpfungen, die Abrechnung eines verlassenen Ehemannes. Denn zu diesem Zeitpunkt lebte seine Ehefrau Maria Sibylla mit ihren zwei gemeinsamen Töchtern schon fast vier Jahre getrennt von ihm in der Labadisten-Gemeinschaft von Wieuwerd. Johann Andreas Graff weiß, warum seine Ehe mit Maria Sibylla gescheitert ist. Schütz, der »Eheteuffel«, habe »die Meinigen verfuhret und nach Wiwert geraten« und ständig »wieder mich angereizt«. Die Katastrophe habe sich nur ereignen können, weil Schütz und Maria

Sibylla dem Labadisten-Glauben in Wieuwerd – »Wiwerth« – verfallen waren: »Weret Ihr bey Eurem Lutherischen Glauben geblieben und meine frau bey Ihren guten Reformirten leuthen« – dann wären sie immer noch ein glückliches Paar.

Für den verbitterten Ehemann ist Johann Jacob Schütz der Sündenbock, der Graff schlechtgemacht und seine Frau verführt hat, bei den Labadisten ihr Glück zu suchen. Das entspricht zwar nicht unserem Bild von Maria Sibylla als einer selbstbewussten Person, die ihren eigenen Kopf hatte. Aber trotz aller Wirrnis und einer verzerrten Sicht auf die Realitäten hat Johann Andreas Graff eines klar gesehen: Bei der Entscheidung seiner Frau für Wieuwerd hat der Frankfurter Jurist und radikale Christ Schütz eine nicht zu unterschätzende Rolle gespielt.

Für Vermutungen in der Merian-Literatur, dass Maria Sibylla Graff Kontakte zu Philipp Jakob Spener und seinen Anhängern hatte, gibt es weder schriftliche Beweise noch zeitliche Berührungspunkte. Als die Gräffin 1682 nach vierzehn Jahren in Nürnberg wieder nach Frankfurt kommt, ist der lutherische Reformer mit seinen pietistischen Ansätzen am Widerstand der Frankfurter Pfarrerschaft gescheitert. Und warum hätte Maria Sibylla, die aus einer Familie reformiert-calvinistischer Religionsflüchtlinge stammte und in diesem Glauben erzogen wurde, ihr Heil bei lutherischen Christen suchen sollen?

Johann Jacob Schütz, der auch im Alltag seinen hohen christlichen Idealen zu entsprechen suchte, war dagegen für sie eine überzeugende Autorität. Mit seinem *Discurs* hatte er öffentlich mit Speners halbherzigem Reformkurs gebrochen. Schütz lieferte Maria Sibylla Graff wichtige Argumente, die an diesem Wendepunkt ihres Lebens für einen Neuanfang in der Gemeinschaft von Wieuwerd sprachen. Auch wenn sie die endgültige Entscheidung alleine getroffen hat.

Die Gespräche der beiden sind nicht überliefert. Aber der Frankfurter Jurist hat Dokumente über seine Verbindung mit den Eheleuten Graff im Krisenjahr 1685 hinterlassen. Über drei Jahrhunderte blieben sie unentdeckt. Der evangelische Theologe Andreas Deppermann hat sie um das Jahr 2000 im Schütz-Nachlass gefunden. Bisher konnte über entscheidende Monate, in denen sich Maria Sibylla Merians Leben von Grund auf veränderte, nichts berichtet werden. Es gab nur den Brief an Clara Imhoff vom Juni 1685 mit Andeutungen über eine Trennung von ihrem Ehemann. Die neuen Dokumente lösen nicht alle Rätsel, aber enthalten doch einige spannende Neuigkeiten über den Wechsel der Frau Graff, geborene Merian, von Frankfurt in die Labadisten-Kommune und über das Ende ihrer Ehe. (Siehe »Literaturhinweise«; im Senckenberg-Archiv in Frankfurt sind sie einsehbar.)

Johann Jacob Schütz war ein angesehener Jurist, der seine Bücher penibel führte. In seinem »Verdienstjournal«, an dem die Jahrhunderte ihre Spuren hinterlassen haben, setzte er als Motto seiner Arbeit oben auf die Seite »Laus Deo«, Gott zum Lob. In die Rubrik darunter hat er am 13. Dezember 1685 mit schwarzer Tinte eingetragen: »Graf und Gräfin vor und nachmittag zugebracht vergleich concipiret.« Und einen Tag später: »graf und gräfin vergleich«. Graf und Gräfin: damit sind ohne jeden Zweifel Johann Andreas Graff und seine Frau Maria Sibylla Graff gemeint. Diese Eintragung – wenngleich dunkel und vieldeutig – ist die erste Spur von mehreren, die im Archiv-Schatz des Johann Jacob Schütz über die Eheleute Graff und deren Trennungsgeschichte zu finden sind. Auch die wütende Anklage von Johann Andreas Graff aus dem Jahre 1690 liegt in einem der drei dicken Konvolute mit den Schütz-Papieren.

Fügt man die alten und die neuen Mosaiksteine zusammen, lassen sich die Umrisse eines Ehedramas erkennen. Schauplatz

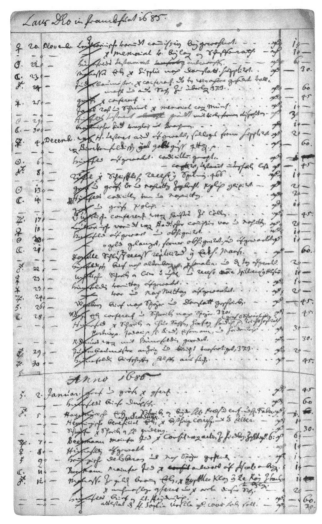

18. Der Frankfurter Jurist Johann Jacob Schütz ist mit Maria Sibylla Graff, geborene Merian, und ihrem Ehemann gut bekannt. In seinem »Verdienstjournal« notiert er am 13. Dezember 1685: »Graf und Gräfin vor und nachmittag zugebracht, vergleich concipiret.« Und am 14.: »Graf und Gräfin vergleich.« Das lange unentdeckte Dokument beweist seine Vermittlung in der Ehekrise.

ist die Gemeinschaft der Labadisten um Schloss Waltha, das »Neue Jerusalem« im holländischen Friesland, wo die »Auserwählten« eine Chance auf einen neuen Anfang haben.

10. Das Ende einer Ehe. Ein Herz aus Eis?

»Graf und Gräfin vor und nachmittag zugebracht vergleich concipiret … graf und gräfin vergleich.« Was der Jurist und Notar
Johann Jacob Schütz am 13. und 14. Dezember 1685 in seinem
»Verdienstjournal« notiert, setzt die Fantasie gewaltig in Bewegung. Die neu entdeckte Notiz, so spannend sie ist, lässt aber
eine wichtige Frage offen: Hat Schütz an diesen zwei Tagen mit
dem Ehepaar persönlich geredet oder sich nur mit ihrem »Fall«
beschäftigt? Doch unabhängig davon wirft diese Eintragung
ein neues Licht auf die Beziehung zwischen Maria Sibylla und
ihrem Ehemann Johann Andreas Graff im Krisenjahr 1685. Für
den Ehemann war mit der Rückkehr nach Nürnberg, die Maria
Sibylla in ihrem Brief an die Freundin Clara im Juni angekündigt hatte, die Ehe offensichtlich nicht zu Ende.

Aus dem weiteren Verlauf lässt sich schließen: Maria Sibylla
war der Teil, der die Trennung wünschte, verbunden mit dem
Entschluss, in die Labadisten-Gemeinschaft von Wieuwerd ein-
zutreten. Johann Andreas Graff war damit nicht einverstanden
und hat alles getan, um seine Frau umzustimmen. Es muss Briefe
und Gespräche gegeben haben, und mit der Vermittlung durch
Schütz einigten sich die Eheleute zum Jahresende auf einen Vergleich. Maria Sibylla war einverstanden, der Beziehung noch eine Chance zu geben; Johann Andreas war bereit, diesen Neuan-
anfang mit den Töchtern in Wieuwerd zu versuchen. Im kom-
menden Jahr würde die Familie nach Friesland gehen; Maria
Sibyllas Mutter wollte ebenfalls mitkommen.

Familie Graff ist demnach in den ersten Monaten des Jahres
1686 nach Wieuwerd aufgebrochen. Ein Graff-Brief vom April
1690 an Johann Jacob Schütz bestätigt »unsere Abreise« nach
Wieuwerd und erzählt aus Sicht des verbitterten Ehemanns,

was vor und nach der Abreise geschehen ist. Angeblich war abgemacht, dass der Vergleich der Eheleute, der eine »wieder Ehevereinigung« zum Ziel hatte, von Schütz ein juristisches Siegel erhielt und den Führern der Labadisten-Kommune im Voraus übermittelt wurde. Diese Behauptung von Graff kann nicht überprüft werden und erscheint eher unwahrscheinlich.

Konnte der Jurist ein solches Risiko eingehen? Maria Sibylla Graffs Verhalten in Wieuwerd jedenfalls lässt stark vermuten, dass sie einer solchen Festlegung nicht zugestimmt hätte. Sie stand dem Drängen ihres Mannes auf Fortführung der Ehe abwartend, wenn nicht skeptisch gegenüber. Und sie war besser darüber informiert, wie rigoros die Mitglieder der Labadisten-Kommune den Anweisungen der geistlichen Führer folgen mussten – und bereit, ihnen zu gehorchen.

Zur Erinnerung: Caspar Merian, ihr Halbbruder, lebte seit 1677 in der Labadisten-Kommune. Dieser Bürge war für Maria Sibylla, die erfolgreiche Autorin und Tochter eines berühmten Vaters, ein Garant, dass ihr Wunsch, in die Schar der »Auserwählten« aufgenommen zu werden, problemlos erfüllt würde. Ganz anders sah es für den Lutheraner Johann Andreas Graff aus. Er war ein unbeschriebenes Blatt, wollte aber um jeden Preis bei seiner Frau bleiben. Eine miserable Ausgangsposition, um bei den Labadisten die Ehe fortführen zu können. Maria Sibylla, der niemand ins Herz sehen konnte, als sie dem Vergleich zustimmte, wusste das.

Im Rückblick beschuldigte Johann Andreas Graff den Juristen Schütz, das endgültige Scheitern der Ehe in der Wieuwerder Kommune – bei den »Wiwertern« – hinterhältig eingefädelt zu haben. Die Graff-Anklage 1690 lautete: »Und hat der herr Doctor Schytz einen grossen fehler ja Ehefehler damals gethan, daß Er den Wiwertern vor unserer Abreis, abgeredter und versprochener massen unser ganze wiederEhevereinigung nicht notifiziert

146

gehabt …« Deshalb sei für den Ehemann nach der Reise mit Frau, Töchtern und Schwiegermutter in Richtung Holland bei der Ankunft in Wieuwerd schon wieder Schluss mit dem gemeinsamen Familienleben gewesen.

Man konnte Schloss Waltha, nahe Leeuwarden, Residenzstadt der holländischen Provinz Friesland, über die Landstraße mit Pferd und Wagen oder zu Schiff über den Kanal erreichen. Von weitem schon hoben sich prächtige Baumalleen, die den ganzen Bezirk abgrenzten, vom platten Land ringsum ab. Auf der Landstraße, die von Westen kam, ging es vorbei an Ställen für Kühe und Schweine, an zwei Kornmühlen und einer Schmiede. Vor dem Schlossbereich, der auf drei Seiten von einem Wassergraben und durch ein mächtiges Renaissance-Tor geschützt wurde, lagen wohlgeordnet Gärten und Wiesen. In der Nähe der steinernen dreibogigen Brücke, die über den Graben zum Tor führte, war am Kanalende eine Mole mit Kränen zum Ent- und Beladen der Schiffe angelegt. Selbst eine autarke Gemeinschaft, die um 1686 aus rund dreihundertfünfzig Mitgliedern bestand, brauchte Nachschub an Material und Gütern von der Welt draußen. Zugleich wurden selbst hergestellte Produkte – Stoffe, Lederwaren, Ofenplatten, Seife, Pillen – mit Gewinn exportiert, um die Gemeinschaftskasse aufzustocken.

Der Grund, auf dem links das Schloss und rechts hohe Wohngebäude für die Mitglieder nebst einer Wäscherei standen, konnte nur über die Steinbrücke erreicht werden. Eine ideale Lage, um alle Ankommenden zu kontrollieren. Besuchern und Gästen standen eigene Unterkünfte und zwei kleine Häuser vor der Brücke zur Verfügung. Nahe den Gärten war ein Hühnerhaus. Die Kommune verfügte über eine Gerberei, eine Brauerei, eine Bäckerei, eine Apotheke und die wichtige Druckerpresse. Insgesamt arbeiteten rund zweihundert Menschen für die Gemeinschaft, die nicht von außen kamen. Wer durch das große Tor geschritten war und dazugehörte, wurde von der geistlichen Führung für die tägliche Arbeit eingeteilt. Je höher seine Stellung in der Welt draußen gewesen war, umso niedriger die Arbeit, die er für die Labadisten-Gemeinschaft erledigen musste. Die Frauen wurden bevorzugt für Haushalts- und Gartenarbeiten abgestellt.

Caspar Merian wusste ebenso wie die Führung der Labadisten, dass Maria Sibylla mit ihrer Familie auf dem Weg nach Schloss Waltha war. Der Aufbruch zu den Labadisten war kein gewöhnlicher Umzug, und Frau Graff keine Person, die sich kopflos in ein Abenteuer stürzte. Ihr Frankfurter Bürgerrecht hatte sie 1685 ausdrücklich bestätigt und damit nicht alle Brücken hinter sich abgebrochen. Ihr Bruder wird informiert worden sein, als die Neuankömmlinge vor dem Tor standen, und sie begrüßt haben. Seine Schwester mit ihren beiden Töchtern und der alten Mutter wurden anstandslos in den inneren Bezirk – das »Haus« – weitergeleitet, wo sie in einem der Häuser einen Raum zugewiesen bekamen.

Öfen gab es in den Räumen der Kommune grundsätzlich keine. Abkehr von der Welt bedeutete, sein ganzes bisheriges Selbst zu opfern – Besitz, Gefühle, Fähigkeiten – und ein einfaches Leben zu führen. Alle Mahlzeiten wurden gemeinsam eingenommen. Die Frauen wechselten ihre bisherigen Gewänder gegen raue Wollkleider und bedeckten das zurückgekämmte Haar mit einer dicht anliegenden Kappe. Die Männer bekamen Arbeitskleidung und einfache schwarze Anzüge für die Gottesdienste. Wertvolle Kleider wurden verkauft. Schmuck, Geld und andere Reichtümer wurden restlos Pierre Yvon, dem Nachfolger von Jean de Labadie, »zu Füßen gelegt«. Wer Grundbesitz hatte, musste ihn veräußern und den Betrag einzahlen. Die Gemeinschaft sorgte für alle – nach Maßgabe des Führungsgremiums. Allerdings waren die Einlagen nicht verloren. Wer Wieuwerd den

Rücken kehrte, bekam seinen Einsatz zurück, verbunden mit der Erwartung, dass ein Viertel davon bei der Gemeinschaft blieb.

Mochten vor Gott alle gleich sein, in der »kleinen Kirche« der Labadisten herrschten strikte Hierarchien und ein totales Gehorsamsgebot. Kontrolle und Disziplinierung wurden bewusst eingesetzt, um das Gift des »alten Menschen« auszutreiben. Die fünf leitenden Brüder, allen voran »Papa Yvon«, hatten die alleinige Verfügungsgewalt über alle und alles. Ihre Entscheidungen wurden nicht hinterfragt. Wer den Anschein machte, den Vorgaben nicht hundertprozentig zu folgen, den erwarteten spürbare Strafen, die körperliche Züchtigungen nicht ausschlossen. Die Essensportion wurde gekürzt oder die Persönlichkeit des Ankömmlings mit harter Arbeit am Waschkessel, als »Grab des Stolzes« bekannt, gebrochen. Andere Sünder oder Sünderinnen mussten vor der »großen Versammlung« eine öffentliche Beichte ablegen.

Pierre Yvon mit seiner Familie und die Führungsleute lebten im Schloss, zusammen mit den drei van Sommelsdijk-Schwestern, und nahmen in einem eigenen Speisesaal mit Blick über den Wassergraben ihre Mahlzeiten ein. Die übrigen Mitglieder der Gemeinschaft waren in drei Klassen eingeteilt. Wer als wohlwollender Besucher kam, wurde als »Monsieur« und »Madame« registriert, durfte eine Weile bleiben und sich in der Kommune umsehen.

»Anwärter«, ebenfalls mit »Monsieur« und »Madame« angesprochen, gehörten zur zweiten Klasse. Sie mussten sich voll in das Leben der Gemeinschaft einbringen, harte Arbeit verrichten und an allen religiösen Versammlungen teilnehmen. Eines Tages würden sie erfahren, ob sie die Gemeinschaft verlassen mussten, weil ihr Einsatz nicht überzeugt hatte, oder ob sie in die »Erste Klasse« aufgenommen wurden. Die war den »Erwähl-

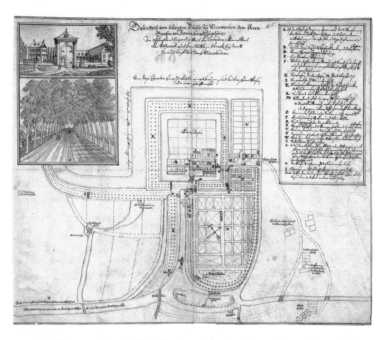

19.   In Wieuwerd im holländischen Friesland gründeten die Labadisten 1675 rund um Schloss Waltha eine christliche Kommune. Hier
wurde Maria Sibylla Merian mit ihren zwei Töchtern im Frühjahr·1686
aufgenommen, aber ihrem Mann die Mitgliedschaft verweigert. Damit
war das Ende ihrer Ehe besiegelt. Vor seiner Rückkehr nach Nürnberg
hat Johann Andreas Graff diesen Grundriss von Schloss und Umgebung
gezeichnet.

ten« vorbehalten. Sie redeten sich untereinander mit »mein Bruder« und »meine Schwester« an, und zu ihnen zählten automatisch alle, die im Schloss wohnten. Die Zahl der Erwählten umfasste nie mehr als zweihundertfünfzig Personen. Die Gruppe der »Anwärter« zählte 1686 vierzig Menschen.

In den Bereichen für das gemeinsame Essen gab es getrennte Tische für die verschiedenen »Klassen«. Während der Mahlzeiten zu sprechen war streng verboten. Pierre Yvon predigte sonntags und grundsätzlich auf Französisch, obwohl er seit über zwanzig Jahren in Holland lebte und die Zahl der französischen Labadisten über ein Dutzend kaum hinausging. Niemand wagte, dagegen aufzubegehren. Weibliche Erwählte übersetzten seine Predigten ins Niederländische. Die anderen führenden Brüder predigten gleich auf Niederländisch.

Auch Ehepaare wurden in Wieuwerd gemeinsam aufgenommen. Für Johann Andreas Graff allerdings öffnete sich bei der Ankunft das große Tor in den inneren Bezirk nicht. Er musste zusehen, wie seine Frau allein mit den Kindern dort einzog. Ein deutsch sprechender Vertreter der Führungselite, Reiner Copper, 1683 als reformierter Pastor in Duisburg abgesetzt und seitdem mit seinen Anhängern Teil der Wieuwerder Gemeinschaft, erklärte dem Maler aus Nürnberg, dass seine Argumente, mit seiner Frau zusammenleben zu wollen, nicht überzeugten. Im Gegensatz zu »Madame Merian« – so wurde sie vielsagend bei den Labadisten registriert – gehöre er nicht zur Gemeinschaft; deshalb sei diese Ehe nach ihren Geboten nicht gültig und eine räumliche Trennung obligatorisch.

Immerhin wurde ihm eine Schlafgelegenheit auf dem äußeren Gelände zugewiesen und gesagt, er könne sich durch Arbeit nützlich machen. Es war das Ende der großen Illusion von Johann Andreas Graff: dass der Vergleich, den er mit Maria Sibylla unter der Vermittlung von Johann Jacob Schütz in Frankfurt getroffen hatte, automatisch den Fortbestand ihrer Ehe in Wieuwerd garantierte.

Das nächste Lebenszeichen stammt von Maria Sibylla – legal immer noch Frau Graff – und ist ein Päckchen, das im März 1686 die Kanzlei von Rechtsanwalt Schütz erreicht. Der Jurist hat die Annahme und den Inhalt geschäftsmäßig notiert: »29. März lieferte Fr. gräfin etlich kauff- und andere brief über ihres Manns haus zu Nürnberg, und andere acta, welche weder ihr allein, noch ihrem Mann allein, sondern ihnen beyden oder ihrer beyden ordre abgefolget werden sollen, wann sie beyde oder deren Erben es verlangen.« Es waren Dokumente, mit denen die Ehefrau im Fall einer Scheidung den Anspruch auf ihre persönlichen Güter und die Alimente für ihre Töchter absicherte. Dass sie diese Papiere im Frühjahr 1686 bei Schütz deponiert und ihrem Ehemann den alleinigen Zugriff verwehrt, spricht Bände.

Die Notiz des Juristen Schütz gibt keinen Hinweis, wo sich Maria Sibylla zu diesem Zeitpunkt aufhielt. Noch in Frankfurt oder schon in Wieuwerd, was wahrscheinlicher ist? In jedem Fall hat sie sich keine Illusionen gemacht und das Ende ihrer Ehe mit dem Umzug nach Wieuwerd in ihre Pläne mit einbezogen. Für diesen Ausgang wollte sie für sich und die Töchter praktische Vorsorge treffen.

April 1686: »in Frieslandt observert« steht für diesen Monat im »Studienbuch«, und mit dieser Aufzeichnung bestätigt »Madame Merian« erstmals schriftlich ihre Anwesenheit im holländischen Friesland. Dass sie um diese Zeit dort in der Gemeinschaft der Labadisten lebt, steht damit außer Frage. Im selben Monat, am 12. April, stirbt Caspar Merian und wird auf dem Friedhof von Wieuwerd begraben. Für die Frommen kein Anlass zur Trauer, denn für die Erwählten bedeutete der Tod die »Vereinigung« mit Gott. Nichts war ihnen willkommener.

Ob Caspar seiner Halbschwester nicht dennoch fehlte? Sein

Testament beweist, dass er sie schätzte und zur Sicherung ihrer irdischen Zukunft beitragen wollte. Einiges von seinem Erbe, das im Gemeinschaftsvermögen der Kommune eingetragen war, vermachte er den Labadisten, einen zweiten Teil Maria Sibylla. Damit alles seine Ordnung hatte, übernahm Reiner Copper, der das volle Vertrauen von »Papa Yvon« hatte und die Korrespondenz auf Deutsch führen konnte, die Angelegenheit. Er bat Johann Jacob Schütz in Frankfurt, wo Caspar Merians Originaltestament hinterlegt war, um juristischen Beistand.

Schütz, Caspars Freund und den Labadisten durch sein Engagement für ihre »kleine Kirche« in guter Erinnerung, schrieb Ende Mai 1686 an Reiner Copper, er werde sich um die gerichtliche Vollstreckung kümmern. Dank seiner Abschrift des Briefes wissen wir, dass Maria Sibylla keine Erbschaftssteuer zahlen musste, da sie immer noch Bürgerin von Frankfurt war. Schütz, dem die Familie Graff samt ihrer Probleme wohlvertraut war, bat den geistlichen Vertreter der Labadisten zum Schluss des Briefes, an die »Erb grafin sampt dero gantzen familie fleiß. Grüße« auszurichten. Die ganze Familie: Dazu gehört auch ein Ehemann. Der Jurist ging offensichtlich davon aus, dass Johann Andreas Graff noch mit seiner Frau zusammen war. Er konnte nicht ahnen, welches Drama sich in Wieuwerd abspielte und dass von einer vollständigen Familie keine Rede sein konnte.

»Meine Frau hat gesehen, dass er vor ihr auf den Knien lag und darum bat, mit ihr zu wohnen, aber vergeblich …« Diese mitleiderregende Szene zwischen dem Ehepaar Graff hat einer aufgeschrieben, der beide in Wieuwerd kennenlernte. Der reformierte Pastor Petrus Dittelbach hatte 1683 sein Amt im ostfriesischen Nendorp niedergelegt, weil er an die sündigen Mitglieder in seiner Gemeinde kein Abendmahl mehr austeilen wollte, und zog 1684 aus tiefer Überzeugung mit seiner Familie zu den Labadisten in Wieuwerd.

Dort gab der studierte Theologe Kindern, die mit ihren Eltern bei den Labadisten lebten, Lateinunterricht und arbeitete in der Druckerei. 1684 übersetzte er im Auftrag von Pierre Yvon *Eukleria*, den ersten Teil der Autobiografie von Anna Maria van Schurman, aus dem Lateinischen ins Niederländische, das seine Muttersprache war.

Desillusioniert verließ Dittelbach 1688 die Gemeinde der Erwählten. 1691 erschien in Amsterdam seine Schrift über *Verval en Val Der Labadisten* – »Niedergang und Fall der Labadisten«. Sie ist vor allem eine Abrechnung mit Pierre Yvon, dessen willkürliche Herrschaft über die Frommen er kritisiert. Aber Petrus Dittelbach weiß auch viele Geschichten aus dem Alltag zu erzählen. Mehrmals kommt er auf »eine Frau aus Frankfurt am Main mit zwei Töchtern« zu sprechen. Sie habe ihren Mann verlassen, der doch nur mit ihr in Frieden leben wollte. Er spricht zweifellos von Maria Sibylla Merian, und dem ehemaligen Pastor wird ihr prominenter Name nicht fremd gewesen sein. Petrus Dittelbach sieht die Rollenverteilung zwischen ihr und ihrem Mann sehr kritisch. Für ihn ist Johann Andreas Graff das Opfer seiner Frau, die »ein Herz aus Eis« habe.

Petrus Dittelbach hat in Wieuwerd ausführlich mit beiden Eheleuten gesprochen und versucht, als Vermittler aufzutreten. Aus seinem Bericht spricht die Sympathie von Ehemann zu Ehemann. Die wütenden Anklagen im Brief von Graff an Johann Jacob Schütz aus dem Jahre 1690 sind einseitig verzerrt, und was Maria Sibylla denkt, erfahren wir nur aus zweiter Hand über Petrus Dittelbach. Es fehlen neutrale Informationen und zeitliche Angaben, was den Aufenthalt von Graff bei den Labadisten betrifft. Trotzdem: Aus den verschiedenen Facetten ergibt sich ein Bild, das der Wahrheit nahekommt, auch wenn über dreihundert Jahre dazwischenliegen.

Warum hätte Maria Sibylla Graff nach ihrer Entscheidung für

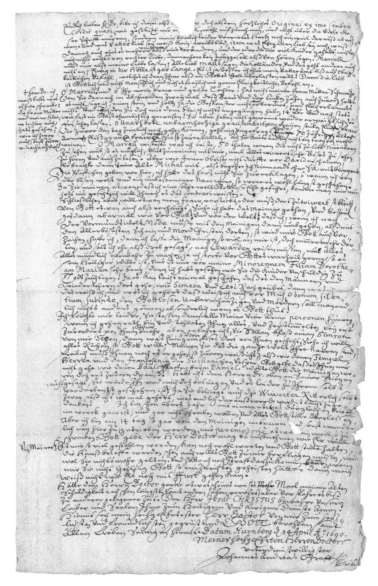

20.	Nach der Trennung von Maria Sibylla wirft Johann Andreas Graff dem Juristen Schütz in einem Brief vom 14. April 1690 vor, seine Frau in die Arme der Labadisten getrieben zu haben.

Wieuwerd den Geboten der Labadisten in Bezug auf ihre Ehe nicht folgen und damit ihr Bleiben in der Kommune gefährden sollen? Zumal ihren Plänen die strikte Trennung von Mann und Frau, wenn sich beide nicht gemeinsam zu den Labadisten bekannten, entgegenkam. Johann Andreas Graff aber war entschlossen, durch schwere Arbeit für die Gemeinschaft das Wohlwollen seiner Frau und der Labadistenführer zu erzwingen. Wenn Petrus Dittelbach in der Druckerei arbeitete, sah er viele Male, wie Graff schwere Steine für einen Bau schleppte. Der ehemalige Pastor hatte als Ehemann und Vater Verständnis für Graffs Verzweiflung und gab ihm auch theologischen Rat.

In seinem Brief an den Juristen Schütz von 1690 zitiert Graff aus dem ersten Brief des Apostels Paulus an die Kolosser, um zu belegen, dass er Anspruch auf den Vollzug seiner Ehe hatte, auch wenn er den Labadisten-Glauben seiner Frau nicht teilte: »Der ungläubige Mann wird geheiliget Durch das weib et viceversa...« Und fügt drastisch hinzu: »... denn was geht einem andern mein Bett oder Ehebette und Ehefrau an, wir gehören Gott und Jesus zu, der muß und will uns richten.« Sein Pech, dass »Papa Yvon« die Verse dreizehn bis vierzehn anders interpretierte und Maria Sibylla sich der Labadisten-Führung bedingungslos unterwarf. Das erfuhr auch Petrus Dittelbach, der Frau Graff mit dem Hinweis auf die Paulus-Stelle gegenüber ihrem Mann gnädig zu stimmen versuchte: »Aber sie sagte mir, sie habe einst mit Yvon darüber beraten und würde ohne ihn nichts tun.«

Johann Andreas Graff kam noch mehrere Male nach Wieuwerd, obwohl die Führung ihm eine Aufnahme in die Gemeinschaft verweigerte. Dabei hat er den einzigen, sehr genauen Plan von Schloss Waltha und Umgebung gezeichnet, der sich erhalten hat. Einmal erhielt er sogar das Geld für die Rückreise, aber er ließ nicht locker. Wieder gibt sein Brief an Schütz einen anklagenden Hinweis: »... und was geht ihn meine 3fache Reiß nach Wiwert an und wann ich 100mal hinreise, bin ich darumb närrisch!« Die schwere Arbeit, die ihm aufgetragen wurde, machte ihn krank. Verzweifelt bat er Petrus Dittelbach, seine Frau ans Krankenbett zu holen. Es war wohl Graffs letzter, vergeblicher Versuch, Maria Sibylla umzustimmen.

Es verwundert nicht, dass Petrus Dittelbach irritiert ist, wie unerschütterlich diese eindrucksvolle Frau bei ihrer Entscheidung bleibt. Aber nach seinem Ehe- und Familienverständnis gehört Maria Sibylla an die Seite ihres Mannes, der sich noch dazu fast zu Tode schuftet, um seine Frau von seinen Gefühlen zu überzeugen. Da bleibt nur, sie als hartherzig und gnadenlos kalt zu charakterisieren. Dass die zwei Töchter den Vater nicht sehen wollten, geht für Dittelbach ebenso auf das mütterliche Schuldenkonto.

Dittelbachs Anklage sagt viel aus über den Schreiber, aber nichts Nachweisbares über Maria Sibylla Merian, wie sie sich seit dem Eintritt bei den Labadisten wieder nennt. Sie hat sich jedenfalls von dem Drama, das ihren Mann umtrieb, nicht erschüttern lassen. Auch als verheiratete Frau hatte Maria Sibylla in Nürnberg und Frankfurt kein Durchschnittsleben geführt. Sie war ihren eigenen Weg gegangen, selbständig und selbstbewusst. Sie war eine erfolgreiche Autorin, den Labadisten willkommen und nicht auf ihren Ehemann angewiesen. Nicht nur im 17. Jahrhundert war es für die meisten Zeitgenossen unverständlich und beklagenswert, dass eine Ehefrau und Mutter ihr eigenes Wohl, ihre Interessen und Pläne für ein selbstbestimmtes Leben an die erste Stelle setzte und danach handelte.

War der Aufbruch zu den Labadisten für Maria Sibylla Merian ein Befreiungsschlag, um sich von ihrem Mann trennen zu können? Eine wichtige Frage, doch auch für sie gilt: Kein einziges Wort von ihr ist dazu überliefert worden. Maria Sibylla Merian spricht zu uns – von wenigen Ausnahmen abgesehen –

nur durch ihre Taten. Aber eine Voraussetzung gilt für alle Versuche, einer Antwort näher zu kommen: Die Entscheidung eines Menschen ist niemals monokausal und säuberlich sezierbar. Sie speist sich stets aus vielen unterschiedlichen, auch widersprüchlichen Quellen.

Die Entschlossenheit, mit der Maria Sibylla Graff das Trennungsverbot der Labadisten gegenüber ihrem Mann durchhält, lässt den Schluss zu: Sie war an einem Punkt ihres Leben angekommen, wo sie es unbedingt mit ihren zwei Töchtern alleine weiterführen wollte. Welche Alternativen hatte sie? Eine Scheidung im christlich-bürgerlichen Rahmen in Frankfurt zu erreichen, war für eine Frau fast unmöglich. Frau Graff hätte ihren Mann beim Rat der Stadt wegen schwerster persönlicher Verfehlungen anklagen und diese beweisen müssen. Nichts davon wäre hinter verschlossenen Türen und der Ausgang höchst ungewiss geblieben.

Da lagen die Chancen einer Trennung von ihrem Mann für sie als Mitglied der Labadisten-Kommune – weit weg von Frankfurt – wesentlich besser. Maria Sibylla blieb im Hintergrund und musste nicht als anklagende Ehefrau auftreten. Die Labadisten-Führung erledigte alles unter dem Aspekt, ob der Lutheraner Johann Andreas Graff vom labadistischen Glauben durchdrungen war oder nicht. Die Antwort auf diese Frage war für die geistlichen Herren von Wieuwerd eindeutig – und damit auch das Ende dieser Ehe. Es darf vermutet werden, dass dies ein wichtiger Grund für Maria Sibylla war, nach Wieuwerd aufzubrechen – aber sicher nur einer unter anderen. Denn mit dem Leben in der Kommune eröffneten sich ihr noch andere, aufregende neue Dimensionen.

Maria Sibylla blieb fünf Jahre in Wieuwerd. Wäre die Trennung von ihrem Mann ihr einziges Ziel gewesen, dann hätte sie nach ein bis zwei Jahren den Brüdern und Schwestern den Rücken kehren können, das war so ungewöhnlich nicht. Keiner wurde in der Kommune festgehalten, der persönliche Besitz aus der Gemeinschaftskasse zum größten Teil zurückgegeben. Die Künstlerin und Forscherin ist mit fast vierzig Jahren kein unbeschriebenes Blatt. Sie hat bewiesen, dass sie keine Angst vor Veränderungen hat. Ihre Entscheidung für fünf Jahre Wiewerd ist ein positives Zeugnis. Sie hat sich dort offensichtlich nicht gelangweilt und Herausforderungen stellen können, die ihr Leben bereicherten.

Maria Sibylla hat mit ihren bisherigen Forschungen und Büchern die Schwelle zur Moderne überschritten. Die Zeit in Wiewerd steht für ein weiteres Bekenntnis zur Moderne: auszubrechen aus vorgegebenen Lebensmustern, sich als Aussteigerin neuen Herausforderungen zu stellen, unbekannte Räume – geografisch wie geistig-geistlich – zu erobern, die eigenen Denk- und Glaubensmuster zu hinterfragen und sich selbstbewusst der Möglichkeit des Scheiterns zu stellen. Schon bei ihren »Raupenbüchern« hat sie sich etwas zugetraut und kein Risiko gescheut.

Kaum in Wiewerd angekommen, streift die leidenschaftliche Sammlerin schon über die friesischen Wiesen auf der Suche nach Forschungsobjekten. »1686 im Abril habe ich in Frieslandt observert« steht in Maria Sibylla Merians »Studienbuch«. Eine Notiz, die bei allem Mut zu einem neuen Aufbruch Kontinuität signalisiert: Auch in der radikalen Christengemeinschaft der Labadisten wird die Forscherin ihre unersättliche Wissbegier, die Natur in ihren kleinsten Wesen zu erforschen, nicht preisgeben.

11. 1686-1691: In Wieuwerd geht es weiter mit Forschen, Malen und Sezieren

Sie hatte von »Papa Yvon« die Erlaubnis bekommen, sich in der Druckerei mehrere Bogen feines weißes Papier und Tinte zu holen, um ihre Notizen und Zeichnungen, die sie seit über zwanzig Jahren lose in Schachteln und Behältern begleiteten, geordnet in einem Buch zusammenzufassen. Es war unersetzliches Material über ihre Beobachtungen und Experimente mit Insekten in Frankfurt und Nürnberg, über die Verwandlung von trippelnden Vielfüßlern in Schmetterlinge und Motten.

Maria Sibylla Merian nahm den Federkiel, tauchte ihn in die Tinte, zeichnete in schwungvoll kalligraphischen Buchstaben oben auf die erste Seite »Mit Gott:« und begann, die erste Zeile zu schreiben: »Weil deß Seidenwurms Nahme fast jederman bekannt, und Er der Nutzbarste und edelste unter allen Würmern und Raupen ist, alß habe ich seine Verwandelung zum Anfang alhier hingesetzt.« Die Tür des Raumes, der ihr in der Labadisten-Gemeinschaft mit ihren zwei Töchtern und der alten Mutter zugewiesen worden war, stand wie meistens offen; nichts sollte heimlich geschehen. Das gesamte Tun und Lassen der Bewohnerinnen sollte Tag und Nacht offenliegen, und Kontrollen waren keine Seltenheit.

Mit eleganten Buchstaben, die Zeilen wie Perlenschnüre untereinander gereiht, füllte die Schreiberin das große Blatt: ein umfangreicher Text über die Seidenraupe, ihr allererstes Forschungsobjekt. Ihre Beschreibung ist ebenso informativ wie anschaulich: Der Seidenwurm »schlenkert mit seinem Kopf herumb und läst die Seiden auß seinem Munde«. Der Weg von der Raupe über den »Dattelkern« bis zur »Mottengestalt« wird so detailreich beschrieben wie ihre Essgewohnheiten. Auch Ratschläge gibt es:

»Wenn ein Gewitter kommen will, und es blitzet, so muß man sie zudecken, sonst bekommen Sie die Gelbsucht oder Wassersucht.« Alle Eintragungen in diesem »Studienbuch« drehen sich um ihre Forschungsobjekte, denen Maria Sibylla mit nüchternem Verstand von allen Seiten zu Leibe rückt.

Kein Wort fällt über den göttlichen Schöpfer dieser Wesen; weder religiöse Bezüge noch Allegorien werden angedeutet. In Frankfurt und Nürnberg war Maria Sibylla Merian ein gläubiges Mitglied der reformierten Gemeinde. Ihre Hinweise auf Gott, den Schöpfer der kleinen Tiere, im Vorwort zum ersten und zweiten »Raupenbuch« waren keine inhaltsleeren Formeln. Doch sie hatte kein Problem damit, ihren Glauben von ihrer Forschungsarbeit deutlich zu trennen. Eine Unterscheidung, die in ihrem Jahrhundert den Beginn der modernen Wissenschaften möglich machte.

Aber wie hielten es die Labadisten? War nach ihrem Glauben und ihren Geboten das gesamte Leben eines Christen nicht ausschließlich auf Gott ausgerichtet? Sollte in der Abgeschiedenheit von Wieuwerd nicht die Welt außerhalb des Bezirks um Schloss Waltha mit ihren Eitelkeiten und Ablenkungen, wozu Kunst und Wissenschaften gehörten, aus den Köpfen und Herzen der Mitglieder verschwinden? Waren nicht alle gleich in der Arbeit für die Gemeinschaft, und wurde nicht der Hochmut desjenigen, der sich etwas Besseres dünkte, mit Strafen und eiserner Kontrolle gebrochen?

Der französische Jesuit Jean de Labadie hatte die katholische Kirche verlassen und wurde ein geachteter Prediger der reformierten Gemeinde in Genf. Auch als er 1669 in Amsterdam seine eigene Kirche nach dem Vorbild der urchristlichen Gemeinde gründete und die reformierte-calvinistische Kirche einen »Götzentempel« nannte, war das Erbe von Johannes Calvin ein prägender Teil seiner Theologie geblieben. Dazu gehörte ein sensi-

21.   In Wieuwerd fasst die Forscherin erstmals die Notizen und Zeichnungen über alle ihre Experimente in einem »Studienbuch« zusammen. »Mit Gott:« beginnt ihr Vorwort, und sie schließt es mit ihrem Mädchennamen rechts unten auf der Seite als »Maria Sibyla Merianin«.

bles Gespür für die großartige Schöpfung der Natur.»Der Gesang eines Vogels, das Blöken eines Lamms, die Stimme eines Menschen«, predigte Labadie seinen Gläubigen, »der Anblick des Himmels und seiner Sterne, der Lüfte und seiner Vögel, des Meeres und seiner Fische … alles erzählt von Gott, alles stellt ihn dar …« Aufgabe des Theologen war für ihn, die Verbindung zwischen Gott und seiner Schöpfung aufzuzeigen.

Und das bedeutete für Labadie: keine Verdammung der Wissenschaften. Der Einzelne muss unabhängig von den Strukturen mächtiger Konfessionen auf seine eigene Weise zu Gott finden. Dabei ist die Natur, so Jean de Labadie, wo man Gottes Werke »sehen, hören, riechen, schmecken, fühlen kann«, ein idealer Wegweiser. Und neben der Natur als »offenem Buch« führte die Bibel auf den Weg zu Gott und »fast alle Wissenschaften«.

Die rigide Uniformität, mit der in der Kommune von Wiewerd die Gemeinschaft zusammengehalten wurde, um sich von der Welt abzusetzen, verstellt, wie facettenreich die Theologie des Jean de Labadie war. Auch die spätmittelalterlichen Mystiker haben ihn tief geprägt, und er gab die Vereinigung des Einzelnen mit Gott als höchstes Ziel aus. Aber ebenso war der Gründer der urchristlichen Kommune ein Kind des 17. Jahrhunderts und verschloss sich den Erkenntnismöglichkeiten einer neuen aufgeklärten Zeit nicht. Der Beweis: Seit Labadies Bruch mit der reformierten Kirche in Holland nahm eine Frau in seiner »kleinen Kirche« einen prominenten Platz ein, die auch nach ihrem Tod in Wiewerd 1678 in den gelehrten Kreisen Europas unvergessen war – Anna Maria van Schurman.

Ihre Aktivitäten im Dienst der Wissenschaft beurteilte van Schurman rückblickend zwar als eitle Inszenierung und distanzierte sich davon. Aber die Frau, die bei Tisch stets an Labadies Seite saß, hat sich im zweiten Teil ihrer Autobiografie *Eukleria* vehement dagegen verwahrt, sie verurteile generell alle Wissenschaften. Sie blieb stets eine Kämpferin für weibliche Bildung, das Universitätsstudium eingeschlossen.

Auch in Wieuwerd malte sie weiter kleine Porträts, unter anderem von Jean de Labadie – ihre Spezialität, die sie keineswegs verheimlichte; Pierre Yvon, Labadies Nachfolger bei den Labadisten, wusste davon. Er hatte in einer Schrift seine Zustimmung zu solchen Kunstwerken gegeben und Malern außerdem gestattet, »die Schöpfungen abzubilden, die unmittelbar von der Hand Gottes stammen«. Eine Definition, die ausdrücklich auch für Insekten galt. Anna Maria van Schurman, die 1675 als berühmte weibliche Künstlerin das kunsthistorische Standardwerk des Joachim von Sandrart beschlossen hatte, war Maria Sibylla Merian wohlbekannt und ein ermutigendes Vorbild, in Wieuwerd einen Neuanfang zu wagen.

Nachdem Jean de Labadie im Februar 1674 in Altona gestorben war, wurde sein irdischer Körper gemäß seiner Anordnung obduziert. Auch ein Zeichen, dass der »Gottesgelehrte«, wie er sich nannte, den neuen Wissenschaften der Moderne gewogen war. Ausgeführt wurde sein Wunsch von dem Niederländer Hendrik van Deventer, einem gelernten Goldschmied und Apotheker, der im Selbststudium Chirurg geworden war. Deventer hatte sich in Altona aus Überzeugung der Gemeinschaft der Labadisten angeschlossen und war mit ihnen nach Wieuwerd gezogen.

Schnell wurde Hendrik van Deventers Name außerhalb der Labadisten-Gemeinschaft berühmt. Mit Zustimmung von »Papa Yvon« richtete er im inneren Bezirk von Schloss Waltha eine Apotheke und ein Laboratorium ein. Reiner Copper aus der geistlichen Führung beteiligte sich an »Bruder Hendriks« wissenschaftlichen Experimenten mit chemischen Salzen. Deventers Anti-Schmerz-Pillen wurden zum Exportschlager der Kommune und brachten viel Geld in die Gemeinschaftskasse.

Zugleich praktizierte der Mediziner ohne Studium in Wieuwerd als »Hebamme«, spezialisierte sich auf die Geburtsheilkunde und schrieb in späteren Jahren bahnbrechende Lehrbücher für Hebammen und Gynäkologen. Maria Sibylla Merian war unter den »Erwählten« also nicht allein mit ihrem Ehrgeiz, den Geheimnissen der Natur auf die Spur zu kommen. Als erwähltes Mitglied der Labadisten-Gemeinschaft setzte sie ans Ende der ersten Seite ihrer Aufzeichnungen unten rechts ihren alten – neuen – Namen, mit dem alles begann und nun weitergehen sollte – »Maria Sibyla Merianin«.

Die Eintragung in einer Art »Studienbuch« über Observierungen im Jahre »1686 Im April in Frisslandt« ist das erste exakte Datum über ihre Ankunft in Wieuwerd und beschreibt ein ungewöhnliches Experiment. Unabhängig von ihrer Raupen- und Schmetterlingsforschung hatte sie in Nürnberg und Frankfurt schon Lerchen, Mäuse und Schlangen aufgeschnitten. Im moorig feuchten Friesland wurden Frösche ein Objekt ihrer Wissbegier.

Im grauen groben Wollkleid der Labadisten-Frauen, eine dunkle Kappe auf dem Haar, beobachtete Maria Sibylla zwei Frösche, »ein menlein und ein weiblein«, die »legden eine grosse menge eyerlein die man froschleyg nent«. War es an einem Tümpel in den Wiesen oder an einem der Gräben, die Schloss Waltha an drei Seiten umgaben? Auf jeden Fall muss es sich um ein Gewässer gehandelt haben; die Neununddreißigjährige war auf Observierungstour außerhalb ihres Wohngebäudes. Das spektakuläre Experiment beginnt: »Ich schnit das weiblein auf, und fandt in ihr eine Matrix, wie andere thire haben (also das sie nicht durch den munt Geböher, wie etliche schreiber gemeint haben) ...« Das ist ihre erste Entdeckung: weibliche Frösche gebären keineswegs durch den Mund, sondern haben eine Gebärmutter.

Für den nächsten Schritt hatte die Forscherin den Froschlaich nicht aus den Augen gelassen: »In anfang may nahme ich von obengethachtem froschleyg, welches ich am wasser fandt, und stach von dem Jungen graß mit erden ab, und thät solches in ein geschir, und goß wasser darauf, und worf brot darbey, solches nun erneuwerte ich täglich ...« Es ist kaum anzunehmen, dass Maria Sibylla das Geschirr mit dem Froschlaich, den sie täglich in ihrem Erd- und Grasklumpen mit Brot füttert, in den Raum stellt, wo sie mit ihren Töchtern und der Mutter lebt. Es gab genug Wiesen und Gartenflächen nicht weit vom Schloss, auf denen sie ihr Experiment ungestört ausführen konnte. Dass sie nicht heimlich mit dem Spaten über das Gelände schlich, um den Laich auszugraben und dann tagelang zu füttern und zu beobachten, versteht sich von selbst.

Im Gemeinschaftsbezirk stand alles offen, wurde alles und jeder beobachtet und kontrolliert. So wie »Bruder Hendrik« in seinem Laboratorium arbeitete, als Chirurg Knochenbrüche behandelte und zu schwangeren Frauen gerufen werden durfte, hatte »Schwester Maria Sibylla« offensichtlich die Erlaubnis von höchster Stelle, frei und ohne Vorbehalte ihre Forschungen zu betreiben. Eine solche Absprache kann ihr den Aufbruch nach Wieuwerd wesentlich erleichtert haben. Mit Casper Merian hatte sie dort einen geachteten »Unterhändler«, der alles getan haben wird, damit seine Halbschwester der Labadisten-Gemeinschaft, in der er seit 1677 lebte, willkommen war.

Die Selbstverständlichkeit, mit der sie im »Studienbuch« von ihren detaillierten Beobachtungen im April 1686, also kurz nach ihrer Ankunft, erzählt, spricht dafür, dass der Übergang von ihrem alten zu einem neuen Leben reibungslos und spannungsfrei vonstatten ging. Den ganzen Mai war Maria Sibylla mit ihrem Froschexperiment beschäftigt; sie muss während dieser Zeit von anderen langwierigen Arbeiten für die Gemeinschaft befreit gewesen sein.

Nach einigen Tagen guter Fütterung begannen »die schwartzen körnlein« – der Laich – Leben zu zeigen. Sie bekamen »schwänsslein, damit sie im wasser schwimen wie die fische, im halben May bekammen sie augen 8 tag darnach brachen hinden zwey füsslein auß der haut, und wider nach 8 tagen brochen noch 2 füsslein fornen auß der haut«. Ähnlich kann man heute die Entwicklung der Kaulquappen aus besamtem Froschlaich bei Wikipedia nachlesen. Und wie im Biologiebuch geht es im »Studienbuch« vor über dreihundert Jahren weiter, nur dass es die Bezeichnung »Kaulquappen« noch nicht gab. Für die Naturforscherin sahen die »Froschübergänge« aus wie »kleine crocodilen, darnach verfaulte der schwanß, so wahren es rechte frösche und sprungen auf das landt«. So ungewöhnlich das Experiment ist – die Forscherin bleibt bei dem, was sie vor allem anderen fasziniert: wie sich in der Natur Fortpflanzung durch Metamorphose vollzieht.

Für Maria Sibyllas aufwendige Forschungsarbeit traf es sich günstig, dass die Kinder der Gemeinschaft nicht allzu viele Stunden mit ihren Eltern zusammen verbringen sollten. Die »heilige Erziehung«, die »Papa Yvon« angeordnet hatte, war eher eine »schwarze Pädagogik«: emotionale Bindungen an die Eltern waren verpönt, den Kindern wurden aus den Mitgliedern »Onkel« und »Tanten« zugeteilt. Die durften unkontrolliert Rügen verteilen und mit Prügelstrafen drohen. Unterrichtsstoff waren labadistische Schriften und die Bibel, weshalb Latein und Hebräisch als einzige Sprachen unterrichtet wurden. Die meiste weltliche Literatur war verboten; viele Ausdrücke der niederländischen Sprache waren tabuisiert. Mehrfach hat Petrus Dittelbach, der als Theologe zum Lateinuntericht abkommandiert wurde, Maria Sibylla Merian auf den miserablen Gesamtunterricht ihrer jüngeren Tochter Dorothea Maria hingewiesen, die 1686 acht Jahre alt war. Mit diesem engstirnigen Wissen würde sie sich niemals draußen in der Welt zurechtfinden. Doch die Mutter ließ sich auf keine Diskussionen ein.

Wollte Maria Sibylla ihre privilegierte Position in der Kommune nicht gefährden? Hat sie Dorothea Maria selber erzählt, wie die Welt außerhalb von Wieuwerd aussah? Vertraute sie darauf, dass die Tochter ihren eigenen Weg finden würde, wie die Mutter es geschafft hatte? Johanna Helena, zehn Jahre älter als Dorothea Maria, wurde in der Kommune als »Schwester« angesprochen, wie Dittelbach in seiner Schrift über *Niedergang und Fall der Labadisten* berichtet. Damit gehörte sie in die Klasse der »Erwählten« und bekam ihre Arbeit für die Gemeinschaft zugeteilt. Vielleicht wurde sie zwischendurch – wie schon in Nürnberg und Frankfurt – von der Mutter weiter im Zeichnen und Malen unterrichtet. Maria Sibylla, die Künstlerin, hatte alle dafür notwendigen Utensilien mit nach Wieuwerd gebracht. Die Forscherin hatte auch jede Menge Raupen-Schachteln ins Reisegepäck verstaut.

Johanna Helena durfte mit ihrer Mutter zu den »großen Versammlungen« gehen, wenn die ganze Labadisten-Gemeinde zusammenkam. Hier wurden auch die Briefe vorgelesen, die ab 1684 aus der niederländischen Kolonie Surinam im fernen Südamerika in Wieuwerd eintrafen. Begeistert erzählten die Schreiber von ihrem Leben in der Labadisten-Plantage »La Providence«. Sie lag am Fluss Surinam, über achtzig Kilometer flussaufwärts von der Hauptstadt Paramaribo. Die meisten in Wieuwerd kannten die mutigen Kolonisten, die 1683 aus ihrer Mitte vom holländischen Friesland über den Atlantik gereist waren, um die Botschaft ihres religiösen Gründers Jean de Labadie auf einem anderen Kontinent zu verbreiten.

Mit der Zustimmung von »Papa Yvon« wurde Lucia van Aerssen van Sommelsdijk, Jean de Labadies Witwe und eine der drei Schwestern, die Schloss Waltha kostenlos den Labadisten überlassen hatten, zur treibenden Kraft des riskanten Unternehmens. Auslöser war die Ernennung ihres Bruders Cornelis van Aerssen van Sommelsdijk zum Gouverneur von Surinam im Jahr 1683. Nach den ersten hoffnungsvollen Briefen über das unbekannte exotische Land, das wie ein einziges paradiesisches Stück Erde erschien, folgten bald realistische Berichte über Krankheiten, Unglücke, Misserfolge. Ohne Kenntnisse über das Land, das Klima, die Erfordernisse einer tropischen Agrarwirtschaft, über Organisation und Management einer Siedlungsgemeinschaft war »La Providence« zum Scheitern verurteilt.

Die Gemeinschaft in Wieuwerd erfuhr nichts von dieser katastrophalen Wende. Pierre Yvon zensierte alle Briefe aus Surinam, sie hätten Zweifel an seiner Führung wecken können. Die Labadisten in Holland blieben unter dem Eindruck, dass ihren Mitchristen im fernen Südamerika dank »Papa Yvons« vorausschauender Planung und Gottes Hilfe ein großartiges Werk gelungen war. Gouverneur van Aerssen van Sommelsdijk erfuhr in der Hauptstadt Paramaribo wahrscheinlich keine Einzelheiten über den Zustand der Kolonie. Er schickte nicht nur dem Botanischen Garten in Amsterdam exotische Pflanzen. Bei seinen zwei auf Schloss Waltha zurückgebliebenen Schwestern kamen prächtige tropische Schmetterlinge in schillernden Farben, dazu ausgestopfte und eingelegte Tiere an, die kein Mensch in Friesland je gesehen hatte. Kein Wort dazu in den Aufzeichnungen von Maria Sibylla Merian. Aber da die Führung ihren Lebenslauf kannte und der Künstlerin weitere Forschungsarbeit erlaubt hatte, durfte sie sicherlich einen gründlichen Blick auf diese Schätze werfen.

Nicht ganz so fern von Wieuwerd, aber doch in einer anderen Welt machte sich der Gelehrte, Diplomat und Philosoph Gottfried Wilhelm Leibniz bei einem Aufenthalt in Frankfurt am Main am 17. Dezember 1687 auf zu »H. Morel … unweit der buchgasse«. Der berühmte Mann hatte erfahren, dass Maria Sibylla Merian, die Autorin der von ihm geschätzten »Raupenbücher«, dort ihre Sammlungen an präparierten Tieren, Pflanzen und Ausgaben ihrer Bücher eingelagert hatte. (»Morel« war eine andere Schreibweise für »Marrel«, dem Namen ihres Stiefvaters; das lässt auf einen Verwandten aus dieser Familie schließen.) Die Merian-Originale waren Leibniz trotz dicht gefülltem Zeitplan eine Besichtigung wert. Umso mehr, als er die Lebensgeschichte von Anna Maria van Schurman und die Entwicklung der Labadisten-Gemeinschaft seit Jahren mit Interesse und Sympathie verfolgt hatte.

Im nächsten Jahr ist Frankfurt am Main noch einmal Schauplatz in Sachen Merian. Am 27. Juli 1688 schreibt der Jurist Johann Jacob Schütz zwei Briefe und trägt deren Inhalt wieder in sein Kopierbuch ein. Der erste geht an einen Rechtsanwaltskollegen, der ihn gebeten hatte, für seinen Klienten Johann Andreas Graff Einsicht in die Papiere zu bekommen, die dessen Ehefrau im März 1686 bei Schütz deponiert hat. Den zweiten bekommt Johann Andreas Graff. In beiden Briefen erinnert der Jurist mit freundlicher Entschiedenheit daran, dass er die Papiere von Maria Sibylla Graff nur unter der Bedingung freigeben dürfe, dass keiner der Ehepartner sie allein einsehe – »daß ich ermeldte hausbriefe keinen derselben allein, sondern ihnen beyden gesampter hand … ausliefern solle«.

Es sei denn, so Schütz an seinen Kollegen, die Eheleute hätten sich »verglichen (dess mir nichts berichtet, auch … nicht zu vermuthen ist) … und ist mir seer leyd, daß vieler Theologorum und Politicorum zwischen diesen Eheleuten wohlgemeinte bemühungen mehreres nicht … effectiret haben«. Dass die »wohlgemeinten Bemühungen« der Eheleute um einen Vergleich und die Weiterführung ihrer Ehe gescheitert waren und »keine Wirkung zeigten«, weil religiöse Differenzen – »Theologorum« – zwi-

G. W. <small>von</small> LEIBNITZ

22.   Der Philosoph Gottfried Wilhelm Leibniz besichtigte im Dezember 1687 die Sammlung an präparierten Tieren, Pflanzen und Büchern, die Maria Sibylla Merian bei ihrem Wegzug nach Wieuwerd in Frankfurt eingelagert hatte.

schen ihnen standen, ist nichts Neues. Aber die von Schütz ange-
führten »öffentlichen Gründe« – wie man »Politicorum« über-
setzen kann – irritieren. War Johann Andreas Graff öffentlich
aufgefallen durch gewalttätiges, übles Benehmen? Es bleibt ein
rätselhafter Hinweis ohne jede Beweiskraft.

In seinem Brief an Graff vom selben Tag spricht der Jurist mit
keinem Wort mögliche Trennungsgründe an und gibt nur seinem Mitgefühl Ausdruck. Es tue ihm sehr leid, schreibt Johann
Jacob Schütz an den Mann, den er gut kennt und dessen Ge-
mütsverfassung er sich vorstellen kann, »daß derselbe mit seiner hausfrauen noch in keine völlige vereinigung, sondern et-
wan gar in besorgliche Trennung gerathen seye«. Das war die
vorsichtige Zustandsbeschreibung einer Ehe, die seit mindestens vier Jahren nur noch auf dem Papier Bestand hatte. Wie
der verlassene Ehemann diese Anteilnahme aufgenommen hat,
klingt in seinem wütenden Brief vom April 1690 an den »Eheteuffel« Schütz nach, den er als Zerstörer seiner Ehe anklagt, weil
dieser Maria Sibyllas Hinwendung zu den Labadisten entscheidend beeinflusst habe.

Während sich in Frankfurt die Juristen austauschten und Johann Andreas Graff vergeblich versuchte, die Familienpapiere zu
seinen Gunsten zu nutzen, erhoben sich in Wieuwerd hinter den
Kulissen kritische Stimmen gegen die geistliche Leitung. Wohlhabende Neuankömmlinge blieben aus; die Gruppe der unbe-
mittelten Mitglieder wuchs, viele Kinder wurden geboren, die
versorgt werden mussten.

Vor allem Hendrik van Deventer, durch dessen Pillen und medizinische Künste die Gemeinschaft inzwischen fast allein unterhalten wurde, forderte von Pierre Yvon eine professionelle Organisation und ein Ende der Gütergemeinschaft. Um seine Position als geistlicher Leiter der Labadisten nicht zu gefährden,
stimmte »Papa Yvon« grundlegenden Reformen zu. Vor der »gro-

ßen Versammlung« gab er bekannt, dass jedes Mitglied drei Viertel seiner Vermögenseinlagen zurückbekam und in Zukunft selbst für Kleidung und Nahrung sorgen musste. Eine erfreuliche Folge: Maria Sibylla konnte sich für ihren Raum einen Ofen anschaffen, zum Kochen und zum Wärmen.

Während einer Versammlung wies Pierre Yvon einen jungen Mann zurecht, der hundert Prozent seiner Einlagen zurückverlangte. Als Vorbild nannte »Papa Yvon« eine Frau, die mit ihren Kindern aus Deutschland gekommen sei und klaglos auf ein Viertel ihres zurückgelegten Geldes verzichtet habe. Das berichtet Petrus Dittelbach in seinem Rückblick über den »Niedergang der Labadisten«. Bei aller Kritik an ihrem »Herz aus Eis«: Die gradlinige Persönlichkeit der Maria Sibylla Merian hat den ehemaligen reformierten Pastor offensichtlich beeindruckt. Petrus Dittelbach zog 1688 mit Frau und Sohn nach Amsterdam.

Die zunehmende Toleranz gegenüber kritischen Strömungen innerhalb der reformierten Kirche in den Niederlanden erleichterte es den Labadisten, ihre strikte Abschottung von der Welt außerhalb ihrer »kleinen Kirche« zu lockern. 1689 verließ Pierre Yvon zum ersten Mal seit der Gründung der Kommune 1675 Schloss Waltha, um sich persönlich zu überzeugen, wie weit die geforderte Reformation innerhalb der großen protestantischen Konfessionen inzwischen vorangeschritten war. Fast drei Monate war Yvon mit seiner Frau und einer Gruppe Labadisten auf Reisen, in Den Haag, Rotterdam und Amsterdam. Die »Wieuwerder Freunde« besuchten Gottesdienste, alte und neue Sympathisanten von Jean de Labadie und logierten bei Verwandten von Mitgliedern der Gemeinschaft. So erfolgreich waren die Begegnungen, dass sich die Labadisten-Gruppe bereits 1690 wiederum auf die Reise machte.

Zu den »Erwählten«, die ihre Chance nutzten und »das Haus des Herrn« verließen, zählte »Bruder Herolt« aus Bacharach am

Rhein. Jacob Hendrik Herolt entschied sich, eine kaufmännische Ausbildung zu machen und in den Fernhandel mit Surinam einzusteigen. Die acht Jahre jüngere Johanna Helena Graff, 1668 in Frankfurt geboren, wird ihn vermisst haben. Es bestand wohl schon in Wieuwerd eine engere Beziehung zwischen den beiden, an der sie festhielten. Wir werden das Paar wiedertreffen.

Auch Maria Sibylla hätte in der gelockerten Atmosphäre von Wieuwerd aufbrechen und ihren Lebensabschnitt bei den Labadisten beenden können. Doch die nun über Vierzigjährige blieb, und mit ihr die beiden Töchter und die rund siebzig Jahre alte Mutter. Die datierten Eintragungen im »Studienbuch« bezeugen, dass die Jahre 1689 und 1690 für die Forscherin intensiv und produktiv waren. Sie suchte entlang der baumbestandenen Alleen, in den Gärten und auf den Wiesen jenseits der steinernen Brücke, die zum Schloss Waltha führte, nach neuen unbekannten Raupen und kleinen Tieren.

1689 fand sie eine »grüne getipffelte Raupen« auf schwarzen Weiden und Eschenbäumen; »gelbe und schwartz gefleckte Raupen« auf schwarzen Buchweiden; »grüne thierlein« auf Melissen und »braune Räuplein« auf Quittenbäumen. Die meisten von ihnen las sie zwischen Juni und August auf. Bei der Mehrheit lagen die eingesponnenen »tattelkerne« unbeweglich bis ins nächste Jahr. Zwischen April und Juli 1690 schlüpften dann »graue Motten Vögell«, »schöne Motten Vögell, welche einen glantz hatten wie Silber«, »grüne Kefferlein« und andere »ardige Vögelein«. In Maria Sibyllas Raum mit der stets offenen Türe gehörten diese ungewohnten Bewohner in ihren Schachteln längst zum vertrauten Inventar.

1690 hat sie eine »licht grüne Raup mit Espenlaub ernehrt bis an den 23 September 1690«. Dann »ist er zum tattelkern worden und des folgenden Jahrs den 14 Abril ist ein solcher verschrumter vogel darauß kommen«. Ein solcher Vogel: Das bezieht sich auf die Zeichnung, die sie konsequent links von ihren schriftlichen Notizen in das »Studienbuch« klebte. Das Exemplar eines »grauwen Raupen«, den sie zuvor viele Male vergeblich versucht hatte »zur vollkommenheit« zu bringen, fand sie »zu viwert Ao 1690 (Juli)«. Zur freudigen Überraschung der Forscherin sind aus dieser Wieuwerder Raupe »den 7 Juny des volgenden Jahrs solche braun gespreckte Vögellein darauß geworden«. Bei allen Einträgen heißt der letzte Satz: »Diesse Verwandelung ist in meinem tritten Raupen buch ...«

Maria Sibylla Merian bleibt auch bei den Labadisten so zielstrebig, wie sie ihr Leben in Nürnberg und Frankfurt erfolgreich gestaltet hat. Friesland mit seinen neuen unbekannten Raupen ist ein ideales Forschungsfeld für ein drittes »Raupenbuch«, das während der Jahre in Wieuwerd in ihrem Kopf entsteht.

Mitten in Kopenhagen, am Rand des »Königsgartens«, steht das schlanke, mit roten Ziegeln und grauem Standstein im Stil der niederländischen Renaissance gebaute Schloss Rosenborg. 1634 wurde der letzte von drei Türmen fertig, und Friedrich III., König von Dänemark und Norwegen, konnte sich endlich an seinem »Lustschloss« erfreuen. Wer sich durch das Treppenhaus des Schlosses, ein beliebtes Museum der dänischen Hauptstadt, in den dritten Stock aufmacht, passiert im Vorübergehen eine künstlerische Kostbarkeit: eine Galerie meisterlich aquarellierter Blumenzeichnungen.

Kein Zweifel: Es sind einzelne Blätter von insgesamt neunundvierzig Originalwerken von Maria Sibylla Merian, höchstwahrscheinlich im Jahrzehnt zwischen 1670 und 1680 entstanden, als sie ihre »Blumenbücher« herausgab. Die Blätter gehörten zu einem Buch mit Zeichnungen, die nachweisbar 1696 in einem Inventar von Schloss Rosenborg erwähnt werden. Wie kommen die Merian-Werke nach Kopenhagen? Eine bedenkenswerte Spur führt nach Wieuwerd.

Während Maria Sibylla in den Jahren 1689 bis 1691 in ihrer Umgebung auf Raupensuche ging, reiste Bruder Hendrik van Deventer, der Mediziner und Pillenhersteller von Wieuwerd, auf Einladung des dänischen Königs vier Mal nach Kopenhagen. Deventer hatte sich neben seinem guten Ruf als Geburtshelfer einen Namen als Experte zur Behandlung rachitischer Erkrankungen mit orthopädischen Mitteln gemacht. Drei Kinder von Christian IV., zwischen zehn und fünfzehn Jahre alt, litten unter den typischen Knochenverformungen, die jede Bewegung zur Tortur machten. Die Labadisten waren dem König nicht unbekannt und ihm durchaus sympathisch. Jean de Labadie hatte Anfang der 1670er Jahre mit seinen Anhängern im dänischen Territorium Altona bei Hamburg dank königlicher Protektion eine Bleibe gefunden.

Der Leibarzt von Christian IV. kam persönlich Anfang 1689 nach Wieuwerd, um den niederländischen Mediziner für eine Reise an den dänischen Hof und die Behandlung der Königskinder zu gewinnen. Hendrik van Deventer reiste im März nach Kopenhagen und blieb bis Anfang Juni. Seine Behandlung war erfolgreich und das Honorar stattlich. Auf königlichen Wunsch kam er Ende September zurück und blieb bis März 1690. Zur Reisegesellschaft des Labadisten-Mediziners gehörten seine Frau und einige Glaubensgenossen aus Wieuwerd. Die Gruppe machte sich für drei Monate im Sommer und ein viertes Mal im Februar 1691 auf den Weg nach Kopenhagen.

Pierre Yvon, der jetzt selbst auf Reisen ging, wird die Unternehmungen mit Wohlwollen begrüßt haben, denn sie kosteten die Gemeinschaft nichts. Mehr noch: Bruder Hendrik wird einen Teil seiner opulenten Einnahmen gespendet haben; zugleich war er mit seiner Gruppe am Hof zu Kopenhagen unter hochgeborenen Gästen und einflussreichen Persönlichkeiten ein idealer Werbeträger für die labadistische Sache. Es sind Deventers Reisen, die Spekulationen darüber erlauben, wie die Merian-Zeichnungen in den 1690er Jahren möglicherweise in den Besitz der dänischen Königsfamilie kamen.

Den Arzt mit eigenem Laboratorium in Wieuwerd, der chemische und pharmazeutische Kenntnisse hatte, und die Raupenforscherin, die neugierig Frösche sezierte und Kaulquappen züchtete, verbanden prägende Erfahrungen: Sie waren beide Autodidakten, hatten ihre Kenntnisse in der Praxis und nicht durch ein Studium erworben, und beide nahmen aufgrund ihrer Arbeit eine besondere, eigenständige Stellung unter den »Erwählten« von Wieuwerd ein. Der Mediziner und die Naturforscherin werden sich für die Experimente des anderen interessiert und eine Menge Gespräche geführt haben. Hendrik van Deventer muss gewusst haben, dass die berühmte Glaubensgenossin nicht nur Schachteln für ihre Raupen, sondern viele Mappen mit Zeichnungen, Aquarellen, Drucken und Skizzen aus ihrem früheren Leben mit nach Friesland genommen hatte. Und da ihm die Welt außerhalb der Kommune nicht fremd war, wusste er auch um die Beliebtheit und den Wert der Bilder von Maria Sibylla Merian.

Auf dieser Grundlage lassen sich zwei Szenarien ausmalen. Bruder Deventer konnte Schwester Merian und auch »Papa Yvon« überzeugen, bei einer seiner Kopenhagen-Einladungen eine Mappe von aquarellierten Zeichnungen mitzunehmen. König Christian IV., dessen Vorbild Ludwig XIV. mit seinem Prunkschloss Versailles war, würde sich geschmeichelt fühlen, ebenso die Königin, die sehr kunstinteressiert war. Eine schöne Summe stand in Aussicht, und das Ansehen der Labadisten bei Hofe würde noch mehr wachsen. Gesagt, getan. Deventer packte das Bündel Zeichnungen ins Gepäck und zeigte es der königlichen Familie. Die war begeistert, und die Kunstwerke wechselten den Besitzer.

Eine zweite Erklärung geht davon aus, das Maria Sibylla Merian auf einer von Deventers vier Reisen zwischen 1689 und 1691 zur Begleitgruppe gehörte. Statt Raupen in Friesland zu suchen, hat sie womöglich im Schloss von Kopenhagen der kunstbegabten Prinzessin Sophie Hedwig, der 1677 geborenen Tochter von König Christian IV. und Königin Charlotte Amalie, Zeichenunterricht gegeben. Als Gastgeschenk hat die Malerin bei Hofe circa fünfzig Zeichnungen präsentiert. Dass Maria Sibylla Merian in ihren späteren erhalten gebliebenen Briefen eine solche nicht alltägliche Unternehmung völlig unerwähnt lässt, schwächt diese Hypothese, ist aber kein Beweis. Beide Möglichkeiten sind bisher ausschließlich im Reich der Fantasie zu Hause. Das Geheimnis von Schloss Rosenborg wartet noch darauf, gelüftet zu werden.

Was vorstellbar, aber ebenfalls nicht nachweisbar ist: Dass Maria Sibylla über das Jahr 1686 hinaus mit Johann Jacob Schütz korrespondiert hat. Er war einer der wenigen, auf deren Rat sie vertraute. Schütz erkrankte Anfang Mai 1690, am 21. Mai starb er kurz vor Mitternacht in Frankfurt am Main. Immer noch war er Mitglied der lutherischen Gemeinde. Aber Außenseiter bis zuletzt, lehnte er es auch auf dem Sterbebett – wie die vergangenen vier Jahre – ab, das Abendmahl zu empfangen. Grund genug für das lutherische Pfarrkollegium, Johann Jacob Schütz eine christliche Beerdigung zu verweigern. Auf Beschluss des Rates der Stadt Frankfurt wurde der Kämpfer für ein reformiertes, überzeugend gelebtes Christentum zu nächtlicher Stunde ohne geistliche Begleitung beerdigt.

Unabhängig von möglichen Kontakten: Maria Sibylla Merian entschied seit Jahren im Alleingang über ihr Leben. Im September 1690 teilte sie dem Rat der Stadt Frankfurt mit, dass sie ihr Bürgerrecht aufgeben wolle. Sie erklärte, von Johann Andreas Graff getrennt zu leben, und verzichtete auf alle finanziellen Ansprüche ihm gegenüber. Die Forscherin, Künstlerin und Mutter machte sich Gedanken über die Zukunft. Ihre Geburtsstadt würde darin keine Rolle mehr spielen. Vor dem Jahresende starb ihre Mutter und wurde in Wieuwerd begraben. Dieser Tod gab ihr noch mehr Planungsfreiheit.

Im August 1690 entdeckte die Raupensucherin in Wieuwerd – »zu viwert« – einen »zierlichen gelb und schwartz gefleckten Raupen«, den sie zuvor schon oft »auf Abrigosen, kerschen und quitten baumen« gefunden hatte. Obwohl mit den Blättern dieser Bäume gefüttert, ist aus den früheren Raupen »nie kein Vögelein darauß vortgekommen sondern seindt vertrocknet«. Maria Sibylla war bei ihren vielen Experimenten Misserfolge gewohnt und machte sie immer öffentlich. Nun schreibt sie erfreut in ihr »Studienbuch«, dass aus der Raupe, die sich »zu viwert den August Ao 1690« als Dattelkern eingesponnen hatte, »des folgenden Jahrs im Juni ein grauwes Vögelein« wurde.

Ohne jeden Übergang fährt die Schreiberin fort: »Ao 1691 den 28 September habe ich in Amsterdam dergleichen Raupen gefunden, welche sich ordentlich eingesponnen haben, … und des anderen Jahrs in dem Abril seindt solche schwartzen fliegen herauß kommen.« Nur selten steht ein exaktes Datum mit der Nennung des Tages im »Studienbuch«. Die Botschaft ist Maria Sibylla Merian wichtig: Nach Frankfurt, Nürnberg, noch einmal Frankfurt und fünf Jahren bei den Labadisten im holländischen Wieuwerd hat Maria Sibylla Merian ihren Lebensmittelpunkt nach Amsterdam verlegt.

Es war keine Entscheidung gegen Wieuwerd, wo ihr die ländliche Labadisten-Kommune, bei aller Strenge, einen Freiraum wie nie zuvor in ihrem Leben bot. Fünf lange Jahre waren keine Familienbande und keine eheliche Plichten zu bedenken. Maria Sibylla schied zu einer Zeit, als den Mitgliedern neue Freiheiten gewährt wurden. Im Gegensatz zu anderen, die beim Weggang ihr gesamtes Vermögen aus der Gemeinschaftseinlage zurückforderten, verzichtete sie ohne Diskussion auf ein Viertel ihrer Einlage. Der Aufbruch zu neuen Ufern im Sommer 1691 passt in Maria Sibylla Merians Lebensgestaltung. Sie machte alles mit sich alleine ab, und dann handelte sie, bedacht, aber mit Mut zum Risiko.

Nichts spricht dafür, dass die Künstlerin und Forscherin im Unfrieden von den Labadisten fortzog. Maria Sibylla Merian war inmitten einer reformierten Verwandschaft mit der Bibel aufgewachsen. Sie kannte den Rat des Apostels Paulus an die Christengemeinde in Thessaloniki: »Prüfet aber alles, und das Gute behaltet.« Vieles spricht dafür, dass Maria Sibylla es mit ihrem Leben in Wieuwerd und den religiösen Eindrücken im Kreis der Labadisten so gehalten hat. Die positiven Erfahrungen waren Teil ihres Gepäcks, mit dem sie und ihre Töchter in die Weltstadt Amsterdam zogen und auf eine gute Zukunft vertrauten.

12. 1691-1699: Erfolgreich in Amsterdam

Als die deutsche Künstlerin, Forscherin und Geschäftsfrau im Sommer 1691 mit ihren zwei Töchtern in der Weltmetropole an der Amstel ankam, neigte sich Amsterdams »Goldenes Jahrhundert« dem Ende zu, aber die Stadt stand in voller Blüte. Von rund 50 000 war die Zahl der Menschen, die hier lebten, in hundert Jahren auf 220 000 angestiegen. Amsterdam war Europas drittgrößte Stadt nach London und Paris. Wie ein Magnet zog sie internationale Kaufleute und Unternehmer, Künstler und Literaten, Adlige auf Kavalierstour und gelehrte Touristen an. Sie brachten ihr Wissen und ihren Besitz, ihre Risikobereitschaft und ihre internationalen Kontakte mit. Dazu die Gebräuche und Kleider fremder Kulturen und nicht zuletzt unterschiedliche Religionen, für die Amsterdam im Gegensatz zum übrigen Europa ein sicherer Hafen war.

Wo heute der prächtige Neorenaissancebau des Hauptbahnhofs – Amsterdam Centraal – das Tor zur Stadt bildet, blieb bis weit ins 19. Jahrhundert der Blick frei auf den Hafen: ein Wald von Masten und Segeln, Windmühlen und Kränen entlang der Wälle und Kais; ein Gewusel von Arbeitern, Seeleuten und Händlern; Ruderboote und kleine Segelschiffe, die ihre Waren über das Damrak bis hinein in die Stadt lieferten. Im östlichen Hafengebiet lagen die Docks und Werften, in denen die großen Handelsschiffe gebaut wurden. Gleich daneben standen die mächtigen Lagerhäuser der »VOC«, der Vereinigten Ostindischen Compagnie, die seit 1602 für rund zwei Jahrhunderte den gesamten Warenaustausch zwischen Europa und Ostasien dominierte. In diesem multinationalen Konzern, dessen wirtschaftliche Grundlage das niederländische Kolonialgebiet im heutigen Indonesien mit seinen kostbaren Handelswaren war, hatten holländische Pfarrer und Hausfrauen, Matrosen und Gelehrte, Lehrer und Künstler ihr Geld in Aktien angelegt und bekamen reichlich Zinsen.

Die bürgerliche Elite Amsterdams, die im Magistrat der Stadt in rotierenden Ämtern die Macht in Politik und Wirtschaft unter sich verteilte, wusste, dass der Wohlstand ihrer Heimatstadt auf einem vielfältigen Mix beruhte: auf Flexibilität, freiem Gedankenaustausch und Toleranz – gegenüber Christen aller Art, Juden, Muslimen und Atheisten, aber auch gegenüber aufgeklärten Theologen. 1691, im Jahr von Maria Sibylla Merians Ankunft, löste das Buch des reformierten Pfarrers Balthasar Bekker *De betoverde wereld* einen gewaltigen Skandal aus. Es avancierte umgehend zum Bestseller. Die Gedanken einer neuen aufgeklärten Zeit ließen sich nicht mehr verbieten.

1693 erschien Bekkers Buch auch auf Deutsch: *Die verzauberte Welt. Oder Eine gründliche Untersuchung des Allgemeinen Aberglaubens / Betreffend / die Arth und das Vermögen / Gewalt und Wirckung Des Satans und der bösen Geister über den Menschen.* Mit Gründen der »natürlichen Vernunft« und der »Heiligen Schrift« entlarvte der Amsterdamer Theologe, dessen Vater aus Bielefeld eingewandert war, den traditionellen christlichen Glauben an Engel und Dämonen, Hexen und Teufel als Aberglauben. Die Synode der reformierten Kirche setzte ihn als Prediger ab und forderte ein Verbot seines Buches. Der Rat der Stadt Amsterdam, wo Bekker einflussreiche Unterstützer hatte, bestätigte zwar die Absetzung, zahlte dem unbequemen Pfarrer jedoch weiter das Gehalt, und sein Buch wurde nicht verboten.

Im Zweifel für Liberalität und Freiheit: Diese Geisteshaltung machte Amsterdam im 17. Jahrhundert zum Weltzentrum von Handel und Finanzen, Malerei, Wissenschaften und Kommunikation. Neben der kleinen Gruppe extrem Reicher entwickelte sich eine wohlhabende wissbegierige Mittelschicht. 1618 wur-

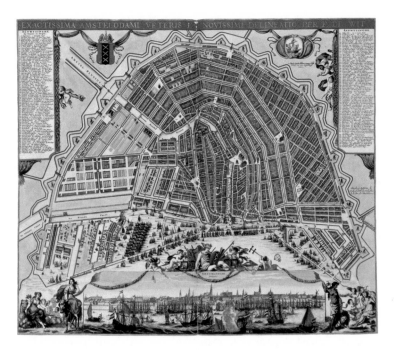

23.   1691 ist Maria Sibylla Merian mit ihren zwei Töchtern nach
Amsterdam gezogen. Eine Weltstadt und bürgerliche Republik, in der
Kaufleute, Wissenschaftler und Künstler Wohlstand und Toleranz ga-
rantierten. Der Stadtplan von 1690 – unten vom Hafen, heute
Hauptbahnhof, ausgehend – zeigt den bebauten Grachtengürtel, der
östlich – links oben – bis an die Amstel reicht.

de in Amsterdam die erste regelmäßig erscheinende Zeitung gedruckt. In diesem weltoffenen Klima gediehen Schriftsteller, Verlage und Bücher. Amsterdam war ein republikanischer Kosmos
innerhalb der Republik der Vereinigten Niederlande. Maria Sibylla Merian hatte die beste Wahl getroffen, um einen neuen
Abschnitt in ihrem Leben zu wagen.

Die neue Heimat war Maria Sibylla Merian nicht fremd. Der
Maler und Kunsthistoriker Joachim von Sandrart, Freund der
Familie Merian in Frankfurt und in Nürnberg Maria Sibyllas Vertrauter und Förderer, hatte ihren Halbbruder Matthäus Merian
während der 1630er Jahre in die Amsterdamer Kunstkreise eingeführt. Ihr geliebter Halbbruder Caspar hatte mehrere Jahre an
der Amstel als Verleger gearbeitet. Ihr Stiefvater Jacob Marrel,
der ihr in Frankfurt die Anfänge der Malkunst beibrachte, betrieb in Utrecht über viele Jahre einen Kunsthandel. Sie alle
hatten viel zu erzählen über das kleine platte Land mit seiner
großen Kunst, seinem toleranten Geist und der prächtigen Metropole Amsterdam.

Im letzten Jahr des 17. Jahrhunderts gab die Geschäftsfrau Merian in einer Anzeige im *Amsterdamsche Courant* – Amsterdamer
Zeitung – ihre genaue Adresse bekannt: Sie wohnte im »Rosenzweig in der Kerkstraat nahe der Spiegelstraat«. Es war der neu-
este Teil des prestigeträchtigen Grachtengürtels, der ab 1613 im
Süden des alten Zentrums von Westen nach Osten mit der Anlage von drei breiten Grachten – Heren-, Keizers-, Prinsengracht –
entstand.

Wo sich heute prächtige Villen längs der romantischen Wasserstraßen aneinanderreihen, legten Hunderte von Arbeitern
sumpfiges Brachland trocken, trieben Tausende von Eichenstäm-
me als sicheres Fundament für die Häuser der Patrizier in die Erde. Im letzten Drittel des Jahrhunderts hatten sie endlich den
östlichsten Teil gebaut, der bis an die Amstel reicht. Hier liegt zwi-

schen Prinsen- und Keizersgracht die schmale Kerkstraat, die auf ein Amsterdamer Wahrzeichen, die weiße Magere Brug über die Amstel, zuläuft.

Den Namen »Zum Rosenzweig« haben die Merians dem Haus gegeben; es war gemietet und musste viel Raum für Maria Sibyllas Unternehmungen haben. Die Geschäftsfrau konnte das weiterführen und ausdehnen, was sie zwanzig Jahre zuvor als junge Ehefrau in Nürnberg begonnen hatte: den Handel mit Firnis und Farben, getrockneten Pflanzen und präparierten Insekten, darunter fachmännisch aufgespießte Schmetterlinge. Mit der Zeit waren Tiere hinzugekommen, die in Gläsern mit Branntwein lagerten. Aus Frankfurt ließ sie sich ihre eingelagerte Sammlung kommen, für die sich der große Leibniz interessiert hatte. Ein kostbarer Schatz waren die einhundertzwei Kupferplatten ihrer zwei »Raupenbücher« und wahrscheinlich einige Kupfer der früheren »Blumenbücher«.

Auch im »Rosenzweig« musste Platz sein für viele Dutzend Schachteln, in denen sie einheimische Raupen fütterte und deren Metamorphosen beobachtete. Schon am 28. September 1691 hatte Maria Sibylla Merian über Amsterdamer Raupen berichtet, »welche sich ordentlich eingesponnen haben … und des anderen Jahrs in dem Abril seindt solche schwartzen fliegen herauß kommen.« Neben den Raupen lagerten Papiersorten; die vielen Notizen und das »Studienbuch« waren sorgfältig untergebracht und ebenso das Vellum – feines Pergament aus der Haut ganz junger oder ungeborener Lämmer –, auf dem sie ausschließlich aquarellierte. Sie und ihre ältere Tochter Johanna Helena, dreiundzwanzig Jahre alt, die nach der Ausbildung bei ihrer Mutter vielversprechende Qualitäten als Malerin für Blumen, Pflanzen und kleine Tiere zeigte.

Maria Sibylla hatte unbestechliche Augen und Johanna Helena als feste Kraft im Merian'schen Künstlerstudio in der Kerkstraat eingeplant. Um Aufträge musste sie sich keine Sorgen machen. Neben dem Handel mit präparierten Tieren, Farben, seltenen Muscheln und Kupferplatten war Maria Sibylla Merians europaweiter Ruf als meisterhafte Künstlerin eine Säule ihres Amsterdamer Unternehmens. Wenn auch im Einzelnen nicht nachweisbar, hat Johanna Helena im ersten Amsterdamer Jahrzehnt sicher Zeichnungen von Maria Sibylla ergänzt und sich den letzten Schliff als Künstlerin erworben. Die Mutter förderte das Selbstbewusstsein und die Karriere ihrer Tochter.

Ein Zettel im Stadtarchiv von Amsterdam trägt am Kopfende das Datum »28. Juni 1692« und die Ortsangabe »Wiewert«. Es folgt die Information, dass »Jacob Hendrik Herolt aus Bacharach, 32 Jahre alt, wohnhaft in der Vijzelstraat« mit »Johanna Helena Graef aus Frankfurt am Main, 24 Jahre alt«, verheiratet wird. Als Zeuge wird ihre Mutter genannt; »de vader in Duysland maar weete nief of leeft of dood is« – man wisse nicht, ob der Vater in Deutschland noch lebe oder tot sei.

Der Zettel war im Juni 1692 deutlich sichtbar neben anderen ähnlichen Inhalts an der Vorderseite des Amsterdamer Rathauses angebracht. »Ondertrouw« hieß dieser verpflichtende Vorgang, der eine zivile Trauung einleitete, eine Art »Aufgebot«. Wenn sich niemand meldete, der berechtigte Einwände gegen die öffentlich angekündigte Verbindung vorbringen konnte, besiegelte die Stadtverwaltung die zivile bürgerliche Trauung. Im Gegensatz zum übrigen christlichen Europa musste an der Amstel kein Paar zur Heirat vor einen Pfarrer treten. (Im Deutschen Reich wurde die Ziviltrauung auf dem Standesamt erst 1876 gegen den Protest der katholischen und protestantischen Kirchen eingeführt.)

Ob der Vater der Braut »noch lebte oder schon tot war«, musste seine Ehefrau nicht nachweisen. Wahrscheinlich wusste sie es wirklich nicht. Aber die Realitäten waren ohne Belang. Maria

Sibylla Merian hat ihren Neuanfang in Amsterdam als »Witwe« begonnen. Warum sollte das jemand in Zweifel ziehen? Nach Überzeugung der Labadisten war ein Ehepartner, der nicht als Mitglied der »kleinen Kirche« des Jean de Labadie von der Führung anerkannt wurde, für den anderen »gestorben«. Mit der offiziellen Bezeichnung »Witwe« versiegelte die ehemalige »Gräfin« eine Türe, die für sie lange schon ins Schloss gefallen war.

»Wiewert« – Wieuwerd: Nähere Informationen über diese Spur auf dem Rathauszettel gibt es nicht. Fest steht, dass sich Johanna Helena und Jacob Hendrik – er wird im Wieuwerd-Buch von Petrus Dittelbach erwähnt – in der Labadisten-Gemeinschaft kennengelernt hatten. Die Ortsangabe spricht dafür, dass sie vor der zivilen Trauung in einer Labadisten-Zeremonie in Wieuwerd ihre Ehe bekräftigt haben. Es ist ein weiterer Mosaikstein in der Annahme, dass bei den Merians in Amsterdam die Glaubensüberzeugungen des Jean de Labadie nicht in Vergessenheit geraten waren. Da das Ehepaar zugleich bewusst in dieser Welt lebte – Herolt war ein erfolgreicher Überseekaufmann –, sprach nichts dagegen, die zivile Trauung der christlichen hinzuzufügen.

Ein kurzer Blick nach Frankfurt am Main: Dort, wo 1665 ihre Ehe begonnen hatten, beantragte Johann Andreas Graff im selben Jahr, als seine älteste Tochter in Amsterdam heiratete, »von seinem nun über 7 Jahre von ihm zu den Labadisten entwichenen Weib« geschieden zu werden. Am 12. August 1692 wurde die Scheidung vom Rat der Stadt ausgesprochen. Zwei Jahre später heiratete Graff in Nürnberg seine zweite Frau. Er starb dort 1701.

Vijzelstraat: Hier wohnte das frisch verheiratete Paar; von hier ging Johanna Helena jeden Tag ins Haus zum »Rosenzweig« in der Kerkstraat nahe der Spiegelstraat. Hier lagen, nur Minuten entfernt, die Geschäftsräume des »Merian-Studios« und die Wohnräume für die Mutter und ihre jüngere Tochter. Auch sie hatte das Talent der Mutter geerbt. Dorothea Maria, beim Aufbruch nach Amsterdam dreizehn Jahre alt, wurde von Maria Sibylla ebenfalls zur Zeichnerin und Malerin ausgebildet.

Die Geschäfte mit Farben und Präparaten und die künstlerischen Auftragsarbeiten waren finanzielle Grundlagen für das Leben in Amsterdam. Aber Maria Sibylla Merian wusste aus Erfahrung, dass auch ihr persönlicher Einsatz gefordert war, wenn sie in der Metropole als Künstlerin und Forscherin etwas gelten wollte. Persönliche Kontakte mit einflussreichen Bürgern – Gelehrten, Politikern – waren nicht zu unterschätzen, egal ob in Nürnberg oder Amsterdam.

In kurzer Zeit knüpfte sie an der Amstel ein Beziehungsnetz und erfuhr, wie groß ihr Ansehen als Künstlerin und Forscherin dank ihrer »Raupenbücher« war. Offenbar tat der persönliche Eindruck der berühmten Frau ein Übriges, dass Maria Sibylla im überschaubaren Amsterdamer Kreis von einflussreichen Männern und Frauen eine feste Größe wurde. Ein Türöffner zum Kennenlernen waren Sammlungen aller Art, die auch in Amsterdam zu den beliebtesten bürgerlichen Prestigeobjekten zählten.

Wer in der zweiten Hälfte des 17. Jahrhunderts an der Amstel zur Klasse jener gehören wollte, die Geist, Expertenwissen und Geld besaßen, baute eine Sammlung auf – auch Raritätenkammer genannt – und machte sie der Öffentlichkeit zugänglich. Der Sammelwut waren keine Grenzen gesetzt: Muscheln und Steine, Fossilien und Münzen, präparierte Tiere und exotische Pflanzen: Je ausgefallener die Objekte waren, umso besser. Die Sammlungen waren für Maria Sibylla Merian der ideale Anknüpfungspunkt, ihren Umzug nach Amsterdam und ihr Geschäftsmodell – eigene Zeichnungen, umfassende Kenntnisse als Insektenforscherin plus der Handel mit seltenen Dingen – publik zu machen. Zwei der angesehensten Sammler zählten bald zu ihren Bewunderern und Gesprächspartnern.

Wenn sie die Sammlung von Frederik Ruysch in seinem dreistöckigen, soliden Haus Bloemgracht 15 besuchen wollte, machte sich Maria Sibylla auf in das Quartier Jordaan im westlichen Teil der Stadt. Die Nummer 15 liegt kurz vor der Mündung der Bloemgracht in die Prinsengracht; der schlanke Turm der Westerkerk war schon damals unübersehbar. Heute weist tagsüber eine lange Menschenschlange am gegenüberliegenden Prinsengracht-Ufer auf das Anne-Frank-Haus hin. Den Hausherrn und Sammler, dessen Schätze kostenlos besichtigt werden konnten, anzutreffen, war Glückssache. Frederik Ruysch, stets eine üppige Perücke auf dem Kopf, war ständig in der Stadt unterwegs, um allen seinen Aufgaben nachzukommen. Der studierte Apotheker und Mediziner, 1638 geboren, füllte in den 1690er Jahren sechs Ämter aus, die die Stadt Amsterdam ihm anvertraut hatte.

Ruysch hatte die Aufsicht über die Chirurgen und hielt anatomische Vorlesungen, seit 1691 in der »Waage« am Nieuwmarkt. Im »Anatomischen Theater« sezierte er dort Leichen. Gegen Eintrittsgeld durfte jeder zuschauen, die Uhrzeit wurde in den Zeitungen angekündigt. Seine Leidenschaft für das Präparieren von Leichen machte Frederik Ruysch zum Pionier auf diesem Gebiet. Er war der Erste, der nicht mehr nur verstorbene männliche Gefangene sezierte, sondern auch tote Frauen, die ihm die Krankenhäuser lieferten. Ruysch erfand eine spezielle Flüssigkeit; die damit präparierten Leichen konnten auch in der Sommerhitze aufgeschnitten werden.

Seine Meisterschaft erstreckte sich auch auf die Einbalsamierung. In seiner Sammlung in der Bloemgracht stellte er die Leichen kleiner Kinder aus. Sie waren geschmückt, liebevoll zurechtgemacht und sahen so lebensecht aus, dass Zar Peter der Große, als er 1697 nach Amsterdam kam und die berühmte Ruysch-Sammlung besuchte, eine Kinderleiche geküsst haben soll. Mit den toten Kindern, den präparierten Embryonen und mensch-

Fredericvs Rvysch
Medicinæ Doctor Anatomiæ ac
Botanices Professor Amſtelodam.

24. Der Mediziner Frederik Ruysch hielt öffentliche anatomische
Vorlesungen und sorgte als Erster für eine seriöse Ausbildung der
Amsterdamer Hebammen. In seinem »Raritätenkabinett« befanden
sich neben lebensecht einbalsamierten Kinderleichen auch seltene
Insekten, was zu einem engen Kontakt mit der Merian führte.

lichen Organen wollte der Mediziner aufklären, dem Tod den Schrecken nehmen, der Vernunft eine Bahn schaffen. Sein Bedarf an toten Säuglingen wurde legal gedeckt, denn Frederik Ruysch war seit 1671 als städtischer »Hebammen-Meister« für die Ausbildung und die Examen der rund einhundertvierzig Amsterdamer Hebammen zuständig. Ein Novum und ein weiterer Versuch, mit Aufklärung und Wissen die Welt zu verbessern, auch wenn das Amt für Ruysch eine zusätzliche Arbeitsbelastung bedeutete.

Studierte Mediziner in Holland hatten sich bis dahin nicht um die mangelhafte Ausbildung der Hebammen, die kaum etwas über Anatomie und Hygiene wussten, gekümmert. Frederik Ruysch fand die extrem hohe Säuglingssterblichkeit, die daraus folgte, unerträglich. Er war sich nicht zu schade, Lesungen für praktizierende Hebammen und weibliche Hebammen-Lehrlinge zu halten, einen Fragenkatalog zu entwerfen und die Examen abzunehmen, die nun verpflichtend waren. In Kürze sank die Säuglingssterblichkeit in Amsterdam um fast sechzig Prozent.

Ursprünglich als Apotheker ausgebildet, interessierte sich der vielseitige Mediziner auch für Botanik und Heilpflanzen. 1685 wurde er neben allen bisherigen Ämtern zum Professor für Botanik am Athenäum ernannt, Amsterdams Gelehrtengymnasium und Universitätsersatz. In dieser Eigenschaft wurde ihm außerdem die Leitung des Botanischen Gartens übertragen. Hier hielt der Professor zweimal wöchentlich Vorlesungen für Meister-Apotheker, Meister-Chirurgen und deren Assistenten. Seine Donnerstagslesung im Hortus Botanicus war öffentlich und allen frei zugänglich.

Als Botaniker sammelte Ruysch auch Insekten, die »blutlosen Tierchen«, darunter seltene Schmetterlinge. Er schätzte Maria Sibylla Merian als informierte Gesprächspartnerin, die außerdem ausgefallene Ausstellungsstücke besorgen konnte. Als zuverlässige Mittelsperson für ihren Handel mit präparierten exotischen Tieren und Pflanzen erwies sich zusehends ihr Schwiegersohn Jakob Hendrik Herolt, der Überseegeschäfte in der niederländischen Kolonie Surinam in Südamerika machte.

Kenntnisse vom Handel mit fernen Kontinenten kamen der Künstlerin und Geschäftsfrau auch in der Verbindung zu einem anderen Amsterdamer Sammler zustatten. Nicolaas Witsen, Bürgermeister von Amsterdam, kam aus einer einflussreichen Familie der Stadt, und war einer von vier Direktoren der mächtigen »Vereinigten Ostindischen Compagnie« – VOC. In seinem Haus Herengracht 440 besaß er ein ausgefallenes Raritätenkabinett. Aus dem ersten Kennenlern-Besuch von Maria Sibylla Merian wurde ein regelmäßiger Gedankenaustausch.

Der studierte Jurist, Jahrgang 1641, war ein liberaler Weltbürger, der ebenfalls auf die Kraft der Vernunft vertraute. Rund zwei Jahre hatte Nicolaas Witsen als Forschungsreisender Russisch-Sibirien durchquert. Er hatte sich in Paris und Rom, England und der Schweiz umgesehen und einen Klassiker *Über den Schiffsbau in den Niederlanden* geschrieben. Als Bürgermeister von Amsterdam zählte er zu den Unterstützern von Bekkers *Verzauberter Welt*, überzeugt, dass sich auch die christlichen Kirchen der neuen Zeit öffnen mussten.

Wenn der Bürgermeister und Maria Sibylla Merian sich trafen, in seinem Haus oder in Amsterdams prächtigem neuen Rathaus am Dam – heute der Königliche Palast –, lag das Thema Insekten auf der Hand, ein Schwerpunkt von Witsens Sammlung. Und vielleicht befragte die Forscherin Nicolaas Witsen über die Lebensumstände von Menschen und Schmetterlingen in den tropischen Kolonien der Niederlande in Ostasien und an Südamerikas Küste.

Der Mediziner Ruysch und der Politiker Witsen stehen für Ams-

25. Als Insektenexpertin und Geschäftsfrau, die mit präparierten Tieren und Pflanzen handelte, fand Maria Sibylla Merian schnell Kontakt zu angesehenen Amsterdamer Bürgern, die in ihren »Raritätenkabinetten« exotische Sammlungen aller Art der Öffentlichkeit präsentierten.

terdams Elite und eine bürgerliche Mehrheit. Ihnen gemeinsam waren das Interesse für alles Neue in den Wissenschaften wie in den Künsten, Mut zum Risiko, Offenheit für soziale Fragen und die Entschlossenheit, sich alten Autoritäten nicht mehr zu beugen. In ihrem Weltbild war auch Platz für eigenständige selbstbewusste Frauen. Frederik Ruysch gehörte zu den gar nicht so wenigen Vätern in Amsterdam wie in Nürnberg, die das künstlerische Talent ihrer Töchter erkannten und tatkräftig förderten. Als sie vierzehn Jahre alt war, gab er 1678 seine Tochter Rachel bei Willem van Aelst in die Lehre. In Amsterdam als Stilllebenmaler ohnehin führend, gehörte dieser in den Niederlanden ingesamt zu den Top-Künstlern, die mit unglaublicher Präzision und Natürlichkeit Blumen und Insekten, Pflanzen und Tiere als elegante Kombinationen in Öl auf die Leinwand bannten.

Rachel Ruyschs künstlerisches Talent konnte mit den Besten mithalten. Sie spezialisierte sich auf Blumen-Kompositionen und half nebenbei ihrem Vater beim Schmücken der einbalsamierten Babys in seiner Sammlung. Als die Malerin 1693 heiratete, hatte ihre Karriere schon Fahrt aufgenommen. Zehn Kinder wurden in dieser Ehe geboren, für Rachel Ruysch – und ihren Mann – kein Grund, ihren Beruf aufzugeben oder auch nur mit der Malerei auszusetzen. Als 1695 der Kurfürst von der Pfalz die Sammlung von Frederik Ruysch besuchte und dort Bilder von dessen Tochter sah, war er fasziniert. 1708 wird er Rachel Ruysch zu seiner Hofmalerin in Düsseldorf ernennen. Die Residenzpflicht ist für sie aufgehoben, ein Gemälde pro Jahr ihre Gegenleistung.

In den Niederlanden wurde Rachel Ruysch im letzten Jahrzehnt des 17. Jahrhunderts mit Aufträgen reicher Kunden überschüttet. Die Vermutung, Maria Sibylla Merian habe ihr Unterricht gegeben, ist durch nichts bewiesen und wird von der Chronologie widerlegt. Als die deutsche Künstlerin im Sommer 1691 nach Amsterdam kam, war Rachel Ruysch schon bestens ausgebildet und auf dem Weg zu einer eindrucksvollen Karriere. Dass die beiden Frauen und die Merian-Töchter sich im Ruysch-Haus an der Bloemgracht oder im Botanischen Garten getroffen haben – von dieser Amsterdamer Institution werden wir bald hören – und als Kolleginnen ins Gespräch kamen, ist dagegen sehr wahrscheinlich. Rachel Ruysch blieb ihrer künstlerischen »Marke« als Blumenmalerin bis ins hohe Alter erfolgreich treu. Mit sechsundachtzig Jahren ist sie 1750 gestorben.

Auch als Sammler waren in Amsterdam die Männer nicht unter sich. Über den engen Familienkreis hinaus bekannt wurde Agnes Block, als Hollands Nationaldichter Joost van den Vondel ein Gedicht zu ihrer Hochzeit schrieb. Agnes, 1629 in Emmerich am Niederrhein in eine Familie wohlhabender Tuchhändler geboren, war als Waisenkind bei Verwandten in Amsterdam aufgewachsen und heiratete 1649 einen Neffen van den Vondels. Im Februar 1670 starb ihr Mann, dessen Reichtum sich auf den Handel mit Seidenstoffen gründete, in ihrem Haus an der Herengracht. Im Juli nutzte die Witwe ihr umfangreiches Erbe, um sich rund dreißig Kilometer außerhalb von Amsterdam einen Traum zu erfüllen: Bei einer Auktion erstand sie ein Häuschen mit umfangreichem Landbesitz am Ufer der Vecht bei dem Städtchen Loenen, wo etliche reiche Amsterdamer Sommerhäuser besaßen.

Die Einundvierzigjährige hatte große Pläne als Sammlerin und setzte sie zielstrebig um. Die Objekte ihrer Sammelleidenschaft waren lebendig, brauchten viel Platz, frische Luft und großenteils eigene Räume mit Heizung. Auf dem neuen Besitz entstand ein großzügiges Landhaus mit Nebengebäuden, der »Vijverhof«; eine Orangerie und Treibhäuser mit Öfen wurden angelegt; Zier- und Nutzgärten, Wiesen und Teiche fanden Platz auf der Anlage. Schnell sprach sich herum, dass Agnes Block eine begnadete

26. Rachel Ruysch (1664-1750) wurde mit vierzehn Jahren von ihrem Vater Frederik Ruysch dem besten holländischen Stilllebenmaler in die Lehre gegeben. Als Blumenmalerin eine Berühmtheit, hat sie über ihren Vater wahrscheinlich ihre Kollegin Maria Sibylla Merian kennengelernt.

Gärtnerin mit einem »grünen Daumen« für Hunderte von seltenen Blumen- und Pflanzensamen war, die sie aus Asien, Amerika und bekannten botanischen Gärten in Europa orderte. Die Pflanzenliebhaberin korrespondierte mit angesehenen Botanikern in Bologna, Leiden und Amsterdam. Zwar schrieb sie den Experten, sie könne die Fachbücher, die sie in Latein, Italienisch und Französisch besaß, nicht lesen. Aber sie bemühte sich um ein möglichst wissenschaftliches Niveau ihrer Arbeitsweise.

Krönung für die Mühen der leidenschaftlichen Botanikerin war die Züchtung der ersten fruchttragenden Ananas der Niederlande. Stolz ließ sie sich 1694 mit ihrem zweiten Mann, ebenfalls ein Amsterdamer Seidenhändler, zwei Nichten, einer Vogel-Voliere, einem seltenen Kaktus, dem Vijverhof im Hintergrund und der unübersehbaren Ananas malen. Außerdem hatte Agnes Block den Maler angewiesen, Schätze aus ihrer Raritätenkammer im Inneren des Vijverhofs darzustellen: Schmetterlinge, exotische Muscheln, Bücher, Bilder, die Zeichnung eines Vogels.

Bilder und Zeichnungen: Zum wissenschaftlichen Ansatz von Agnes Block gehörte es, ihre botanischen Züchtungen von Pflanzen und Blumen, die seltenen Vögel in der Voliere, andere Tiere und die Stücke der Raritätenkammer genau und auf höchstem künstlerischen Niveau zu dokumentieren. Kein unwichtiger Nebeneffekt: Stets konnte sie ihren Besuchern vor Augen führen, was in ihren Gewächshäusern und Gärten, auf den Wiesen und Teichen gewachsen war und gelebt hatte, auch wenn diese Schönheiten dem Wechsel der Jahreszeiten unterworfen und vergänglich waren.

Geld spielte keine Rolle. Agnes Block war den neunzehn Künstlern und Künstlerinnen, bei denen sie zwischen 1671 und 1697 fast vierhundert Aquarelle in Auftrag gab, eine großzügige Gastgeberin. Die Eingeladenen wohnten im Vijverhof, konnten über Wochen in Ruhe arbeiten, die botanischen Sammlungen im Freien wie in der Raritätenkammer begutachten und sich untereinander austauschen. Von der Gastgeberin bekamen sie genaue Aufträge zugewiesen. In den Jahren 1695, 1696 und 1697 hat Agnes Block Maria Sibylla Merian und ihre ältere Tochter auf ihr Gut an der Vecht eingeladen, um am Katalog mitzuarbeiten. Längst hatte sich die künstlerische Qualität des Merian-Studios in den führenden Amsterdamer Kreisen herumgesprochen.

Maria Sibylla Merian malte auf dem Vijverhof eine üppige Blumenvase voller Rosen, Lilien, Iris, Astern. Ein Blatt zeigt Blütenzweige von verschiedenen Obstbäumen, Kirschen, Pfirsichen, Aprikosen, Birnen. Dem Bild eines verstorbenen Kollegen fügte sie auf Bitten der Gastgeberin »zwei schöne surinamesische Falter« hinzu. Von der Tochter Johanna Helena wissen wir, dass sie 1697, als Agnes Block zum zweiten Mal Witwe wurde, den Auftrag bekam, einen »Fingerhut mit fremden Faltern oder Käfern« auf feines Pergament zu zeichnen. Agnes Block hatte auch einen Blick dafür, dass Maria Sibylla Merians Talent sich nicht nur an Insekten, Blumen und Blüten beweisen konnte.

Die Besitzerin vom Vijverhof beauftragte mehrere Künstler, die exotischen Vögel in ihrer Voliere zu zeichnen. Zwölf Blätter aus dieser Serie stammen von der Hand der Merian. Sie nutzte ihre künstlerischen Qualitäten zu ästhetischen Kombinationen. Mal sitzt ein »fremder Vogel« auf einem Kirschblütenzweig, mal auf einer Aprikosenblüte. Dann wieder hat sie gleich sieben Vögel auf einen Streich gemalt, ein andermal zwei Vögel auf einem Zweig mit zwei Äpfeln. Es wird Mutter und Tochter gefallen haben, sich von den ungewöhnlichen Ideen ihrer Auftraggeberin überraschen zu lassen und mitten auf dem Land, wohlversorgt, geschätzt und gut bezahlt, vom Treiben der großen Metropole ein wenig auszuruhen.

Trotz Aufträgen und der Pflege sozialer Kontakte verlor Maria Sibylla ihr eigenes Projekt nicht aus den Augen – das dritte »Raupenbuch«. Es war gar nicht so leicht, in der Großstadt Raupen und andere Insekten aufzuspüren, aber von dieser Leidenschaft ließ sie nicht ab. In ihrem Studienbuch sind einige Funde für das 1690er Jahrzehnt nicht nur gemalt, sondern mit Datum aufgeschrieben: »Den 25 Juli 1694 habe ich gefunden ein gansses nest Ameyssen, grosse und kleine ... viele taussende, worwon ich hier diesse 4 bemahlt.« Das bedeutet: Maria Sibylla hat einige Ameisen mit in die Kerkstraat genommen und in einer ihrer vielen Schachteln zum Beobachten und Zeichnen untergebracht. Wie einst in Nürnberg und Frankfurt versorgt auch ihr Amsterdamer Bekanntenkreis die Forscherin mit Nachschub. »Liebhaber, ... die mir dann Raupen gebracht haben, damit ich ihre Verwandlung beobachten konnte«, wird sie 1705 schreiben.

Eine grüne Raupe findet sie selbst »auf wilden bäumen in Amsterdam 1696 und seindt den 10 Juny zu tattel worden und so blieben, bis den 9 July, da seindt dergleichen Motten Vögellein heraus kommen«. Wenn Maria Sibylla mit ihrer älteren Tochter auf den Vijverhof zum Zeichnen und Aquarellieren eingeladen war, konnte sie ihre Geschäfts- und Wohnräume samt den Raupen in der Kerkstraat unbesorgt für eine Weile verlassen. Die achtzehnjährige Dorothea Maria, die hier mit ihrer Mutter wohnte, war in die Arbeiten von Mutter und Schwester eingeweiht und selber auf dem bestem Weg, eine Pflanzen- und Blumenmalerin zu werden. Sie konnte Besuchern Auskünfte geben, die Raupen und andere kleine Tiere in ihren Schachteln versorgen und Notizen über deren Verhalten machen. Es gab zusehends Tage, an denen Johanna Helena ihrer Arbeit außer Haus allein nachging und Dorothea Maria den Platz der Schwester einnahm, um der Mutter bei Blumen-, Raupen- oder Blütenzeichnungen zu assistieren.

Wenn Agnes Block eine schnelle Antwort auf eine botanische Frage brauchte, war Caspar Commelin, seit 1696 Direktor des

Hortus Botanicus in Amsterdam, ein verlässlicher Auskunftgeber. Die beiden Pflanzenliebhaber kannten sich gut, tauschten Samen und Gewächse aus. Das Herz des studierten Mediziners, 1668 als Sohn eines Amsterdamer Buchhändlers und Publizisten geboren, schlug für die Botanik. 1692, als Frederik Ruysch noch die Aufsicht über den Botanischen Garten hatte, war Caspar Commelin sein Assistent geworden. Damit keine ungute Konkurrenz aufkam, teilten die beiden Männer die Sachgebiete unter sich auf: Professor Ruysch war für die einheimischen, und Caspar Commelin, der 1706 endlich Professor für Botanik wurde, für die exotischen Gewächse zuständig. Auch Bürgermeister Nicolaas Witsen schätzte und förderte Commelin. So war es nur eine Frage der Zeit, bis die fast zwanzig Jahre ältere Maria Sibylla Merian den einflussreichen Direktor des Botanischen Gartens in Amsterdam kennenlernte. Aus der Begegnung erwuchsen gegenseitige Anerkennung und eine vertraute Freundschaft.

Maria Sibylla verbrachte viele Stunden im Hortus Botanicus, um exotische Pflanzen, Bäume und Blumen, ausgestopfte Vögel und farbenprächtige einheimische und tropische Schmetterlinge zu studieren, allein oder mit ihren Töchtern. Im Freien standen Blumen aus allen Weltgegenden, Südafrika, Südamerika, Indien, Südostasien. Wenn Commelin Zeit hatte, wird er seine gelehrte Freundin beim Gang durch die Gewächs- und »Hitzehäuser«, wo Öfen für warme Temperaturen sorgten, begleitet haben. Direktor Commelin machte den Garten schnell zu einem der angesehensten in Europa und zu einem beliebten Treffpunkt der Amsterdamer Gelehrten, Künstler und Künstlerinnen.

Der Botanische Garten von Amsterdam war erst im November 1682 auf Beschluss des Stadtrates im unbebauten Teil östlich der Amstel gegründet worden. Die wohlhabende Metro-

27.   Die reiche Gartenliebhaberin Agnes Block mit Mann und Nichten um 1694 auf ihrem Landsitz Vijverhof. Dorthin lud sie anerkannte Künstler, darunter Maria Sibylla Merian mit Tochter, um Pflanzen und Tiere für den Gartenkatalog zu malen.

pole, wohin die großen Handelsschiffe neben den üblichen Waren Samen, Pflanzen und Tiere aus aller Welt lieferten, wollte endlich mit traditionsreichen Gärten in anderen Städten Europas mithalten können. Zur Kostenminimierung wurden einzelne Parzellen an die Bürger vermietet – unter strengen Auflagen: kein Ausschank, kein Verkauf von Speisen. Die Amsterdamer mieteten begeistert, ohne sich an die Regeln zu halten, sogar ein Bordell soll es auf dem Gartengelände gegeben haben. An den Wochenenden war der Höhepunkt des bunten Treibens. Es kamen Einheimische und Touristen, vier Pfennig Eintritt waren für jeden erschwinglich. Das 17. Jahrhundert war noch nicht zu Ende, da hatten die Amsterdamer ihren »Garten« fest ins Herz geschlossen.

Im 21. Jahrhundert ist der Hortus Botanicus immer noch eine grüne Insel am Ende der Plantage Middenlaan Richtung Zentrum, auf dem linken Eckstück, das bis an die Nieuwe Herengracht reicht. Vor rund einhundertfünfzig Jahren entstand rechts und links der Plantage Middenlaan ein lebendiges Viertel, mit feinen Häusern, Jugendstilgebäuden, bürgerlichen Lokalen und Künstler-Cafés, »Artis«, dem ältesten Zoo der Niederlande, und der populären »Hollandsche Schouwburg« von 1892. Das »Holländische Theater« ist heute eine Erinnerungsstätte an mörderische Zeiten, die mit der deutschen Besatzung im Mai 1940 begannen. Auf Befehl der Deutschen hieß sie nun »Joodse Schouwburg« und wurde ab 28. Juni 1942 zum »Durchgangslager« für alle verhafteten niederländischen Juden. Von der Schouwburg ging es unter Bewachung mit wenigen Habseligkeiten zum Amsterdamer Hauptbahnhof. Die angebliche Reise »Zum Arbeitsdienst in Deutschland« endete für rund 40 000 jüdische Niederländer allein bis November 1942 in der Todesfabrik Auschwitz.

Vom ehemaligen Theater sind es nur wenige Minuten die

Plantage Middenlaan entlang bis zum Hortus Botanicus. Neben den Anpflanzungen im Freien locken dort heute moderne Tropenhäuser und ein Schmetterlingshaus, in dem die Falter frei umherfliegen.

Direktor Commelin war ehrgeizig. Ein botanischer Garten von internationalem Niveau brauchte einen Katalog aller Gartengewächse, von den besten Blumen- und Pflanzenmalern der Niederlande erstellt. Wer in Frage käme, darüber konnte ihm die Botanikerfreundin Agnes Block nach ihren Erfahrungen mit dem Katalog zum Vijverhof beste Empfehlungen geben. Tatsächlich sind die vier Stamm-Künstler des berühmten »Atlas Monincks«, des neunbändigen Katalogs über den Hortus Botanicus, die gleichen, die für Agnes Block die Bestände ihrer grünen Pracht auf dem Landgut außerhalb von Amsterdam malten. Auch Johanna Helena Graff, die ältere Tochter der Merian, ist wieder dabei. Sie bekommt zwei Aufträge für den Garten-Katalog.

In diesen Jahren, zwischen 1695 und 1698, zeichnet und koloriert sie neunundvierzig anspruchsvolle Blätter für ein *Blumenbuch*, das sich im Braunschweiger Herzog-Ulrich-Museum befindet. Mal fertigt Johanna Helena eine Komposition aus mehreren Pflanzen an, mal zeichnet sie eine Blume lebensgroß. Bei einigen sind kleine Schmetterlinge oder Raupen beigefügt. Auch Pflaumen, Kirschen und Birnen enthält die Braunschweiger Mappe. Am Anfang steht nicht nur eine Liste der Pflanzen, die gezeichnet wurden, sondern in ihrer Handschrift die stolze Angabe ein *Bloem Boek* von *Johanna Helena Herolt, Amsterdam 1698*.

Maria Sibylla Merian kümmerte sich in dieser Zeit mehr um das Geschäft mit Raritäten und präparierten Tieren, eine wichtige Einnahmequelle neben den Malaufträgen. Es war die Aufgabe der prominenten Mutter, durch Briefe und Gespräche

Kontakte zu halten. 1695 kam Johann Daniel Crafft auf einen Besuch in die Kerkstraat. Der vielseitige Gelehrte hatte Medizin, Chemie und Botanik studiert und sich als Experte für die Zucht von Seidenraupen einen Namen gemacht, als er im Königreich Sachsen Seiden-Manufakturen aufbaute. Crafft war ein erfindungsreicher Querdenker, in dessen ruhelosem Leben die persönliche Beziehung und ein umfassender Briefwechsel mit Gottfried Wilhelm Leibniz die einzige Konstante war. Die beiden Freunde interessierten sich für die Raupenforschungen der Merian und ihre Sammlung, die Crafft nun in Amsterdam besichtigte. Einen Teil davon hatte Leibniz 1687 in Frankfurt gesehen.

1697 wurde ein glückliches Jahr für Maria Sibylla Merian. Persönliche und geschäftliche Beziehungen aus vergangenen Zeiten wurden wieder lebendig: »… es seindt viele Jahre verfloßen, da ich nichts von allen den lieben Freunden die ich vor dießem in Nürnberg gehabt, gehört habe, ich bekenne, das es mich erfreudt, von denen etwas zu hören oder einige Zu sehen …« Das schreibt die Merian am 29. August 1697 an »Madame Clara Regine Scheurling née im Hoff à Norimberg« und legt dem Brief ein »schälgn Carmyn« bei. Die purpurne Karmin-Farbe soll Clara Imhoff, die in der Zwischenzeit in die vornehme Nürnberger Familie Scheurl eingeheiratet hat, »in ihrer schönen kunst« anwenden. Der Freundschaftsbeweis kommt von Herzen, nachdem ihr Aufbruch zu den Labadisten in Wieuwerd und die Trennung von ihrem Ehemann 1686 den Abbruch des Briefwechsels zwischen Maria Sibylla Merian und den »Nürnberger Freunden« zur Folge hatte. Elf Jahre später haben die Nürnberger beschlossen, ihr Schweigen zu brechen und einen doppelten Neuanfang zu machen.

»Dieweil ich unverhofft die Ehre gehabt, das ihr herr bruder hier in Amsterdam mich besugt … ich habe die Ehre gehabt, ihro schöne kunst zu sehen in deren herren bruders stambüchlein, worüber ich mich erfreuet habe ...« So beginnt der Brief, den die Merian am 29. August 1697 schreibt. Wenige Zeilen später bedankt sie sich für den Brief von Clara Scheurling, geborene Imhoff, mit dem die Freundin ihrerseits die versöhnliche Botschaft bekräftigt, die ihr Bruder mündlich überbracht hat. Maria Sibylla ist Freundin und Geschäftsfrau und hat kein Problem, beides – wie in alten Zeiten, als sie aus Frankfurt ihre Dienste angeboten hat – in Amsterdam erneut zu verbinden. Im Zusammenhang mit dem Geschenk der Karmin-Farbe bietet sie übergangslos an, »ferner angenehme dinste Zu leisten, wie auch ihrer ganßen familie ...« Und das ist erst der Anfang.

Maria Sibylla Merian empfiehlt Tauschgeschäfte zwischen Nürnberg und Amsterdam. Ihr Angebot: »... so gibt es hier in hollandt viel Rariteten auß ost und westIndien, wan jemandt darvon ein liebhaber wehre, so wohlte ich wohl dergleichen übersenden ...« Ihre Wünsche: »... wan ich dargegen könnte bekommen von allerhandt thierlein, die in Theudtschen lande seindt, als schlangen von allerhandt arten, und allerhandt Sommervögleien ...« Es folgen nüchterne Tipps, wie die von ihr gewünschten Tiere zu präparieren sind: »... die Schlangen und dergleichen thiere thut man in gläßer mit gemeinen brandenwein und macht die gläßer mit pandtoffelholz wohl zu, da bleiben sie gut in ...« Dann geht es um die Schmetterlinge, die »Sommervögelein«. Man halte die Spitze einer Nadel »in ein licht und macht es so heiß und glühendt, und steckt es in das SommerVögelein, dann seind sie alsobalde thot, und bleiben dan die fligel uhnbeschädiget ...«

Die Schreiberin bittet die Freundin aus Nürnberg, die Freiheit, die sie sich erlaubt, richtig zu deuten, »es geschieht auß alter liebe welche ich uhnwürdige von ihrer wolAdelichen ganßen freundtschaft genoßen und so leigt nicht vergeßen werde ...« Noch durch das altertümliche Deutsch ist spürbar, wie sehr Maria Sibylla die Anerkennung für ihr neues Leben in Amsterdam, die Clara Imhoffs Brief stillschweigend bedeutet, berührt hat.

Ob Maria Sibylla Merian an diesem Tag, an dem sie erstmals seit 1685 wieder an die Nürnberger Freundin schrieb, am Abend – vielleicht mit den Töchtern – zur Binnenamstel gegangen ist? Ganz Amsterdam hatte sich dort erwartungsvoll versammelt, um in der weltoffenen, freiheitsliebenden Metropole an einem königlichen Ereignis teilzunehmen. Das prächtige Feuerwerk begann um 21 Uhr 42, und es galt tatsächlich einem König, auch wenn der als Unteroffizier Peter Michajlow in die Niederlande eingereist war. Doch die Amsterdamer wussten: Es war der russische Zar Peter der Große, der voller Bewunderung durch ihr kleines Land reiste und mit diesem Feuerwerk geehrt wurde.

Peter der Große besuchte auf seiner Studienreise durch Holland auch Anton van Leeuwenhook in Delft und bewunderte dessen weltweit bekannte selbstgebaute Mikroskope. Mit ihnen wurde Leeuwenhook ein Pionier der Erforschung von Mikroorganismen, entdeckte das wimmelnde Leben in Wassertropfen, in Bakterien und roten Blutkörpern. In ihrem Gespräch machte der Gelehrte den Zaren auf Maria Sibylla Merian und ihre Arbeit als Raupenforscherin und Künstlerin aufmerksam. Peter der Große merkte es sich.

Für das Frühjahr 1698 gibt es wieder eine der seltenen Datumsangaben im »Studienbuch« der Merian über einen Raupenfund: »Der grüne Raup auf den zweyten bergement, den habe ich gefunden in der erden liegendt ..., er ist den 31 Martz 1698 zum tattel worden und den folgenden Juny ist ein solches Motten Vögelein herauß kommen.« Über fünfzehn Monate hat die grüne Raupe in einer Schachtel in der Kerkstraat überwintert, sorgsam beobachtet, gezeichnet und aquarelliert, und das Gle che geschah, nachdem sie sich in eine Motte verwandelt hatte.

Verwandlung: Das war die Motivation für alle Forschung der Maria Sibylla Merian, ob bei Raupen, Fröschen, Ameisen oder anderen Tieren. Über die eindrucksvollen Amsterdamer Sammlungen – von Nicolaas Witsen, Frederik Ruysch und etlichen anderen »hochwohlgeborenen Herren«, die sich vom Interesse der Merian geehrt fühlten – wird sie am Beginn des neuen, des 18. Jahrhunderts im Vorwort ihres *Insektenbuches* schreiben: »In Holland sah ich jedoch voller Verwunderung, was für schöne Tiere man aus Ost- und West-Indien kommen ließ …« Bei aller Anerkennung ist ihr ein Mangel sofort aufgefallen: »In jenen Sammlungen habe ich diese und zahllose andere Insekten gefunden, aber so, dass dort ihr Ursprung und ihre Fortpflanzung fehlten, das heißt, wie sie sich aus Raupen in Puppen und so weiter verwandeln.« Der Gedanke, der dieser Erkenntnis folgte, setzt sich in ihrem Kopf fest und lässt die Forscherin nicht mehr los. (Alle Übersetzungen aus dem niederländischen Original des *Insektenbuches* der Merian von Gerhard Worgt; siehe »Literatur«.)

Es war ein abenteuerlicher, ungeheuer verwegener Gedanke, und Maria Sibylla ging damit um, wie sie es bisher als erwachsene Frau gehalten hatte: überlegt, mutig, sich eine Menge zutrauend, alle Risiken abwägend ebenso wie alle Vorteile, nichts übereilend. Ob sie sich nach einigem Nachdenken mit ihren Amsterdamer Freunden darüber beraten hat? Sie hat dazu keine Hinweise geliefert. Auf die Information, dass in den Amsterdamer Sammlungen »Ursprung und Fortpflanzung« der Insekten fehlen, folgt der Satz: »Das alles hat mich dazu angeregt, eine große und teure Reise zu unternehmen und nach Surinam zu fahren (ein heißes und feuchtes Land, woher die vorgenannten Herren diese Insekten erhalten haben), um dort meine Beobachtungen fortzusetzen.« Maria Sibylla Merian hat diese Entscheidung allein getroffen. Von keinem Amsterdamer Insektenliebhaber beauftragt oder finanziell unterstützt, hat sie alles Weitere für dieses ungewöhnliche und riskante Unternehmen selber organisiert.

Die endgültige Entscheidung für die »große und teure Reise« muss spätestens um die Jahreswende 1698/99 gefallen sein. Nun folgte die praktische Umsetzung, denn Maria Sibylla brauchte Geld, viel Geld. Ein Pfand hatte sie in der Hand, und sie zögerte nicht, sich davon zu trennen. Am 2. Februar 1699 erscheint im *Amsterdamsche Courant* – Amsterdamer Zeitung – eine Anzeige. Unter ihrem Namen »Marie Sibille Merian« und ihrer Adresse im »Rosenzweig« in der »Kerkstraat bei der Spiegelstraat« bietet sie den größten Teil ihrer Sammlung an: Blätter ihrer aquarellierten Zeichnungen auf feinstem Pergament und neben Pflanzen und Tieren, die sie unter großen Kosten und Schwierigkeiten über dreißig Jahre in Deutschland, Holland und Friesland gesammelt hat.

Die getrockneten Pflanzen und Insekten sind auf zweihundertdreiundfünfzig Blättern befestigt. Auch hundert geätzte Kupferplatten, eine Kostbarkeit, stehen zum Verkauf, deren Gravierungen vom Fachmann für eine neue Verwendung wieder geglättet werden können. Knapp drei Monate später tut Maria Sibylla den nächsten, entscheidenden Schritt.

»Im Jahr 1699 seit der Geburt unseres Herrn und Erlösers Jesus Christus erschien am 23. April gegen vier Uhr nachmittags vor Samuel Wijmers ... Juffrouw Maria Sibilla Meriaen, Witwe von Johan Andries Graef, gegenwärtig in dieser Stadt wohnhaft und auf die Abreise in die Kolonie Surinam wartend, körperlich kräftig und gesund und bei vollem Verstand ...« So beginnt das Testament, das der Amsterdamer Notar Samuel Wijmer für Maria Sibylla Merian aufsetzt. Dass sie keine Witwe, sondern eine geschiedene Frau und Johann Andreas Graff sehr lebendig in Nürnberg ist, interessiert in Amsterdam niemanden. Die Zweiundfünfzigjährige hat gute Freunde in Amsterdam gefunden, die für sie bürgen. Einer von ihnen, Michiel van Musscher, in den führenden Amsterdamer Familien als Porträtmaler begehrt, wird mit einem weiteren guten Freund im Testament als Vormund für die jüngere Tochter Dorothea Maria bestimmt, falls die Mutter stirbt, bevor die Tochter volljährig ist. Ihr Erbe vermacht Maria Sibylla Merian vollständig und ohne Auflagen ihren beiden Töchtern. Sie können darüber rechtlich »nach eigenem Gutdünken verfügen, ohne jemandem darüber Rechenschaft ablegen zu müssen«.

Ihre Geschäfte in Amsterdam sollen ihr Schwiegersohn Jacob Hendrik Herolt und der Maler Michiel van Musscher weiterführen. Sie haben die Vollmacht, Bilder von ihr – und davon gibt es auch nach der Auktion noch etliche in vielen Mappen – während ihrer Abwesenheit zu veröffentlichen oder zu verkaufen. Das Gleiche gilt für Güter und Handelswaren, die sie von Zeit zu Zeit aus Surinam nach Amsterdam schicken wird.

Im Rahmen des Testaments vertraute Maria Sibylla Merian, die am 2. April 1699 ihren zweiundfünfzigsten Geburtstag feiern konnte, ihre »Seele der unbegreiflichen Barmherzigkeit Gottes« und »ihren toten Körper einem christlichen Begräbnis zu seliger Auferstehung« an. Damit waren vor dem Aufbruch in eine neue Welt irdische und himmlische Dinge geregelt und besiegelt.

Es galt Abschied zu nehmen, vor allem von der älteren Tochter Johanna Helena und deren Mann Jacob Hendrik. Johanna Helena kümmerte sich während der langen Abwesenheit um die Raupen in ihren Schachteln, noch gefräßig oder schon verpuppt, und den daraus entstehenden Schmetterlingen und Motten. Sie hatte alles Nötige bei der Mutter gelernt. Die jüngste

Tochter Dorothea Maria würde die Mutter begleiten und bei der Forschungsarbeit in der südamerikanischen Kolonie assistieren.

Rückblickend hat Maria Sibylla Merian ihren Aufbruch nach Surinam und das Ziel dieser gefahrvollen Reise nüchtern beschrieben: »So bin ich dann im Juni des Jahres 1699 dorthin gefahren, um genauere Untersuchungen vorzunehmen.«

Sowieso =
Anyway

13. 1699-1701: Indianer und schwarze Sklaven sind ihre Helfer im Tropenwald von Surinam

Schon die Anfahrt zum Überseeschiff Mitte Juni 1699 war eine Anstrengung. Ein Transportunternehmen – daran war in Amsterdam kein Mangel – wird das gewaltige Gepäck der beiden Frauen von der Kerkstraat zum Texel-Kai gebracht haben, schräg gegenüber vom heutigen Hauptbahnhof. Dort legte die Fähre zur Insel Texel ab, fuhr Richtung Westen durch die Zuiderzee, heute das eingepolderte Ijsselmeer, und war nach einem halben Tag am Ziel. An der Reede von Texel war das Meer tief genug, so dass dort die großen Handelsschiffe, meistens Dreimaster, gegen Piraten auch mit Kanonen bestückt, ankern konnten. Sie lieferten kostbare Waren nach Amsterdam – Pfeffer, Zucker und edle Hölzer gehörten dazu – und nahmen auf der Rückfahrt Passagiere mit, die in der Ferne Arbeit, Wohlstand oder einfach ihr Glück suchten. Zwei Frauen, allein reisend, fielen auf in dieser Männergesellschaft – noch dazu mit solch seltsamem unübersehbaren Gepäck.

Kleider und Haushaltswaren aller Art hatten Maria Sibylla Merian und ihre Tochter Dorothea Maria ohnehin eingepackt, das war der übliche Teil. Viel mehr Gedanken erforderten ihre Arbeitsutensilien. Papier, Pergament, Farben, Stifte und Pinsel waren in Surinam, dem tropischen Landstrich an der nordöstlichen Kante des südamerikanischen Kontinents, nicht erhältlich. Alles musste eingeführt werden, also auch Holzkisten und Schachteln, Gläser und Flaschen, Branntwein und Nadeln, Schmetterlingsnetz und Vergrößerungsgläser. Die beiden Frauen planten, mindestens drei Jahre in Surinam zu bleiben und zu forschen, dafür allein brauchten sie jede Menge Hilfsmittel. Am Ende wollten sie mit reicher Auswahl an präparierten exo-

tischen und unbekannten Tieren und Pflanzen – in Behältern
aller Art sachgemäß untergebracht – nach Holland zurückkehren. Die Einnahmen durch den Verkauf an interessierte Sammler hatte die Geschäftsfrau Merian vorweg einkalkuliert, um einen Teil der Reisekosten tilgen zu können. *Provisions*

Auf der Insel Texel wurden die Mannschaften für die Handelsschiffe angeworben und der Proviant für Matrosen und
Reisende geladen. Für die sechs bis acht Wochen, die als Reise-
zeit nach Surinam gerechnet wurden, kamen neben gesalze-
nem Fisch, gepökeltem Fleisch, Erbsen, Grütze, Kohl und Obst
auch lebende Rinder, Schafe und Hühner an Bord. Dann hieß
es warten oder beten, denn nur mit kräftigem Ostwind konnten die großen Schiffe, rund vierzig Meter lang und gut elf Meter breit, auf den Ozean Richtung Ärmelkanal gelotst werden.
Den meteorologischen Aufzeichnungen zufolge erlebten Maria Sibylla Merian und Dorothea Maria den Beginn ihres Aben-
teuers am 22. und 23. Juni.

Auf dem Weg nach Südamerika legten die Schiffe kurze Stopps
ein: in Madeira, auf den Kanarischen oder den Kapverdischen
Inseln, je nachdem, wie der Wind wehte. Dort wurde der Vor-
rat an frischem Wasser, Obst und Gemüse aufgefüllt. Je näher
die Reisenden dem Äquator kamen, umso größer wurde die Hitze. Tagelang blieb der Wind aus, von dem die Segelschiffe abhän-
gig waren. Aber wenn dann wieder Stürme und Regen tobten,
sehnte man sich nach der Windstille. Die Übelkeit war ein stän-
diger Begleiter, das Würgen in Magen und Hals nahm kein Ende.

Wahrscheinlich wurden Mutter und Tochter von den kleinen Walen und Delphinen, den Fliegenden Fischen und Haien
abgelenkt, die das Schiff begleiteten. Auch viele Vögel konnten
sie beobachten. Ob sie manchmal Ängste überkamen, vor dem
endlosen Meer und dem fremden Land – wenn sie es denn erreichten? Maria Sibylla hat darüber in ihren späteren Berich-

28. Die alte Karte zeigt die holländische Kolonie Surinam an Südamerikas nördlicher Küste. Im August 1699 fuhr ein Überseeschiff in die
Mündung des gleichnamigen Flusses, rechts, bis zur Hauptstadt Paramaribo: an Bord Maria Sibylla Merian und ihre Tochter Dorothea
Maria. Als Erste erforschte Maria Sibylla Merian bis zum Juni 1701 die
tropische Insekten- und Pflanzenwelt von Surinam.

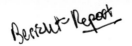

ten kein Wort verloren. Es war eine starke Gewissheit, die sie auch bei diesem Aufbruch trug: Sie würde wieder einmal – als Künstlerin und Forscherin – die Erste sein. Es war ein Ziel von historischen Ausmaßen, das sie sich gesetzt hatte: als Pionierin die tropische Flora und Fauna Surinams zu erforschen.

Vielleicht kamen bei den endlosen Stunden in der Kajüte oder an Deck auch frühe Kindheitserinnerungen zurück: an die dicken Folianten, die ihr Großvater und vor allem Matthäus Merian, ihr Vater, reichlich bebildert und gedruckt hatten: Reiseberichte von den Amerikas, von Eingeborenen und seltenen Tieren. Im Verlagshaus Merian war seit dem Beginn des 17. Jahrhunderts die weite Welt zu Hause.

Alles ging gut. Spätestens Ende August 1699, die große Regenzeit war gerade vorüber, kam die Küste von Surinam – auch Niederländisch-Guyana genannt – in Sicht. Das Schiff fuhr rund fünfzehn Kilometer in das Mündungsgebiet des Flusses Surinam hinein und legte im Hafen von Paramaribo, der Hauptstadt der Kolonie, an. In einem mächtigen Fort residierte der niederländische Gouverneur. Die Straßen für die rund fünfhundert Holzhäuser nebst ein paar Gasthäusern mit holländischer Anmutung, blauen Delfter Kacheln in den Innenräumen, waren schachbrettartig angelegt. Maria Sibylla wird eines der typischen Häuser in Paramaribo gemietet haben, mit einer Veranda, die in den Garten führte, wo Obst und Gemüse angepflanzt wurden. Hier konnte sie sich mit Dorothea Maria am Abend bei leichter Meeresbrise, wenn die schwülen Tagestemperaturen von sechsunddreißig Grad auf unter dreißig sanken, ein wenig erholen.

Surinam hat eine Fläche von rund 140000 Quadratkilometern. Nur der gut sechzig Kilometer lange Küstenstreifen im Norden ist bewohnbar und fruchtbar. Dahinter im Landesinneren erstreckt sich nichts als tropischer Regenwald. Das kleine Land hat 1657 unwissentlich Geschichte geschrieben. In diesem Jahr tauschten die Niederländer ihren Landbesitz an Nordamerikas Küste am Hudsonriver – stolz Nieuw Amsterdam genannt – gegen Surinam und Paramaribo, das bis dahin von den Engländern besiedelt und beherrscht wurde. Die neuen Herren schätzten den Reichtum des lehmigen Bodens der Küstenregion: Von 1683 bis 1713 stieg die Anzahl der Zuckerrohrplantagen in Surinam von fünfzig auf zweihundert.

Heimatlich werden den beiden Frauen bei ihren Reisen zu den Plantagen den Surinam-Fluss hinauf die vielen Windmühlen erschienen sein. Hier wurden die langen Zuckerrohre zerquetscht, um den Saft zu gewinnen, der in den nahen Siedehäusern zu braunem Rohrzucker gebrannt wurde. Zwischen März und Oktober warteten im Hafen von Paramaribo die großen Schiffe auf das »braune Gold«. Sie brachten es nach Amsterdam, wo es in den Raffinerien an Land zu »weißem Gold« wurde, mit dem die Holländer ganz Europa belieferten.

Die Arbeit in Surinam wurde von der Minderheit einheimischer Indianer und vor allem von schwarzen Sklaven verrichtet. Die holländischen Handelsschiffe hatten auch das Monopol auf das »schwarze Gold«, Afrikaner, die sie von den Sklavenmärkten Westafrikas nach Surinam transportierten, wo sie auf dem Markt von Paramaribo versteigert wurden. Um 1700, als die Merian im Land ihren Forschungen nachging, lebten rund achttausend schwarze Sklaven in Surinam zusammen mit sechshundert protestantischen Niederländern. In der sogenannten »Juden-Savanne«, fünfundvierzig Kilometer flussaufwärts von Paramaribo, hatten sich dreihundert portugiesische und ein paar deutsche Juden niedergelassen. Sie waren sehr erfolgreich als Plantagenbesitzer und hatten sogar aus Ziegelsteinen eine Synagoge errichtet.

1863 wurde die Sklaverei abgeschafft. Am 25. November 1975

wurde Surinam von Holland unabhängig, die Landessprache ist Niederländisch. Gut 540 000 Menschen leben heute in Surinam, davon fünfzig Prozent in der Hauptstadt Paramaribo. Das Zentrum von Paramaribo ist Weltkulturerbe der UNESCO.

An der grundsätzlichen Methode und Struktur ihrer Forschungsarbeit in Europa hat Maria Sibylla Merian während ihrer Zeit auf dem südamerikanischen Kontinent nichts geändert. Es galt, die Verwandlung und Fortpflanzung tropischer Insekten – allen voran die Raupen – zu beobachten, in Zeichnungen festzuhalten und Notizen darüber zu machen. Dabei kamen wie gewohnt die Pflanzen, auf denen die Tiere sich aufhielten und deren Blätter ihre Nahrung waren, mit in den Blick. Nach der Rückkehr in die Niederlande hat Maria Sibylla Merian ein aufsehenerregendes Surinam-Buch mit vielen Zeichnungen und einem niederländischen Text verfasst. Aus diesem *Insektenbuch* stammen alle folgenden ins Deutsche übersetzten Surinam-Zitate. (Siehe Literaturhinweise, »Das Insektenbuch«.)

Wenn sie eine Raupe in ihrem Garten in Paramaribo entdeckte, zum Beispiel auf einer großen Distel, dann liest sich ihre Notiz zur Zeichnung, als hätte die Merian das Tier in einem Garten in Nürnberg oder Frankfurt beobachtet: »Die oben sitzende rote Raupe mit gelben Streifen hat lange, steife, braune Haare und frißt die Blätter dieser Distel. Am 4. August 1700 hat sie sich in eine Puppe verwandelt … Sie hängte sich in ein holzfarbenes Gespinst, und daraus ist am 30. August ein schöner Eulenfalter geschlüpft.« Manchmal allerdings konnte ihr niemand sagen, was für ein Gewächs sie gezeichnet hatte. Dann half auch der gute Draht zu den Indianern und schwarzen Sklaven, die für sie als Dienstboten und -botinnen arbeiteten, nicht.

Auch in der fremden Umgebung und unter fremden Menschen kam der Besucherin aus Amsterdam ihre Fähigkeit, mit Menschen entspannt und ohne Vorurteile zu kommunizieren,

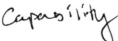

216

zugute – ob es Plantagenbesitzer, Indianer oder Sklaven waren. Die Merian erkannte sofort, dass ihre Dienstboten den Europäern vieles an Wissen über Pflanzen und Tiere voraushatten. Sie fragte nach und informierte sich. Die Angesprochenen fühlten sich ernst genommen, revanchierten sich, und es kam zu Szenen, die Maria Sibylla aus Nürnberg und Frankfurt kannte: »Der Wurm, der auf dem Stiel kriecht, ist orangefarben. Er wurde mir von einer schwarzen Sklavin gebracht, die mir berichtete, dass da schöne Grashüpfer hervorkämen.«

Das Geheimnis der Tropenpracht ist die unendliche Vielfalt der Pflanzen und der Lebewesen. Auf Granatbäumen entdeckte Maria Sibylla Merian – oder vielleicht ihre Tochter Dorothea Maria, denn die zwei Frauen waren immer zusammen unterwegs – Käfer, die sich in Fliegen verwandelten. Diese Fliegen »geben einen Ton wie eine Leier von sich, so dass man sie von ferne singen hören kann, und weshalb man sie auch Leierkastenmann nennt«. Ohne sich an eigene mühsame Nachforschungen machen zu müssen, erfährt die Frau aus Europa: »Die Indianer haben mir versichert, dass aus diesen Fliegen die sogenannten Laternenträger entstehen …« Mehr noch: »Die Indianer brachten mir eines Tages eine große Menge dieser Laternenträger … und ich tat sie in einen großen Holzkasten.« Daraus entwickelte sich eine Spukgeschichte, denn noch wusste Maria Sibylla nicht, wie extrem hell der Schein ist, den die Köpfe dieser Raupen nachts verbreiten.

In der Nacht nach dem »Laternenträger-Geschenk« wurden Mutter und Tochter nachts von einem starken Lärm geweckt, der aus dem großen Holzkasten kam. Sie öffneten ihn ahnungslos und warfen ihn gleich wieder zu Boden, »da beim Öffnen des Kastens eine Feuerflamme herauskam«. Dann merkten sie, dass es keine Flammen waren, sondern grell leuchtende Tiere, und hatten die Sache schnell im Griff: »Doch wir beruhigten uns, sammelten die Tiere wieder ein und waren sehr verwundert über ihren Glanz.«

Das »wir«, von dem Maria Sibylla Merian im Zusammenhang mit dem nächtlichen Schrecken spricht, kann sich nur auf Mutter und Tochter beziehen. Einer der wenigen Hinweise, dass sie in Surinam eine ständige Begleiterin hat. Weder in ihren Notizen noch in dem späteren Buch verrät die Merian, dass es ihre Tochter ist, die im Zeichnen und Präparieren von Tieren von ihr ausgebildet wurde und der Mutter in diesem mörderischen Klima eine wirkliche Hilfe ist. Eine nüchterne Trennung von Forschungsarbeit und Privatleben?

Die Käfer, die sich in Fliegen verwandelten – in »Leierkastenmänner« und »Laternenträger« –, waren träge Tiere, die sich leicht fangen ließen. Anders die Fliegen, die aus den Käfern schlüpften, nachdem diese sich »still und unbeweglich« niedergelegt hatten: »Diese Fliegen findet man sehr viel in Surinam. Sie sind sehr schnell im Fliegen, so dass ich stundenlang laufen musste, um eine von ihnen zu fangen.« Ein erstaunliches Bild: Von Entdeckerbegierde getrieben, verfolgt die dreiundfünfzigjährige Merian mit ihrem Schmetterlingsnetz die kleinen »Leierkastenmänner«, um ihre Sammlung wenigstens um eine dieser singenden Fliegen zu bereichern. In tropisch feuchter Hitze und mit Kleidern, die vom Hals bis zu den Knöcheln den ganzen Körper bedeckten.

Die Vielfalt der Arten korrespondierte mit den vielfältig schillernden Farben, in denen sich die Tropen präsentierten. Extreme, die die Natur im kühlen Holland nicht bereithielt. Maria Sibylla nahm alles begierig auf, konnte sich an der ungewohnten Schönheit berauschen, sie poetisch und zugleich bis in jedes Detail genau beschreiben. Die Forscherin hatte es nicht weit von ihrem Haus in Paramaribo, um im Urwald nach den Objekten ihrer Begierde Ausschau zu halten: »Eines Tages begab ich mich weit in die Wildnis hinaus und fand unter anderem einen Baum, den die Eingeborenen Mispelbaum nennen.« Auf dem Baum entdeckte sie eine »gelbe Raupe, die über den ganzen Körper rosa Streifen hatte. ... Diese Raupe nahm ich mit nach Hause ...«

Was nach der Verpuppung des Tieres folgt, ist eine Verwandlung von atemberaubender Schönheit: »Vierzehn Tage danach, gegen Ende Januar 1700, schlüpfte daraus ein wunderschöner Tagfalter. Er sieht aus wie poliertes Silber mit dem schönsten Ultramarin überzogen, grün und purpurfarben, ja unbeschreiblich schön. Seine Schönheit ist mit keinem Pinsel wiederzugeben.« Es gehört zum Mantra von Künstlern, dass ihre Malerei gegenüber ihren Objekten immer unvollkommen bleibt, so wie die Poeten nie die richtigen Worte finden, um auszudrücken, was die Welt im Inneren bewegt. Die Hauptsache: Maria Sibylla Merian hat sich von den tropischen Schönheiten Surinams nicht überwältigen lassen.

Surinam war nicht Holländisch-Friesland, wo sie unbeschwert über die Wiesen gehen und an Mooren und Kanälen entlang nach Raupen und Fröschen Ausschau halten konnte. Zwar lockte sie der Urwald sehr, weil sie überzeugt war, dort unbekannte Tiere und Pflanzen zu finden: »Aber der Wald ist so dicht mit Disteln und Dornen verwachsen, dass ich meine Sklaven mit Beilen in der Hand vorwegschicken musste, damit sie für mich eine Öffnung hackten, um einigermaßen hindurchzukommen, was doch ziemlich beschwerlich war.« Indianer und Sklaven waren unentbehrlich für ihre Forschungsarbeit. Einmal entdeckte sie in den Wipfeln extrem hoher Bäume – »in dem Land Papaybaum genannt« – eine Unmenge weißer Raupen: »Da der Baum hoch und hohl ist, kann man nicht hinaufklettern, und ich ließ ihn darum abhacken, um die Raupen zu bekommen.« Maria Sibylla schreckte nicht vor drastischen Lösungen zurück.

Sie war immer zuerst Forscherin, auch als sie sich im Frühjahr 1700 mit ihrer Tochter Dorothea Maria von Indianern und Sklaven in Kanus den Surinam flussaufwärts fahren ließ, um den Urwaldregionen möglichst nahe zu kommen.

Am Fluss lagen die Zuckerrohrplantagen, und etliche Besitzer boten den beiden Frauen auf ihrer Entdeckungsreise Quartier. Rund fünfundsechzig Kilometer von Paramaribo entfernt kam es zu einem Rendezvous mit ihrer labadistischen Vergangenheit: »Im April anno 1700 war ich in Surinam auf der Plantage von Frau Sommelsdijk, genannt Providentia, wo ich verschiedene Beobachtungen an Insekten machte.« Während der zweiten Hälfte der 1680er Jahre hatte Maria Sibylla in der »großen Versammlung« von Schloss Waltha miterlebt, wie die begeisterten Briefe der Siedler aus der surinamesischen Siedlung »Providentia« – La Providence – vorgelesen wurden. Sie kannte Lucia van Aersssen van Sommelsdijk, die mit ihren drei Schwestern zu den frühesten Anhängern des Jean de Labadie gehörte, seine Frau wurde und mit dafür sorgte, dass Schloss Waltha – der van Sommelsdijk'sche Besitz – kostenfrei an die Labadisten ging.

Seit 1674 Witwe, ist Lucia van Aerssen van Sommelsdijk viele Male nach Surinam gereist und hat sich um »Providentia« gekümmert; nach den Schiffslisten der Surinam-Fahrer zuletzt im Frühjahr 1695. Im Oktober 1695 heiratete sie in Holland Pierre Yvon, Labadies Nachfolger als geistlicher Führer, der inzwischen auch verwitwet war. Als Maria Sibylla Merian im April 1700 die Plantage besuchte, waren die alten Namen noch erhalten. Aber in den Steuerlisten der Kolonie tauchen die Pflanzer von »Providentia« nicht mehr als Labadisten auf. Die Forscherin hat freiwillig hier Station gemacht; sie musste keine Vergangenheitsbewältigung treiben. Sie war den Lesern des Surinam-Buches auch keine Erklärung schuldig.

Nicht nur als Forscherin, auch als Geschäftsfrau hielt sie im fremden Land die Augen offen und verlor ihre zukünftigen Kunden nicht aus dem Blick. Schlangen, in Surinam fast unter jedem Busch zu Hause, waren beliebte Sammelobjekte in Europa. Maria Sibylla entdeckte »schöne und seltsame« Arten. Wenn sie schreibt, dass sie eine Schlange »unter der Hecke am Fuß einer Pflanze« gefangen hat, ist das für sie nichts zum Fürchten. Sie begeistert sich an ihren Fundstücken, beschreibt liebevoll Schmetterlinge und Raupen und stellt mitunter lustige Vergleiche an. Für die Beobachterin aus Europa hängen die verpuppten Raupen an den Zweigen wie die Indianer in ihren Hängematten. Grundsätzlich jedoch haben persönliche Gefühle für die Merian im Bereich der Forschung nichts zu suchen.

In einem Gewässer beobachtet sie eine weibliche Kröte, deren »Gebärmutter auf dem Rücken« entlangläuft, worin sie »den Samen empfängt und weiterentwickelt«. Wenn die Eier reif sind, »arbeiten sich die Jungen selbst aus der Eihaut heraus«. Den Vorgang beschreibt Maria Sibylla Merian aus eigener Anschauung: »Sie krochen nacheinander heraus wie aus einem Ei. Als ich das sah, warf ich das Weibchen mit seinen Jungen in Branntwein. Einige der Jungen waren erst mit dem Kopf, andere halb herausgekommen.« Wissenschaftliche Neugier kennt keine Sentimentalitäten. Ebenso sachlich beschreibt sie die kulinarischen Neigungen von Menschen in Surinam: »Diese Kröten werden dort von den Schwarzen, die sie für eine gute Speise halten, gegessen.«

Die weiße Forscherin enthält sich moralischer Urteile und akzeptiert die Kulturen der afrikanischen Sklaven nach deren eigenen Wertmaßstäben. Das gilt für alle ihre Notizen über Surinam: Nirgendwo ist die Rede von unzivilisierten Wilden, auch wenn sie die Sklaverei an sich nicht in Frage stellt. Warum auch sollte sie etwas kritisieren, das von allen christlichen Kirchen als göttliche Ordnung abgesegnet wurde. Aber Indianern und Sklaven im persönlichen Umgang als geachteten Informanten – als Menschen – zu begegnen, ist nicht selbstverständlich am Beginn des 18. Jahrhunderts und noch für viele weitere Epochen.

Muscheln mit ihren bizarren Formen und unzählbaren Farbmustern standen auf der Beliebtheitsskala der Sammler ganz oben. Die Forscherin interessierte der Inhalt. Von ihren Dienern ließ sie Muscheln aus dem Meer holen, »um zu sehen, was für Tiere darin sitzen«. Es waren lebendige Tiere, die hat Maria Sibylla Merian ohne zu zögern »mit Gewalt herausgezogen«, um sie näher untersuchen zu können. Auch die Muscheltiere wurden sorgfältig beobachtet, Zeit spielte keine Rolle: »Tagsüber lagen sie still, doch in der Nacht machten sie ein leises Geräusch mit ihren Beinen und waren sehr unruhig.«

Dem Bild, das die weißen Siedler aus Europa vom Paradies hatten, muss Surinam sehr ähnlich gewesen sein. War es nicht wie ein himmlischer Garten, wenn neben dem reifen Obst an den Bäumen zugleich die Blüten für die nächste Ernte prangten? Maria Sibylla Merian hat die Fülle der fremden tropischen Früchte zusammen mit ihren tierischen Bewohnern gemalt: die prächtigen goldgelben Zitronen, Pampelmusen, Bananen, die Papayafrüchte und die Wassermelonen, die in Surinam »auf der Erde wachsen wie in Holland die Gurken«. Doch das Paradies hatte seine Schattenseiten. Es wird im frühen Sommer 1701 gewesen sein, als Maria Sibylla spürte, dass etwas mit ihrem Körper nicht stimmte. Sie wurde matt und schwach.

Wahrscheinlich war es eine Stechmücke, die die Vierundfünfzigjährige mit Malaria infizierte und ihren Plänen ein abruptes Ende setzte. Noch heute gehört Surinam weltweit zu den besonders malariagefährdeten Gebieten. Diese Zusammenhänge wurden jedoch erst am Ende des 19. Jahrhunderts entdeckt. Für Maria Sibylla war es die Tropenhitze, die sie krank machte: »Diese Hitze bekam mir nicht gut, und ich sah mich deshalb gezwungen, früher nach Hause zurückzukehren, als ich gedacht hatte.«

So hat die Forscherin es in ihrem späteren Surinam-Buch beschrieben, zurückhaltend, aber als Entschuldigungsgrund überzeugend genug. Einen guten alten Bekannten in Nürnberg hat sie rund ein Jahr nach ihrer Rückkehr tiefer ins Herz sehen lassen: »… auch ist im selben Land eine Seehr grosse hitze, so das man keine arbeit dhun kann, als mit grosster beschwernuss, und hatte ich das selbe beynahe mit dem dhot bezahlen müsse, darumb ich auch nicht lenger aldar bleiben konnte …« Trotz aller Wissbegier und Entdeckerfreude, trotz hilfreicher Indianer und Sklavinnen: Das Leben in Surinam war mühselig und kräftezehrend, vor allem für die Ältere. Wenn Maria Sibylla freiwillig früher heimkehrte als gedacht, dürfen wir annehmen, dass sie sich sehr schlecht fühlte.

Am 18. Juni 1701 gingen Mutter und Tochter in Paramaribo an Bord. Das Handelsschiff »De Vrede« – Der Frieden – sollte sie und ihr Gepäck nach Amsterdam bringen. Die leeren Gläser, Flaschen und Kisten von der Hinfahrt waren nun gefüllt: mit Schildkröten und Geckos, Schlangen und Eidechsen, Leguanen, Fröschen und sogar kleinen Krokodilen, die im Branntwein lagen. Dazu kamen gepresste Insekten und Pflanzen, aufgespießte Schmetterlinge, bewegungslose Raupen-Puppen. Alles war ordentlich inventarisiert, denn die Gelehrten, denen Maria Sibylla diese exotischen Schätze zu verkaufen hoffte, wollten es genau wissen. In den Seekisten lagen die bemalten Pergamentrollen und Papierskizzen. Wie bei der Hinfahrt werden die beiden Frauen schnell bei Mitreisenden und Matrosen Aufsehen erregt haben.

Ob die anderen Passagiere wussten, dass sogar Eidechseneier an Bord waren? Kurz vor der Abreise entdeckten die Frauen im

Fußboden ihres Hauses das Nest einer blauen Eidechse, in dem vier weiße runde Eier lagen: »Diese habe ich auf meiner Reise nach Holland mit aufs Schiff genommen, wo die jungen Eidechsen auf See auskrochen ... Doch in Ermangelung ihrer Mutter und aus Mangel an Nahrung sind sie gestorben.« Ein anderes Experiment ging gut aus. In einer der vielen Spanschachteln kam eine verpuppte Raupe mit in die Kajüte. Die Notiz zu der Zeichnung hält fest: »... ist am 27. Juni 1701 (nachdem ich schon auf dem Schiff war, um nach Holland zu reisen) ein solche seltsamer Eulenfalter geschlüpft ...« Vielleicht hat Dorothea Maria die Zeichnung gemacht und die Daten aufgeschrieben. Es muss ihrer kranken Mutter auf dem Schiff und zumal während der Seereise elendig gegangen sein. Fieber und Schüttelfrost lösten einander ab. Maria Sibylla war auf die verlässliche Pflege ihrer Tochter angewiesen.

Dorothea Maria war allerdings nicht allein. In der Passagierliste von »De Vrede« für den Juni 1701 steht »Maria Sibilla merian haer dogter en indianin« – Maria Sibylla Merian, ihre Tochter und eine Indianerin. Eine Indianerin, sicherlich aus der Gruppe ihrer Dienerinnen, hatte das Angebot von Maria Sibylla Merian angenommen, mit nach Amsterdam zu reisen und dort in ihren Dienst zu treten. Sie wird ohne Namen und Stimme bleiben, aber Maria Sibylla hat ihr einen Platz in ihrer Surinam-Produktion zugedacht.

Ein besonderes Pech war, dass die schwere Ladung von Zucker und Edelholz, ein Vermögen, das alle Schiffe auf der Rückreise von Surinam nach Amsterdam füllte, im Hafen von Paramaribo verrutschte. Es dauerte, bis die Waren im Schiff neu ausbalanciert und festgezurrt waren. Die beiden Frauen, die das Schiff am 18. Juni betreten hatten, saßen fest. Erst nach über drei Monaten hatten Maria Sibylla Merian und Dorothea Maria wieder Land unter den Füßen. In gewohnter Nüchternheit blickte die Autorin in ihrem späteren Buch auf die Strapazen zurück, mit denen ihr Surinam-Aufenthalt endete: »Ich bin bis zum Juni des Jahres 1701 dort geblieben und habe mich dann wieder nach Holland begeben, wo ich am 23. September eintraf.«

14. 1701-1705: Vorbereitungen für einen wissenschaftlichen Prachtband, den es noch nie gegeben hat

Kaum waren die Schiffskisten ausgeräumt, die Gläser, Flaschen und Kisten mit ihren wertvollen Inhalten in Reih und Glied gestellt worden, um sie Besuchern vorzuführen, da vergrößerte sich die kleine Merian-Familie. Am 14. Oktober 1701 wurde im Rathaus zu Amsterdam ein Aufgebotszettel ausgestellt und für alle sichtbar an der Außenmauer befestigt: Dorothea Maria Graff, dreiundzwanzig Jahre alt, und der dreißigjährige Philip Hendriks aus Heidelberg, der an der Amstel eine Arztpraxis hatte, wollten die Ehe eingehen.

Niemand erhob Einspruch, und so bekamen die beiden die zivile Heiratsurkunde, die in Amsterdam als Grundlage einer legalen Ehe ausreichte. Aber dem jungen Paar reichte die bürgerliche Zeremonie nicht. Am 2. Dezember 1701 wurden Dorothea Maria Graff und Philip Hendriks vom Pfarrer der »Waalse Kerk« am Oude Zijds Achterburgwal christlich verheiratet. Warum gerade dort? War das Zufall? Oder hatte die christliche Heirat gerade in dieser Amsterdamer Kirche eine Bedeutung für die Merian-Familie?

Die »Wallonische Kirche« – Eglise Wallone –, in der Innenstadt an einem Kanal gelegen, feiert bis heute sonntags einen französischsprachigen Gottesdienst, wie alle Sonntage seit 1578. Damals wurde das ehemalige Kloster den reformierten Flüchtlingen überlassen, die aus den südlichen Niederlanden – der Wallonie – nach Amsterdam kamen. Das mag ein Grund gewesen sein, der Merians jüngste Tochter mit ihrem Mann in die Waalse Kerk führte. Denn die Familie von Dorothea Marias Großmutter mütterlicherseits war wegen ihres reformierten Glaubens aus Wallonien geflüchtet; sie hatten sich als Religionsflüchtlinge in Frankenthal niedergelassen.

Eine zweite Überlegung kann die Kirchen-Wahl beeinflusst haben; sie führt zu einer entscheidenden Wende im Leben von Maria Sibylla Merian und ihren Töchtern. Es war eine wallonische, französisch sprechende Gemeinde im holländischen Middelburg, wo Jean de Labadie, der Genfer Prediger, seine spektakulären Predigten hielt und in den Niederlanden Fuß fasste. Es war in Wieuwert, wo der Nachfolger Labadies – der Franzose Pierre Yvon – eine autarke radikal-christliche Kommune gründete, die für Maria Sibylla, Johanna Helena und Dorothea Maria fünf Jahre lang Heimat wurde.

Wie offen der geistliche Horizont der Gemeinde der Waalse Kerk war, zeigt sich an einem Grab, das sich in dieser Kirche befindet – und ebenfalls eine Spur, wenngleich sehr verschlüsselt, zu Dorothea Maria Merian, ihrer Schwester und ihrer Mutter legt. 1680 ist Jan Swammerdam, der große niederländische Insektenforscher, in der Wallonischen Kirche begraben worden. Maria Sibylla Merian kannte seine Fachbücher und sein tragisches Leben und wird ihren Töchtern davon erzählt haben, in deren Zeichnungen neben Blumen und Pflanzen auch Insekten eine Rolle spielen. Wie seine deutsche Kollegin hatte sich Swammerdam einer radikalen religiösen Bewegung zugewandt, die aber – im Gegensatz zu den Labadisten – jede wissenschaftliche Forschung verurteilte. Seine religiösen Skrupel gegenüber seiner Arbeit wurden immer größer; er gab sie schließlich ganz auf. Jan Swammerdam stand am Beginn der Neuen Zeit und wurde – im Gegensatz zu Maria Sibylla Merian – zwischen den Erkenntnissen einer unabhängigen Forschung und dem traditionellen Schöpfergott, der keine menschliche Einsicht in seine Schöpfung duldete, zerrieben.

Glaube ist Privatsache: Nach dieser modernen Überzeugung

29.   Im Dezember 1701 heiratet Dorothea Maria Graff, Merians
Tochter, in Amsterdams »Wallonischer Kirche«. Hier wurde 1680 Jan
Swammerdam begraben. Der Mediziner begründete mit seinen
Forschungen die Insektenkunde. Mit ihrem Werk zählt Maria Sibylla
Merian zu seinen direkten Nachfolgern.

hat Maria Sibylla Merian sich gerichtet, als sie zweimal – in den Notizen zur Siedlung »Providentia« in Surinam und im Vorwort ihres Buches über die surinamesischen Insekten – das Labadisten-Thema streifte, ohne ein persönliches Wort zu verlieren. Als Dorothea Maria 1701 in der Waalse Kerk heiratet, ist es zehn Jahre her, dass Maria Sibylla mit ihren zwei Töchtern von Wieuwerd nach Amsterdam kam. Die Heirat in der reformierten wallonischen Gemeinde spricht dafür, dass im engen Kreis der Familie die religiösen Überzeugungen von Jean de Labadie, die in Wieuwerd ihr Leben geprägt hatten, auch in Amsterdam in Ehren gehalten wurden.

Nach der Hochzeit kam die Arbeit, und die beiden Töchter werden der Mutter, die sicher noch nicht wieder ganz gesund war, geholfen haben. Um für ihre Pionierleistung in Surinam die gebührende Aufmerksamkeit zu bekommen, musste Maria Sibylla Merian ihre Forschungen der europäischen Gelehrtenwelt in Zeichnungen und Text präsentieren. Schon bei ihrem ersten »Raupenbuch«, 1679 in Nürnberg erschienen, hatte sie im Titelblatt keine weibliche Demut gezeigt, sondern selbstbewusst ihre Forschungen »eine gantz neue Erfindung« genannt. Diesmal setzte sie ihre Werbekampagne lange vor Erscheinen des Buches an. Dem besonderen Inhalt angemessen, sollte der Band über die Insekten Surinams opulent und unübersehbar sein: ein großes Folio-Format – 50 mal 37 Zentimeter –, um die tropischen Insekten, die wesentlich größer sind als ihre europäischen Verwandten, lebensgroß darzustellen. Dazu kamen feinstes Papier und die handwerkliche Qualität der besten Kupferstecher.

Während Dorothea Maria, die sich im gesamten Material bestens auskannte, beim Sortieren und Ordnen der Zeichnungen und Notizen, der getrockneten Pflanzen und Präparate helfen konnte, war es die Aufgabe der Mutter, durch Briefe auf ihr neues Buchprojekt aufmerksam zu machen. Es ist wohl nur der kleinste Teil dieser Korrespondenz, der sich erhalten hat. Aber er legt offen, wie klug und geduldig die Forscherin und Geschäftsfrau für ihr Werk geworben hat.

Ihr wissenschaftlicher Brückenkopf in Deutschland war Johann Georg Volkammer, ein guter alter Bekannter aus Nürnberger Zeiten. Der Schwager ihrer Freundin Clara Imhoff war studierter Mediziner und anerkannter Botaniker mit Kontakten zu europäischen Gelehrten. Ein Brief an Volkammer, der die Jahrhunderte überdauerte, stammt vom 8. Oktober 1702. Maria Sibylla hat gute Nachricht über den Fortgang von ihrem »Werk«. Sie hoffe, alles, was sie in Amerika gesucht und gefunden hat, in »perfecion auf das bergament Zu bringen« und »bey gesuntheit in 2 Monat fertig Zu haben«. Sie verspricht, dass in ihrer Publikation »viele wunderliche rahre Sachen« zu sehen sein werden, »die da noch nie an das ligt seint kommen, und auch so leigt niemand eine solche schwere kostbare reise thun wird, umb solcher sachen willen«. Sie schreibt von ihrer beschwerlichen Arbeit in den Tropen, die sie beinahe mit dem Leben bezahlen musste, um daraus kühl einen Vorteil für ihr Buch zu ziehen: »... da doch die meisten menschen alda von der hitze sterben, so das diesses werck nicht allein rar ist, sondern wirt es auch bleiben.«

Sie möchte das Werk »denen herren gelehrten und liebhabern Zum besten und zu ihren bliesier in den druck geben, auf das sie sehen könten, was Gott der herr in America vor wunderliche gewerk So und gethierte geschaffen hat«. Es ist das einzige Mal, dass die Merian im Zusammenhang mit ihrem Surinam-Buch einen Hinweis auf Gott gibt. Vorbei sind die Zeiten, als ihr theologischer Freund Christoph Arnold die angehende Raupenforscherin Maria Sibylla Merian durch sein Gedicht »Raupenlob« im ersten »Raupenbuch« gegen mögliche Kritik misstrauischer Geistlicher absicherte. Amsterdam war nicht Nürnberg, und mit dem Beginn des 18. Jahrhunderts war auch den ewig Gestrigen klar, dass eine neue Zeit begonnen hatte.

Bei aller Begeisterung für ihr zukünftiges Werk wusste die Autorin, dass es »sehr viel gelt wird kosten, dasselbe Zu verlegen«. Gegen das Risiko, im freien Verkauf auf den Unkosten der Herstellung sitzen zu bleiben, gibt es nur ein Mittel: »das es auf eine weise von einschreibung geschehe, als wie mit dem Ambonischen werck«. Mit »Einschreibung« ist das Subskriptionsverfahren gemeint: Käufer verpflichten sich vor dem Druck zur Abnahme eines Exemplars; gedruckt wird nur, wenn sich genug Käufer finden. Davon geht Maria Sibylla Merian fest aus und macht schon weitere Pläne. Sollte das Buch gut verkauft und ihre Reiseunkosten gedeckt werden, könnte ein zweiter Band erscheinen »von allerhant andere gethiere als schlangen Crocotillen leguanen und dergleichen«.

Am Ende empfiehlt sie Johann Georg Volkammer noch ihre surinamesische Sammlung, ihre »glässer mit liquor, eine Crocotil und vielerhant schlangen und andere gethierte … die zu verkaufen seint«. Nach so vielen geschäftlichen Dingen bekommt der Brief aber doch noch einen persönlichen Nachsatz: »bitte alle bekntr freunde so nach mir fragen freundlich Zu grüssen.« Zwanzig Jahre zuvor war Maria Sibylla mit ihrer Familie von Nürnberg zurück zu ihrer Mutter nach Frankfurt gezogen. Aus den wenigen Worten spricht die Hoffnung, dass sie in Nürnberg noch Freunde hat, die sie nicht vergessen haben.

Die »Auerin« gehört gewiss dazu, die einst Schülerin in der Merian'schen »Jungfern Compagnie« war und dann für die ehemalige Lehrerin in Nürnberg als Zwischenhändlerin für Farben, getrocknete Pflanzen und andere Raritäten fungierte. In einem zweiten Brief an Johann Georg Volkammer vom Oktober 1702 bittet Maria Sibylla Merian »meine liebe Jungfer gevatter Auerin … auf das allerschönste Zu grüssen«.

Sie würde gerne einen Dukaten dafür geben, sich in eine Fliege zu verwandeln, »das ich halter Zu ihr fliegen könnte, ich sollte ihr so viel zu erzehlen haben«. Eigentlich habe sie ihr schon lange schreiben wollen, aber »ich habe so viel zu thun, das ich es noch aufschiebe«. So sehr Maria Sibylla nach vorne blickt: Etwas Wehmut ist schon dabei, wenn sie an die Nürnberger Freunde denkt, die sie so viele Jahre nicht gesehen hat.

»Als wie mit dem Ambonischen werck«: Als Georg Eberhard Rumphius, 1628 in Hanau bei Frankfurt geboren, 1702 auf der Molukkeninsel Ambiona starb, ging ein mutiges Leben zu Ende, in dem eine Katastrophe die andere abgelöst hatte. Rumphius lebte und arbeitete seit 1654 als Beamter der niederländischen »Compagnie für Ostindien« im heutigen Indonesien. Er hatte genug Zeit, nebenher als Naturforscher zu wirken und eine Ausgabe seiner Forschungen vorzubereiten. Doch 1669 erblindet er, 1674 sterben Frau und Tochter bei einem Erdbeben, 1687 brennt seine Bibliothek ab mit allen Unterlagen.

Der vom Schicksal Geschlagene beginnt von neuem zu schreiben, Zeichnungen anzufertigen und an seinen Freund, den Bürgermeister von Delft, zu schicken. Der erhält das Manuskript, aber die meisten Zeichnungen von Rumphius gehen auf dem langen Seeweg in die Niederlande verloren. Der Freund ist dennoch entschlossen, das Werk über »Muscheln und Schnecken« herauszubringen. Er weiß auch, wer die Zeichnungen erstklassig neu anfertigen kann – Maria Sibylla Merian.

Eigentlich widerspricht es ihrer Auffassung, lange Reihen von Muscheln und Schnecken zu zeichnen, ohne deren natürlichen Lebensraum auch nur anzudeuten. Aber sie ist Profi genug, den Auftrag auszuführen, denn er bringt gutes Geld ins Haus. Die Vorlagen findet die Malerin in den üppigen Amsterdamer Sammlungen, die ihr bestens bekannt sind. Die »Amboinsche Rariteitkamer – Abhandlung über Schnecken und Muscheln ...« erscheint 1705, der Name Merian wird nicht erwähnt. Wahrscheinlich hat sie darauf keinen Wert gelegt. Der Hinweis im Volkammer-Brief vom 8. Oktober 1702 ist die einzige Information über ihre Mitarbeit.

Auch in England hat die deutsche Forscherin mit dem Lebensmittelpunkt Amsterdam einen begeisterten Anhänger:

James Petiver, Apotheker, leidenschaftlicher Botaniker, Sammler und Mitglied der Royal Society London, der angesehensten wissenschaftlichen Akademie in Europa. Sein Einfluss war besonders groß als Agent von Henry Sloane, der das British Museum gründete und Isaac Newton als Direktor der Royal Society folgte. Petiver kaufte für den Mediziner und Naturwissenschaftler Sloane kostbare Raritäten für dessen naturwissenschaftliche Sammlung, seltene Bücher und Zeichnungen.

Wie lebhaft die internationale Gemeinschaft der Insektenforscher miteinander kommunizierte, zeigt ein Brief des Amsterdamer Anatomie-Professors Frederik Ruysch, in dessen Sammlung in der Bloemgracht die Merian ein und aus gehen konnte und mit dem sie viele Fachgespräche führte. Ruysch bedankte sich im August 1702 bei James Petiver für eine Insekten-Sendung und bittet ihn, die Tiere beim nächsten Mal sorgfältiger einzupacken. In dem Paket an »Madame Meriana« sei der Schwanz des Schmetterlings geknickt gewesen.

Der erste erhalten gebliebene Brief der Merian an James Petiver datiert vom 4. Juni 1703. Dem einflussreichen Insektenliebhaber ist an einem guten Kontakt zu der angesehenen Forscherin, deren Forschungsreise ins ferne Surinam sich längst herumgesprochen hat, gelegen. Sie bedankt sich für sein »Insekten-Geschenk« und schließt daraus, dass er an den gleichen Dingen interessiert ist, »die ich unlängst in Amerika an den Verwandlungen der Insekten beobachtet habe«. Eine elegante Überleitung, denn sogleich erzählt sie von ihrem »amerikanischen Werk«, wo diese Verwandlungen in Kupferdrucken dargestellt werden. Ohne Umschweife nutzt sie seine Begeisterung und macht ihn zu ihrem Mann in England, der Käufer für ihr neues Buchprojekt anwerben soll: »Hierbei sende ich Euer Wohlgeboren einen Probedruck von dem amerikanischen Werk, daneben die Bedingungen der Subskription ...«

Die Herausgeberin bleibt dran. Noch im Juni 1703 geht ein zweiter Brief nach London und erlaubt einen genauen Blick in ihre Werkstatt. Sechzig Kupferstiche soll das Buch haben, schon dreizehn davon sind fertig. Insgesamt werden neunzig Verwandlungen in den verschiedenen Stadien gezeichnet und im Text beschrieben. Wenn sich in England einhundert Subskribenten finden würden, könnte es eine eigene Ausgabe in Englisch geben.

Das Arbeitstempo der Sechsundfünfzigjährigen ist enorm. Im Oktober meldet sie James Petiver, dass inzwischen zwanzig Kupferstiche vorlägen. Er solle sein Bestes geben, Käufer zu gewinnen. Die beiden Gelehrten in Amsterdam und London pflegen einen direkten, informativen Briefstil, Höflichkeitsfloskeln brauchen sie nicht.

Bisher galt in der Merian-Forschung als ausgemacht, dass der Band über die *Metamorphosis Surinamesischer Insekten* 1705 erschienen ist. Doch 2014 machte Hans Mulder, Direktor der renommierten Artis Bibliothek an der Universität Amsterdam, eine aufregende Entdeckung (siehe auch Literaturhinweise). Mit Hilfe einer Digitalisierungsrecherche fand er zum Stichwort »Merian« in der Haarlemer Zeitung *Oprechte Haerlemsche Courant* unter dem 15. November 1703 die folgende Anzeige: »Bekanntmachung: das ungewöhnliche Werk von M. Sibille Meran, genannt Surinaemsse Insecta Observatien (bestehend aus ungewöhnlichen Schmetterlingen ... die Metamorphosen von Raupen und Puppen und viele andere seltene Tiere dieser

Art) ist jetzt soweit fertig, dass ein vollständiger dritter Teil – der wie ein ganzes Buch ist – bei den Buchhändlern und Druckern in den vornehmsten Städten zu kaufen ist …« Die verblüffende Neuigkeit: Maria Sibylla Merian war von ihrer Arbeit so überzeugt, dass sie keinen Nachteil darin sah, ihr Werk stückweise zu verkaufen, um schon vor der Gesamtausgabe an Geld zu kommen. Und sie ging davon aus, dass es in der Kaufmannsstadt Haarlem, wenige Kilometer westlich von Amsterdam, eine Klientel für ihr Werk gab.

Die Geschäftsfrau nutzt die Anzeige, um zusätzliches Interesse an ihrer Arbeit und ihrer Sammlung zu wecken: »Das Original und die Drucke und die Tiere können jeden Tag angesehen werden, eine Stunde vor dem Abend, im Haus der Autorin in der Nieuwe Spiegelstr. im Rosenzweig zu Amsterdam.« Maria Sibylla Merian arbeitete nicht im Elfenbeinturm.

Aber wo wohnt sie konkret in Amsterdam? Nach den Angaben, die von 1701 bis 1704 vorliegen, ist sie nach der Rückkehr aus Surinam nicht in das Haus in der Kerkstraat zurückgekehrt. Sie blieb jedoch im gleichen vertrauten Viertel, die Spiegelstraat ist nur Minuten entfernt. Verwirrend ist, dass auch das neue Haus den Namen »Zum Rosenzweig« trägt. Aber vielleicht waren so viele gute Erinnerungen damit verbunden, dass sie diese Bezeichnung einfach mitgenommen hat. Höchstwahrscheinlich hat sich die Mutter das Haus mit der jüngeren Tochter und dem Chirurgen-Schwiegersohn geteilt.

Die Anzeige vom November 1703 verrät, dass die Arbeit an den sechzig lebensgroßen Zeichnungen für ihr Surinam-Werk gut voranschreitet. Im April 1704 geht ein erstaunlicher Brief von der Amstel an die Themse. Ihr englischer Bundesgenosse erfährt, dass die Forscherin als besondere Werbeaktion erwägt, »ob es nicht gut wäre, ein sehr sorgfältig gemaltes oder illuminiertes Exemplar mit einer Widmung an die Königin von England zu richten«. Möglichen Einwänden entzieht Maria Sibylla Merian selbstbewusst den Boden. Sie halte ein solches Geschenk »einer Frau an eine Majestät des gleichen Geschlechts« für selbstverständlich. Allerdings ist diese kühne Idee nicht verwirklicht worden.

Als Maria Sibylla Merian diesen Brief schreibt, weiß sie schon, dass James Petiver, der ihrem Buch viele Käufer wünscht, kaum Interessenten gefunden hat. Ebenso ist es Johann Georg Volkammer in Nürnberg ergangen. Sie beschließt, in zwei Sprachen zu drucken: in Latein – um in der Gelehrtenwelt zur Kenntnis genommen zu werden – und in Niederländisch für die nicht-akademischen Insektenliebhaber in ihrer neuen Heimat. Wer den Urwald von Surinam und zwei gefährliche Atlantikfahrten lebend überstanden hat, lässt sich den Stolz auf die getane Arbeit nicht nehmen.

Inzwischen hat sie dreißig der sechzig Blätter gezeichnet und schreibt Ende Juli 1704 voller Vorfreude an Volkammer, sie hoffe, »künftigen January, das gansse werck gethan zu habn, wan Gott mir, und den blaatschneidern gesundtheit und leben gibt«. Dennoch ist sie ehrlich: »… ich hätte wohl gewünscht, das noch mehr einschreiber kommen wehren …« Fügt aber sogleich hinzu: »… aber patiencya ist ein gut kreutlein …« Geduld ist eine Tugend, in der sich die Insektenforscherin Maria Sibylla während der vielen Jahrzehnte ihrer Beobachtungen und Experimente in Nürnberg und Frankfurt, Wieuwerd, Amsterdam und Paramaribo erfolgreich geübt hat. Dem Schreiben an Volkammer liegt ein Brief an »meine liebe Jungfer gevatter Auerin« bei. Die erneuerte Verbindung soll nicht abreißen.

Die Blattschneider: Ob Maria Sibylla Merian ursprünglich geplant hatte, wie bei ihren Blumen- und Raupenbüchern alle Zeichnungen des Surinam-Projekts selbst auf Kupferplatten zu übertragen? In dieser subtilen Technik war sie bestens bewandert, und ihre eigene Arbeitskraft musste sie nicht bezahlen. Aber entweder war die körperliche Anstrengung zu groß, oder ihr war die Zeit, die sie für die sechzig Platten gebraucht hätte, zu lang. Am 2. April 1704 wurde sie siebenundfünfzig Jahre alt, für damalige Zeiten ein biblisches Alter. Sie entschied, die Übertragung ihrer Zeichnungen als Auftrag an drei Kupferstecher – »Blattschneider« – zu vergeben, an die besten in Amsterdam, wie sie im Vorwort des Surinam-Buches stolz verkündet: »Ich habe keine Kosten bei der Ausführung dieses Werkes gescheut. Ich habe die Platten von den berühmtesten Meistern stechen lassen und das beste Papier dazu genommen …«

Die Künstlerin und Forscherin musste nicht lange nachdenken, welche Kupferstecher sich für ihr Projekt eigneten. In Amsterdams Künstlerkreisen kannte die Merian sich ebenso aus wie bei den gelehrten Botanikern und Naturwissenschaftlern. Pieter Sluyter, wahrscheinlich der beste Stecher ihrer Zeit, war ein guter Freund der Familie. Sluyter hat 35 der 60 Surinam-Zeichnungen gestochen, zwei weitere Kollegen je 21 Blätter und 1 Blatt. Drei Blätter, die Abbildungen 11, 14 und 35, sind nicht signiert. Höchstwahrscheinlich hat Maria Sibylla Merian diese drei mit Hilfe von Dorothea Maria selbst in Kupfer gestochen.

Im Frühjahr 1705 ist es geschafft. Unter dem 16. April meldet sie Johann Georg Volkammer, sie habe »auf dessen begehren … ein buch von meinem Surinamschen Insecten veränderung Iluminirt«. Sie »hoffe das es dem herren soll wole gefallen« und dass andere, die es sehen, auch ein Exemplar begehren. Als Subskribent bezahlt er für den Schwarz-Weiß-Druck fünfzehn Gulden und für die zusätzliche Kolorierung durch die Künstlerin weitere dreißig Gulden; es ist der Posten, an dem die Merian – zu Recht – das meiste verdient. Der Brief informiert, dass »nun die einschreibung auß ist«. Damit entfällt der Sonderpreis für Subskribenten, »so werden die es nun kaufen 18 gulden bezahlen«.

Am Schluss ist noch Zeit für eine persönliche Note. Die »Jungfer gevatter Auerin« hat ihr geschrieben, und Maria Sibylla Merian wünscht »ihr von herzen alles heyl und Segen an Seehl und leib, und grüße sie Samb der ganzen Familie und allen guten freundten herzlich«. Sie werde auch gewiss wieder zurückschreiben.

15. 1705: *Metamorphosis Insectorum Surinamensium Oder Verwandlung der Surinamesischen Insekten*

Es war eine glänzende Idee, als Auftakt des Buches die Ananas zu präsentieren, noch dazu in zweifacher Ausführung, als blühende und als reife Frucht. In ihrem Text zur zweiten Abbildung als reife Frucht kann die Forscherin sofort unter Beweis stellen, dass sie bei aller Hochachtung vor den gelehrten Experten und ihrem eigenen Forschungsanspruch stets auch die Liebhaber der Tropenwelt im Sinn hat. Sie wird kein staubtrockenes Fachbuch bieten, sondern die Pflanzen, Insekten und anderen Tiere Surinams in ihrer Vielfalt und Lebendigkeit schildern und dabei die Menschen dieser fernen fremden Kultur nicht aus den Augen verlieren. (Wieder sind alle Merian-Zitate Übersetzungen der niederländischen Ausgabe ihres Buches über die »Methamorphosis der surinamesischen Insekten« in heutiges Deutsch.)

Ihre Begeisterung, die sie nicht versteckt und die ein Motor ihrer Wissbegierde ist, gehört zu den Ingredienzien, die den Zauber des Insekten-Buches ausmachen. Aus ihrem Loblied der Ananas: »Der Geschmack dieser Frucht ist, als ob man Trauben, Aprikosen, Johannisbeeren, Äpfel und Birnen miteinander vermengt hätte, die man alle gleichzeitig darin schmeckt. Ihr Geruch ist lieblich und stark. Wenn man sie aufschneidet, so riecht das ganze Zimmer danach.« Ebenso typisch sind die praktisch-nützlichen Hinweise, die nie fehlen und darauf hinweisen, dass Maria Sibylla sich gründlich informiert hat: »Die jungen Schößlinge brauchen sechs Monate, um zu voller Reife zu gelangen. Man isst sie roh und gekocht, man kann auch Wein daraus pressen und Branntwein daraus brennen.« Die Forscherin hat keine Hemmungen, in ihrem wissenschaftlichen Buch

Kochrezepte weiterzugeben. Neben der V. Abbildung erzählt sie, dass aus der Cassava-Wurzel Brot gebacken wird. Man backt es »wie Zwieback, und es hat auch den gleichen Geschmack wie feiner holländischer Zwieback«.

Natürlich hat sie die Ananas auch in dieses Buch aufgenommen, weil sie eine Wirtspflanze für Raupen ist. Wie unzählige Male in Europa praktiziert, hat Maria Sibylla die amerikanische Raupe, die sie auf der Ananas fand, mitgenommen, in ihrem Haus, diesmal in Paramaribo, in eine Schachtel gesetzt, gefüttert, beobachtet und alle Stadien der Verwandlung aufgeschrieben: »Am 10. Mai verwandelte sie sich in eine Puppe, aus der am 18. Mai ein sehr schöner, mit schönen leuchtenden grünen Flecken verzierter Tagfalter herausschlüpfte, der einmal sitzend und einmal fliegend gezeigt wird.«

Die wissenschaftlichen Informationen gibt Maria Sibylla auch bei diesem Buch in einer anschaulichen Sprache und mit plastischen Vergleichen wieder: »Wenn man den Tagfalter durch ein Vergrößerungsglas betrachtet, sieht der Staub auf den Flügeln wie Fischschuppen aus, mit drei Verzweigungen in jeder Schuppe und mit langen Haaren darauf. Die Schuppen liegen so regelmäßig, dass man sie ohne größere Mühe zählen könnte. Der Körper ist voller Federn mit Haaren durchflochten.«

Vielleicht hat die Pionierin der amerikanischen Insektenforschung mit ihrer ausführlichen Beschreibung der Ananas zugleich dem Nationalstolz der Niederländer ein wenig schmeicheln und an eine Liebhaber-Botanikerin und Pionierin im eigenen Land erinnern wollen: an Agnes Block, der es in den 1690er Jahren gelungen war, in den Treibhäusern ihres Landsitzes Vijverhof – den die Merian ja gut kannte – die erste Ananas in Europa zu züchten.

Die Autorin konnte sich verdeckte Anspielungen und offene Abweichungen von traditionellen akademischen Schriften er-

30. Die Ananas eröffnet das Buch Maria Sibylla Merians über
die Pflanzen- und Tierwelt Surinams. Natürlich zeichnet sie auch die
Schmetterlinge, die aus den Raupen entstehen und für die die
Tropenfrucht mit ihren Blättern Nahrungsquelle ist – »einmal sitzend,
einmal fliegend«.

lauben, weil sie in ihrem Vorwort unmissverständlich darauf hinweist, dass dieses Buch ein wissenschaftlicher Solitär ist und mit nichts bisher Erschienenem vergleichbar. Großzügig verweist sie auf »Liebhaber« in Holland, die nach ihrer Rückkehr aus Südamerika ihre Zeichnungen sahen: »… sie drängten mich sehr, diese drucken zu lassen. Sie waren der Meinung, daß dies das erste und fremdartigste Werk war, das je in Amerika gemalt wurde.« Es war kein übertriebenes Lob, denn die »Metamorphose der Surinamesischen Insekten« von Maria Sibylla Merian ist das erste umfassende naturwissenschaftliche Werk, das über die beiden Amerikas – Nord wie Süd – erschienen ist.

Die Kombination von Zeichnungen und Texten, in denen tropische Insekten während ihrer Entwicklung von den Eiern bis zum Schmetterling dargestellt werden, zusammen mit ihrem natürlichen Lebensraum – den Pflanzen und Bäumen –, ist ohne Vorbild im Bereich der Naturwissenschaften. Hinzu kommt, dass viele Tiere und Pflanzen, die Maria Sibylla Merian vorstellt, in Europa bisher unbekannt waren und noch nie abgebildet wurden. Es war eine gewaltige, mehrfache Pionierleistung: Sowohl die Feldforschung in Surinam als auch die Herstellung der sechzig Blätter des großformatigen Prachtbandes, der ein Meisterwerk der Buchkunst ist und von der Künstlerin, Naturforscherin, Textautorin im Selbstverlag herausgegeben wurde, ist einmalig.

Die geniale Forschungsidee, die sie als junge Frau hatte – die Verwandlung der Raupen zum Schmetterling als Experiment in Spanschachteln zu organisieren und in zwei »Raupenbüchern« mit ihren Zeichnungen zu publizieren –, war auch der Schlüssel zum Erfolg in Surinam. Er ist die Frucht eines langen beständigen Weges, den Maria Sibylla Merian unbeirrt eingehalten hat. Sie weiß um ihre Zielstrebigkeit, und dieses Selbstvertrauen in die eigene Leistung spricht aus dem ersten Satz, mit dem sie ihr Vorwort »An den Leser« zu einem Buch, das in die Geschichte der Insektenforschung eingehen wird, im April 1705 eröffnet: »Ich habe mich von Jugend an mit der Erforschung der Insekten beschäftigt. Zunächst begann ich mit Seidenraupen in meiner Geburtsstadt Frankfurt am Main.«

Die Autorin hat keine Eile: Station für Station bilanziert sie ihr Leben als Forscherin – Frankfurt, Nürnberg, ihre beiden »Raupenbücher«, deren Kupferplatten sie »eigenhändig geätzt« hat, Friesland und Holland, wo sie ihre »Beobachtungen der Insekten« fortsetzte. Sie erwähnt die Amsterdamer Sammlungen der »Hochwohlgeborenen Herren« Dr. Nicolaas Witsen, Frederik Ruysch und anderer, bei denen sie Exemplare der tropischen Insekten sehen konnte. Und wo doch das Wichtigste fehlte: wie sich Raupen in Puppen verwandeln. Und so wurde sie »angeregt, eine große und teure Reise zu unternehmen und nach Surinam zu fahren«. Die Forscherin unterschlägt die Kosten dieses Projektes nicht. Die möchte sie zurückbekommen, auf Gewinn verzichtet sie.

Der angesehene Direktor des Hortus Botanicus und Freund der Merian, der Mediziner und Botaniker Dr. Caspar Commelin, wird kein Honorar gefordert haben. Umso wichtiger ist die Erwähnung, dass er »die lateinischen und anderen Namen« in den Texten hinzugefügt hat; ein Gütesiegel. Auffällig ist, dass Maria Sibylla Merian in den Texten zum Surinam-Buch jede Gelegenheit nutzt, ihre Kenntnis der internationalen Fachliteratur unter Beweis zu stellen. Sie bekräftigt damit ihren Anspruch, dass ein locker und lebendig gefasster Text, der auf akademische Schwerverständlichkeit verzichtet, mit einem wissenschaftlichen Niveau vereinbar ist. Auch damit hat sie die Schwelle zur modernen Zeit überschritten.

Aber wo bleibt die weibliche Demutsgeste, mit der sie ihren endgültigen Eintritt in die internationale Gelehrtengemeinschaft wenigstens pro forma absichert? Es gibt keine in ihrem Vorwort »An den Leser« und auch nicht den kleinsten Hinweis auf das Geschlecht des Autors. Gegen Ende des Vorworts erklärt sie mit selbstbewusster Bescheidenheit: »Ich hätte den Text wohl ausführlicher gestalten können, da aber die heutige Welt sehr feinfühlig ist und die Ansichten der Gelehrten unterschiedlich sind, bin ich nur einfach bei meinen Beobachtungen geblieben. Ich liefere dadurch Stoff, aus dem jeder nach eigenem Sinn und eigener Meinung Schlüsse ziehen und diese nach eigenem Gutdünken auswerten kann«. Das ist klug, aber weder eine männliche noch eine weibliche Kategorie.

Auch ein Hinweis auf den Schöpfergott, dessen Schönheit und Ordnung sich in den Blumen und kleinen Tieren spiegelt, sucht man in diesem Vorwort vergebens. Ein revolutionärer Umbruch in der Lebens- und Glaubenseinstellung der Autorin lässt sich daraus jedoch nicht ableiten. Schon in ihrem »Raupenbuch« trennt Maria Sibylla Merian den nüchternen Forschungstext von ihren wenigen religiösen Andeutungen. Religiöse Allegorien, die von ihrem berühmten niederländischen Kollegen Jan Swammerdam zahlreich verwendet werden, haben bei ihr keinen Platz.

Ihre fünf Jahre in der Labadisten-Gemeinschaft von Wieuwerd, wo die gelehrte Anna Maria van Schurman eine herausragende Autorität war, haben die unabhängige Forschungsarbeit der Merian und ihr Selbstwertgefühl als Frau nur gesteigert. Am Beginn des neuen Jahrhunderts kann die Achtundfünfzigjährige auf die traditionellen Formeln der alten Zeit endgültig verzichten. Ihr Verhältnis zu ihrem Gott ist ihre eigene, private Angelegenheit.

Gibt es Unterschiede zwischen einer männlichen und einer weiblichen Forschung? Maria Sibylla Merian hätte diese Frage nicht verstanden. Sie zum Symbol einer solchen Unterscheidung zu machen und ihre Texte im Surinam-Buch in diese Richtung zu interpretieren, muss mit mehr als einem Fragezeichen versehen werden. Es ist spannend genug, ihre lebenspraktischen Ansätze, die sie mit ihrer Erforschung der tropischen Insekten und Flora verbindet, als Ausdruck einer eigenständigen Persönlichkeit zu sehen, die weder in Amsterdam noch in Surinam als Frau in ihrer gelehrten Arbeit behindert wurde.

Maria Sibylla Merian ist nicht nur auf den Schmetterling unter ihrem Vergrößerungsglas fokussiert, sondern hatte seit dem Beginn ihrer Raupensuche als junges Mädchen den umgebenden Gesamtkosmos in Frankfurts Gärten und Stadtgräben mit im Blick. Die tropische Natur Surinams hat sie besonders herausgefordert, den Beziehungen, die zwischen dem Einzelnen und dem Ganzen bestehen, auf die Spur zu kommen. Ihre Neugier führte sie weiter zu der Frage, wie der Mensch sich zu beidem verhält. Einen solchen Ansatz kann man mit einem Begriff des 20. Jahrhundert ökologisch nennen. Aber bei aller Modernität, die Maria Sibylla Merian auszeichnet, dürfen die Fremdheit und die geistigen Differenzen, die unsere Zeit dreihundert Jahre später vom Barock und früher Aufklärung trennen, nicht verloren gehen.

Indianer und Sklaven, die der deutschen Frau aus Amsterdam bei der Forschung im Urwald die Wege ebneten, haben schnell gemerkt, dass sie so viel wie möglich erfahren wollte. Immer wieder berichtet Maria Sibylla Merian in ihrem Surinam-Buch von der heilenden Kraft der Pflanzen. Die grünen Blätter des Baumwollbaums »legen die Indianer auf frische Wunden, um zu kühlen und zu heilen«, X. Abbildung. Die Samen der wild wachsenden Pflanze von Abbildung XXXVIII »werden als Abführmittel und zu Klistieren verwendet. Man kocht sie auch und gibt das Wasser denen, die den Beljak (eine gewisse hier vorkommende Krankheit) haben, zu trinken.«

Auch im aufgeklärten 18. Jahrhundert blieben Indianer für gelehrte Zeitgenossen noch lange die »Wilden«. Maria Sibylla Merian hat sie in keinem ihrer Texte mit dieser abschätzigen Kennzeichnung belegt. Sie beobachtet indianische Gebräuche und gibt sie wertfrei im Zusammenhang ihrer Forschung wieder. In der XLII. Abbildung geht es um die braunen Samen der Muscusblüte: »Die Mädchen reihen sich diese auf Seidenfäden und binden sie um die Arme, um sich damit zu schmücken.«

Mehrfach erzählt Maria Sibylla Merian, wie die Indianer Farbe aus Samen und Blüten herstellen und sich damit bemalen. »Sie machen damit allerlei Figuren auf ihre nackte Haut, was ihr Schmuck ist«, heißt es in Abbildung XLIV über die Samen vom Rocu-Baum, die im Wasser aufgeweicht werden. Neben Abbildung XLVIII schildert sie, wie die Indianer aus den Samen der Tabrouba-Frucht Saft pressen, den sie in die Sonne stellen, bis er schwarz wird: »Sie bemalen damit ihren nackten Körper mit allerlei Figuren. Diese Verzierung bleibt ihnen neun Tage erhalten. Vorher kann sie mit keiner Seife abgewaschen werden.« Der scharfen Beobachterin fallen auch bedenkliche Entwicklungen auf, die mit den weißen europäischen Plantagenbesitzern zusammenhängen.

Vor allem die Monokultur des Zuckerrohranbaus bedauert Maria Sibylla Merian. Die XIII. Abbildung »zeigt einen Zweig des amerikanischen Pflaumenbaums. ... Die Früchte hängen traubenweise beieinander. Er ist aber wild und ungepfropft, da die Europäer in dieser Gegend nichts als Zuckerrohr anbauen.« Im Zusammenhang mit der XXXVI. Abbildung beklagt sie, dass Name und Eigenschaften dieser Pflanze in Surinam unbekannt sind: »Die Menschen haben dort auch keine Lust, so etwas zu untersuchen, ja sie verspotten mich, daß ich etwas anderes in dem Land suche als Zucker.«

Besonders widersinnig erscheint es der Besucherin, dass aus

Holland Wein nach Surinam transportiert wird, denn blaue, weiße und grüße Trauben wachsen üppig in den Tropen. Man brauche nur die Ranken abzuschneiden und in die Erde stecken, »so hat man das ganze Jahr über Weintrauben«. Von diesen Weintrauben könnten sogar die Niederlande profitieren. Bedauernd resümiert Maria Sibylla Merian, dass »man keine Menschen findet, die Lust haben, sie zu kultivieren«. Sie spricht es nicht aus, aber in ihren Schilderungen sind die weißen Kolonialherren die unkultivierten Wilden.

Eine Forscherin kann sich ihre Objekte nicht nach Schönheit oder Wohlgefallen aussuchen. Ob die Raupen dick oder dünn sind, die Schmetterlinge schön oder hässlich: Maria Sibylla Merian nimmt sie auch in Surinam ohne Vorauswahl unter ihr Vergrößerungsglas und stellt fest, dass aus den hässlichsten Raupen, wie in Europa, oft die schönsten Falter schlüpfen.

Wer aus Wissbegierde in Nürnberg die Maden von Lerchen untersucht, in Frankfurt Schlangen seziert und in Wieuwerd Frösche aufgeschlitzt hat, schreckt auch im tropischen Urwald nicht zurück, wenn er Zeuge von grausamen Szenen wird. Doch zuerst kommt eine neutrale Einführung: »Auf diesem 18. Blatt stelle ich Spinnen, Ameisen und Kolibris auf einem Guajavazweig vor, weil ich die größten Spinnen an den Guajavabäumen gefunden haben.« Die Forscherin ist fasziniert von den Lebenszusammenhängen zwischen den drei unterschiedlichen Tierarten und hat diesem Bild den längsten Text in ihrem Buch gewidmet.

Maria Sibylla beschreibt die Szene sorgfältig, ohne Emotionen, und rückt falsche Beobachtungen über die großen schwarzen Spinnen zurecht: »Sie spinnen keine langen Fäden, wie uns einige Reisende glauben machen wollen. Sie sind rundum voller Haare und haben scharfe Zähne, mit denen sie gefährlich beißen können … Ihr gewöhnliches Futter sind Ameisen … Sie

METAMORPHOSIS

INSECTORUM SURINAMENSIUM.

OFTE

VERANDERING

DER

SURINAAMSCHE

INSECTEN.

Waar in de Surinaamſche Rupſen en Wormen met alle des zelfs Ver-
anderingen na het leven afgebeeld en beſchreeven worden, zynde elk geplaaſt
op die Gewaſſen, Bloemen en Vruchten, daar ſy op gevonden zyn; waar
in ook de generatie der Kikvorſchen, wonderbaare Padden, Ha-
gediſſen, Slangen, Spinnen en Mieren werden vertoond en
beſchreeven, alles in America na het leven en levens-
groote geſchildert en beſchreeven.

DOOR

MARIA SIBYLLA MERIAN.

Tot *AMSTERDAM*,

Voor den Auteur, woonende in de Kerk-ſtraat, tuſſen de Leydſe en Spiegel-ſtraat,
over de Vergulde Arent, alwaar de zelve ook gedrukt en afgezet te bekoomen zyn; Als ook
by GERARD VALCK, op den Dam in de waakende Hond.

---

31. Im Frühjahr 1705 erscheint in Amsterdam ein Band mit 60
Zeichnungen und ausführlichem Text über die *Methamorphosis insectorum Surinamensium* auf Latein und Niederländisch. Er macht
Maria Sibylla Merian in Europas Gelehrtenwelt und bei den Liebhabern
von Kunst und Naturwissenschaften endgültig berühmt.

holen in Ermangelung von Ameisen auch die kleinen Vögel aus den Nestern und saugen ihnen alles Blut aus dem Körper.« Die Forscherin muss alles intensiv aus großer Nähe beobachtet haben.

Was sie durch eigene Beobachtung in der Natur nicht erschließen konnte, versuchte Maria Sibylla Merian von Menschen zu erfahren, die näher mit den kulturellen Hintergründen vertraut waren. Für die Naturforscherin gab es keine Trennung zwischen Natur und Kultur, und in dem fremden Land war sie neugierig auf die Querverbindungen zwischen beiden Bereichen. Schon wenige Monate nach ihrer Ankunft in Paramaribo hatte Maria Sibylla im Januar 1700 die neun Fuß hohe Flos Pavonis und auf deren Blättern hellgrüne Raupen entdeckt. Die Verpuppung der Raupen in den häuslichen Spanschachteln dauerte bis zum 16. Februar, dann »schlüpften graue Motten oder Tagfalter heraus, die mit ihren Rüsseln den Honig aus den Blüten saugten, wie oben einer fliegend gezeigt wird«. Schmetterlinge im Anflug zu zeichnen, in voller Schönheit ruhig schwebend, lebendig trotz totem Papier, war eine besondere künstlerische Qualität der Merian.

Bevor die Forscherin in ihrem Begleittext zur Flos Pavonis über die Verwandlungen der Raupen informiert, geht dem naturwissenschaftlichen Teil ein Bericht voraus, in dem der Mensch – genauer: die Frau – der entscheidende Faktor ist: »Ihr Samen wird gebraucht für Frauen, die Geburtswehen haben und die weiterarbeiten sollen. Die Indianer, die nicht gut behandelt werden, wenn sie bei den Holländern im Dienst stehen, treiben damit ihre Kinder ab, damit ihre Kinder keine Sklaven werden, wie sie es sind.« Das sind klare Aussagen, die die niederländischen Kolonialherren nicht gut aussehen lassen, und sie sind keineswegs den spontanen Gefühlen der Autorin entsprungen. Maria Sibylla Merian entschied mit zeitlichem Abstand in ihrer Amsterdamer Stube kühl über die endgültige Textfassung – mit einer vertrauten Informantin an ihrer Seite.

Die »Indianin«, die im Juni 1701 zusammen mit Maria Sibylla und ihrer Tochter Dorothea Maria auf der Passagierliste des Schiffes von Paramaribo nach Amsterdam – via Texel – steht, taucht im Surinam-Buch nicht auf. Warum sollte sie, wenn selbst für Tochter Dorothea Maria, die wichtige ständige Helferin in den Tropen und in Amsterdam, kein Platz ist? Aber alles spricht dafür, dass Maria Sibylla Merian die Einheimische mitgenommen hat, um beim sorgfältigen Aufarbeiten der Notizen für den Buchtext eine kompetente Frau an ihrer Seite zu haben, gerade weil die Forscherin großen Wert darauf legte, über den Tellerrand der Naturforschung hinauszusehen. Die Indianerin war ein freier Mensch in Amsterdam. Vielleicht ist sie geblieben, vielleicht ist sie eines Tages wieder zurück in die Heimat gefahren.

Im Text belässt es Maria Sibylla Merian nicht bei den Indianerinnen. Sie fährt fort mit dem Hinweis, dass die »schwarzen Sklavinnen aus Guinea und Angola sehr zuvorkommend behandelt werden müssen, denn sonst wollen sie keine Kinder haben in ihrer Lage als Sklavinnen«. Sie würden auch keine bekommen, »ja, sie bringen sich zuweilen um wegen der üblichen harten Bedingungen«. Erleichtert werde diese Entscheidung von der Überzeugung, »daß sie in ihrem Land als Freie wiedergeboren werden, so wie sie mich aus eigenem Mund unterrichtet haben«. Die Autorin legt Wert darauf, ihre Informationen von denen bekommen zu haben, die direkt davon betroffen sind.

Die ausführliche Erklärung, die den Kurztitel *Metamorphosis Insectorum Surinamensium* noch vor dem Wort »An den Leser« folgt, soll neugierig machen. Sie verrät, dass nicht nur die surinamesischen Raupen »in allen ihre Verwandlungen nach dem

Leben abgebildet sind und beschrieben werden«, nebst den »Gewächsen, Blumen und Früchten, auf denen sie gefunden wurden«. Den Gelehrten und Liebhabern werden auch »Frösche, wundersame Kröten, Eidechsen, Schlangen, Spinnen und Ameisen gezeigt«. Die Verlegerin und Geschäftsfrau kennt sich aus mit geschickter Werbung.

Im Titel ihres zweiten Buches über *Der Raupen wunderbare Verwandelung*, das 1683 in Frankfurt am Main erschien, zeichnet die Autorin als »Maria Sibylla Gräffin / Matthäi Merians / des Eltern / Seel. Tochter«. 1705 ist sie mit ihrem Surinam-Meisterwerk ganz bei sich selbst. Seit dem Lebensumbruch von Wieuwerd trägt sie ohnehin ihren prominenten Familiennamen. Und so ist in diesem Prachtband, erschienen »zu Amsterdam«, alles »gemalt und geschrieben von Maria Sibylla Merian«. Punkt.

Es folgt der Hinweis, dass »der Autor in der Kerkstraat zwischen der Leidsestraat und der Spiegelstraat über dem Goldenen Adler wohnt, wo dieses Werk auch gedruckt wird und erhältlich ist, so wie bei Gerard Valk auf dem Dam im Wachsamen Hund«. Es scheint, dass Maria Sibylla Merian umgezogen ist, zurück in die Kerkstraat. Wenn sich dort Käufer für ihr Buch einfinden, wird sie geschäftstüchtig ihre Sammlung an exotischen Präparaten und seltsamen Dingen empfehlen und vielleicht noch ein paar Gulden mehr verdienen.

Ob die Unkosten für die teure Surinam-Reise durch das Buch wieder hereinkamen, schreibt die Autorin nirgendwo. Auch über die Höhe der lateinischen und niederländischen Auflage des Insektenbuches findet sich in den erhaltenen Briefen kein Hinweis. Die Anzahl der Subskribenten war enttäuschend niedrig gewesen. Aber Maria Sibylla Merian war keine, die jammernd zurückschaute. Sie wird die Gegenwart nach Erscheinen des prächtigen Werkes genossen haben. Nicht nur, weil sie wusste, was für einen Kraftakt sie in kurzer Zeit bewältigt hatte. Ein vielfaches Echo an höchster Bewunderung und Anerkennung für das einmalige Werk kam von Gelehrten und Liebhabern in die Kerkstraat zurück. Zu denen, die begeistert in dieses Lob einstimmten, gehörte der Londoner Apotheker und Botaniker James Petiver, der selber ein Prachtexemplar erstand und als Agent von Henry Sloane, dem Präsidenten der Royal Society, ein weiteres koloriertes vermittelte.

Mehr denn je bemühte sich Petiver, den Kontakt zur berühmten Kollegin in Amsterdam aufrechtzuerhalten. 1706 schrieb er Madame Merian, dass ihr Buch unter den herausragenden Persönlichkeiten in England zahlreiche begeisterte Leser gefunden habe. Der Bischof von London, der Erzbischof von Canterbury und anerkannte naturwissenschaftliche Sammler würden ihr Buch in den höchsten Tönen loben. Das war keine unehrliche Schmeichelei. In einem Brief an einen befreundeten Botaniker in Danzig, mit dem James Petiver wissenschaftlichen Austausch von Büchern und Informationen pflegte, weist er im Frühjahr 1706 auf die hervorragende Publikation von »Mad. Merian« über die Insekten von Surinam hin. Es gebe nichts Vergleichbares.

Um diese Zeit saß Maria Sibylla Merian schon konzentriert an ihrem nächsten Projekt, nichts Neues, sondern eine alte Idee, die schon vor der Reise in die Tropen in den 1690er Jahren Gestalt angenommen hatte. Damals fehlte der letzte entscheidende Schwung, die Vorbereitungen für die Südamerika-Reise hatten Vorrang. Aber sich nach 1705 auf den Surinam-Lorbeeren auszuruhen, war undenkbar. Schon nach der Rückkehr aus Südamerika, als das Buchprojekt ihre Zeit und Energie einnahm, hat Maria Sibylla Merian an dem festgehalten, was für sie zum Lebenselixier wurde, seit sie dreizehn Jahre alt war.

Deshalb machte sich die Forscherin nach dem Erscheinen des Buches in Amsterdam und Umgebung selbstverständlich weiter auf die Suche nach Raupen und anderem kleinen Getier. Sie hatte einen Behälter dabei, vielleicht auch ein Vergrößerungsglas, nahm die Raupen zur Beobachtung mit in die Kerkstraat und wartete geduldig auf die Verwandlung in eine Motte oder einen Schmetterling. Es war ein Lebensritual, das nicht veraltete. Die Variationen der Natur waren unendlich; darum hörte die Faszination der Maria Sibylla Merian für die »Verwandlungen« niemals auf.

Den internationalen Erfolg des Surinam-Buches im Rücken, war sie entschlossen, die Begeisterung für die tropischen Insekten zu nutzen, um ihre alte Herzensangelegenheit endlich in die Öffentlichkeit zu bringen. Im letzten Absatz ihres Vorworts zur *Verwandlung der surinamesischen Insekten* hat die Forscherin ungeniert dafür geworben: »Sofern mir Gott Gesundheit und Leben gibt, habe ich die Absicht, meine Beobachtungen, die ich in Deutschland gemacht habe, um die aus Friesland und Holland zu erweitern und sie in Latein und Niederländisch herauszugeben.« Endlich würde es ein drittes »Raupenbuch« geben, in dem nicht nur die deutschen, sondern die europäischen Forschungen der Maria Sibylla Merian versammelt waren. Sie sollten gleichwertig neben den südamerikanischen stehen.

16. 1706-1717: Zurück zu Europas Raupen.
Die letzten zwei Lebensjahre im Rollstuhl

Vielleicht war der Ausblick auf ein weiteres »Raupenbuch« für die Leser ihres Surinam-Buches gedacht, die Maria Sibylla Merian nicht kannten. Sie sollten wissen: Ihre Forschungsarbeit in Südamerika war für die Achtundfünfzigjährige kein Anlass, in Zukunft die Kärrnerarbeit naturwissenschaftlicher Forschung in Europa links liegen zu lassen. Die Bilder atemberaubender Schönheit tropischer Falter inmitten überquellender Blüten, im Schatten hoher Kokospalmen und gelb-leuchtender Zitronenpflanzen werden sich der Künstlerin unauslöschlich eingeprägt haben. Doch Maria Sibylla Merian wusste, dass die Grundlagen ihres wissenschaftlichen Erfolges Europas Raupen und Verwandlungen waren.

Das überschwängliche Lob der internationalen Gelehrtenwelt über ihre Surinam-Arbeit war verdient, aber es brachte sie nicht aus dem gewohnten Lebensrythmus: sich ein ehrgeiziges Ziel zu setzen und ohne Hast, doch entschlossen an seiner Verwirklichung zu arbeiten. Ihre Begeisterung für die Insekten, die kleinen »blutlosen« Tiere, blieb grenzenlos. Die Raupen, die sie weiterhin vor den Toren von Amsterdam entdeckte, genossen die gleiche Sorgfalt und wissenschaftliche Hingabe wie ihre Artgenossen in den Urwäldern um Paramaribo.

Wie angekündigt galt Maria Sibyllas Kräfteeinsatz ab 1706 vor allem den Abschlussarbeiten am dritten »Raupenbuch«. Allerdings herrschte jede Menge Trubel im Haus in der Kerkstraat. Es kamen Anfragen zum Kauf des Insektenbuches und nach Präparaten aus ihrer Sammlung. Einen gewichtigen Teil der Korrespondenz wird Dorothea Maria erledigt haben, sicher auch das Verpacken der großen Formate, wenn ein Käufer eine verbindliche Zusage gemacht hatte. Besucher klopften an, die die berühmte Frau und ihre Schätze sehen wollten. Maria Sibylla ließ sich stören, denn sie wusste, das gehörte zum Geschäft. Es war wichtig, Käufer durch vielfältige Angebote an die Autorin zu binden.

Hin und wieder hat sie das Haus in der Kerkstraat verlassen, um in den »Raritätenkammern« ihrer Amsterdamer Freunde neue Ankäufe zu begutachten und auf ein Stündchen Informationen aus der Welt der Naturwissenschaften auszutauschen. Auch der gar nicht weit entfernte Hortus Botanicus lockte mit neuen Pflanzen, Blumen und Bäumen. Merians Freund, Direktor Caspar Commelin, hatte beste Verbindungen zu den niederländischen Handelsschiffen, die ihm von den Routen nach Südamerika und Südostasien exotische Fracht besorgten. 1706 wurde im Botanischen Garten eine Kaffeepflanze aus Batavia, dem heutigen Jakarta, gepflanzt, die erste in Europa. Sie schlug gut an. Bald wurde in der Grachtenstadt ein Coffeeshop nach dem anderen eröffnet, wo die Amsterdamer mit Vergnügen das braune Getränk schlürften.

Wenn keine Besuche außer Haus oder geschäftliche Besprechungen geplant waren, saß Maria Sibylla über den Zusammenstellungen von Texten und Zeichnungen zum dritten »Raupenbuch«. Obwohl sie es in ihrem ersten Amsterdamer Jahrzehnt, noch vor der Surinam-Reise, schon fast zu einem Abschluss gebracht hatte, vergingen nach 1705 ein, zwei, drei Jahre, ohne dass das angekündigte Buch erschien. Die Notizen im »Studienbuch« zeugen von ihrer Raupensuche und Raupenpflege in diesen Jahren. Ab und zu gibt es eine der seltenen zeitlichen Datierungen. Am »10 July 1705« hat sich eine Raupe »zum tattel verändert«; den »21 Juny 1706 habe ich wieder dergeleigen raupen gefunden«. War sie nicht zufrieden mit ihrer bisherigen Raupen-Auswahl? Gab es andere Gründe?

Das Alter in Verbindung mit den Strapazen und dem ungesunden Tropenklima der zwei Jahre in Surinam, das sie krank machte und zu vorzeitiger Abreise zwang, wird nicht spurlos an Maria Sibylla Merian vorbeigegangen sein. Im Frühjahr 1707 wurde sie sechzig Jahre alt. Bei aller Routine brauchte sie ihre Zeit. Das schnelle Tempo, mit dem sie als junge Frau – die zwei Töchter und den Haushalt zu versorgen hatte – innerhalb von vier Jahren die beiden »Raupenbücher« herausgebracht hatte, gehörte der Vergangenheit an.

Wie sie das Alter erlebte und die Anpassung an nachlassende Kräfte, darüber gibt sie in den ohnehin raren Briefen nichts preis. Vielleicht galt für Maria Sibylla Merian auch in diesem Zusammenhang die Lebensweisheit, mit der sie sich Ende Juli 1704 in einem Brief an Johann Georg Volkammer in Nürnberg tröstete, als sich nur wenige »Einschreiber« für das prächtige Insektenbuch fanden: »… aber patiencya ist ein gut kreutlein, …« Das erste Jahrzehnt des neuen 18. Jahrhunderts ging ohne ein neues Werk aus dem Hause Merian zu Ende. Die neugierigen Gelehrten und Liebhaber mussten sich gedulden.

Mitte Februar 1711 war in Amsterdam die Außenamstel zugefroren. Ein Besucher aus Deutschland nahm sich die Zeit, die Menschen zu beobachten, »die in unzehlicher Menge auf dem Eis spatzieren gehen, auf Schrittschuhen lauffen, und mit Schlitten fahren. Die Vornehmen fahren mit sogenannten Narrenschlitten, nemlich mit Schellen, die gemeinen Leute aber haben grosse Schlitten, darinnen wohl zwölf Personen … fahren können. … Das curiöseste, so wir bemerkten, war, daß so gar die Juden mit Schrittschuhen lauffen, da man sonst sagt, daß sie nicht gerne auf das Wasser und Eis giengen, weil es keinen Boden habe.« Der kluge Beobachter war Zacharias Conrad von Uffenbach, achtundzwanzig Jahre alt, gebürtiger Frankfurter aus wohlhabendem Hause. Der studierte Jurist konnte sich ei-

32. Das Merian-Porträt des Malers Georg Gsell, nach dem dieser Kupferstich entstand, ist das einzig authentische. Gsell zog 1715 in ihr Amsterdamer Haus, wo die verwitwete Dorothea Maria ihre Mutter nach einem Schlaganfall 1714 pflegte. Das Bild zeigt eine gelassen-selbstbewusste Frau, umgeben von den Insignien ihrer künstlerischen und naturwissenschaftlichen Karriere.

ne Bildungsreise über mehrere Jahre erlauben, um seine private Bibliothek, die am Ende rund vierzigtausend Bände zählte, mit kostbaren Büchern aufzustocken. Und er nutzte die Gelegenheit, berühmte Zeitgenossen persönlich kennenzulernen.

Was der junge wissbegierige Mann erlebte, hat er in einem Buch über die *Merkwürdigen Reisen durch Niedersachsen Holland und Engelland* festgehalten. Am 23. Februar 1711 war es in Amsterdam so kalt geworden, dass Uffenbach niemandem zumuten wollte, »uns ein Cabinet, Bibliotheck, oder sonst etwas zu zeigen«. Zumal er hinzufügt, »... da man allhier keine warme Stuben hat«. Aber dann hat er eine Idee und mietet mit seinem Bruder einen Schlitten: »Wir fuhren also zu der Frau Merian. Sie ist eine gebohrene Frankfurterin, und des berühmten Matthaei Merians Tochter.«

Nach der sachlichen Information folgt ein wenig Klatsch und Tratsch. Sie sei an einen Nürnberger Maler verheiratet worden, »da ist es ihr aber übel und kümmerlich gegangen«. Der Jurist hat offenbar keine Recherchen angestellt, denn kunterbunt geht es mit Falschmeldungen weiter. Dass die Merian nach dem Tod ihres Mannes von Nürnberg nach Holland gegangen sei und von dort nebst Schwiegersohn und Enkel nach Surinam, wo sie die »die schönen Papillons, Pflanzen und andere Geschöpfe« nach dem Leben abmalte.

Maria Sibylla Merian merkte schnell, dass der unangemeldete Besucher nicht nur Interesse an ihren Werken, sondern auch eine prall gefüllte Reisekasse hatte. Uffenbach zählt auf, was sie ihm alles zeigt, darunter die beiden »Raupenbücher«, »zu diesen hat diese fleissige Frau die Platten alle selbst gestochen«, und natürlich ihre »Surinamesische Insecten, so sie selbst gar sauber nach dem Leben illuminirt«. Der Bücherliebhaber zögerte nicht: »Ich kauffte diese ihre Werke von ihr ... Sie mußte mir ihren Namen mit eigener Hand hineinschreiben.«

Glücklicherweise hat Zacharias Conrad von Uffenbach nicht nur Augen für die Bücher gehabt, sondern auch für die Frau, die ihm großzügig ihre Schätze zeigte. Er ist von ihrer Vitalität beeindruckt, obwohl er die Merian sogar noch ein Jahr jünger macht, als sie ist: »Sie ist bey zwey und sechzig Jahr alt, aber noch gar munter, und eine sehr höfliche manierliche Frau, sehr künstlich in Wasserfarben zu mahlen, und gar fleissig.« Dank Uffenbachs Bücherbegeisterung und seiner Reisenotizen haben wir für das Jahr 1711 einen Zeugen, der Maria Sibylla ein wenig aus dem Schatten indirekter Beschreibungen holt. Wir sehen eine freundliche, zugewandte Frau, die bei guten geistigen und physischen Kräften ist.

Der positive Eindruck bestätigt sich, liest man einen Brief, den Maria Sibylla Merian am 2. Oktober 1711 an einen gewissen »Monsieur Christian Schlegell« in Rastadt geschrieben hat. Sie bedankt sich für seinen Brief vom 19. September, aus dem sie schließt, »daß begehret wird ein Exemplar von meinen Indianischen Insecten«. Es folgt ein präziser Geschäftsbrief über die unterschiedlichen Ausgaben dieses Werkes und ihrer zwei »Raupenbücher« – schwarz-weiß, koloriert, gemalt; für jedes werden die unterschiedlichen Preise angegeben, einmal als Zahl und dann in Worten wiederholt, damit es keine Missverständnisse gibt. Die Künstlerin hat es nicht nötig, ihre Werke über die nötigen Fakten hinaus anzupreisen. Sie erwartet »eine günstige Antwort« und wird in diesem Fall »gegen richtige Bezahlung« die Bücher an die angegebene Adresse schicken. Der Brief, in gleichmäßiger Handschrift verfasst, ist in einer Pariser Sammlung entdeckt worden. Allerdings gibt es keinerlei Hinweise, um wen es sich handelt und warum die Schreiberin ihn als »Maria Sibylla von Merian« unterschrieben hat.

Dass die Geschäftsfrau Merian in diesem Brief vom Oktober 1711 die Gelegenheit auslässt, für ihr drittes »Raupenbuch« zu werben, lässt vermuten, dass es auf absehbare Zeit nicht erscheinen wird. Maria Sibylla Merian hatte beschlossen, ein anderes Projekt vorzuziehen. Immer wieder hörte sie von Gelehrten mit großem Bedauern, dass sie die beiden ersten »Raupenbücher« nicht kennen würden – weil sie nicht Deutsch sprachen. Damit sollte Schluss sein.

Die beiden »Raupenbücher« wieder aufzulegen war kein Problem, denn Maria Sibylla hatte all die Jahre seit der ersten Ausgabe von 1679 die Kupferplatten, die sie selbst geätzt hatte, gehütet. Die Übersetzung ins Niederländische machte sie selber; so sattelfest war sie inzwischen in der Sprache, und im Zweifelsfall konnte sie Dorothea Maria fragen. Mit ihr und dem Schwiegersohn, inzwischen »Oberchirurgus«, teilte sie weiterhin das Haus in der Kerkstraat.

Den ursprünglichen Text der »Raupenbücher« hat die Autorin leicht gestrafft. Sie strich allzu poetische Formulierungen und fügte Beobachtungen aus den letzten Jahren hinzu. Dann konnte sie endlich seit 1705 wieder etwas Gedrucktes vorlegen. *Der Rupsen Begin, Voedzel, en Wonderbaare Verandering*, Teil eins und Teil zwei, erschienen in Amsterdam, aber ohne Jahresangabe. 1713 und 1714 werden als Erscheinungsjahre angenommen. Aus dem Autorennamen »Maria Sibylla Gräffin, geb. Merianin« war auf dem niederländischen Titelkupfer problemlos der Name »Maria Sibylla Merian« korrigiert worden.

Zwischen der beruflichen Arbeit mussten persönliche Dinge erledigt werden. Den Tod in alle Planungen einzubeziehen war üblich in jenen fernen Zeiten, als die Menschen jederzeit ohne Vorwarnung und wesentlich früher mit ihm rechneten. Am 3. Oktober 1711 änderte Maria Sibylla Merian ihr Testament, das sie im April 1699 im Hinblick auf ihre gefährliche Surinam-Reise aufgesetzt hatte. Wieder hat es der Notar Samuel Wijmer beglaubigt, einer der Testamentsvollstrecker war ihr Freund

Pieter Sluyter, der für das Surinam-Buch die meisten und besten Kupfertafeln geätzt hatte. Unverändert wurden ihre beiden Töchter zu Universalerbinnen eingesetzt. Aber einen Unterschied gab es: Nach dem neuen Testament sollte alles, was sich beim Tod der Mutter im Haushalt befand – Kleider, Wäsche, Geschirr –, an die Tochter gehen, die zu diesem Zeitpunkt mit ihr lebte. Da die ältere Tochter Johanna Helena mit ihrem Mann Jacob Hendrik Herolt 1711 nach Surinam übersiedelte, während Dorothea Maria weiter mit ihrem Mann im Haus der Mutter lebte, ist diese praktische Änderung nachvollziehbar.

Der Schwiegersohn Jacob Hendrik, Überseekaufmann, hatte Maria Sibylla schon in den Jahren zuvor exotische Tiere und Pflanzen besorgt, mit denen sie Handel treiben konnte. Mit Johanna Helenas Übersiedlung verfügte die Geschäftsfrau Merian über eine permanente professionelle Zweigstelle in Paramaribo. Im Sommer 1712 schickt die Tochter zwei Schachteln mit dreißig surinamesischen Insekten nach Amsterdam. Ende August 1712 geht ein Brief von Amsterdam nach London. Maria Sibylla Merian weiß, dass der Appetit von James Petiver, nun schon ein guter alter Bekannter, auf naturwissenschaftliche Präparate aller Art unersättlich ist.

Dem begeisterten Unterstützer ihrer Forschungsarbeit und ihrer Bücher bietet sie ein Potpourri erlesener Sammlerstücke in spiritusgefüllten Gläsern an: kleine Haie, große und kleine Iguanas, fliegende Fische, Spinnen, dazu die Insekten ihrer Tochter aus Surinam. Und das alles für nur zwanzig Gulden. Augenzwinkernd bittet sie den Londoner Apotheker um eine Antwort, bevor die günstige Sendung »später andere Liebhaber sehen«. James Petiver reagiert umgehend auf das Angebot und signalisiert der tüchtigen Geschäftsfrau sein Kaufinteresse.

Doch dann geschieht – gar nichts. Statt wie versprochen das Geschäft zu bestätigen und die Sendung sofort an die Themse zu schicken, ist Petivers Geschäftspartnerin in Amsterdam wie vom Erdboden verschluckt. Seine Anfragen werden nicht beantwortet; auch der Versuch, über Familie Ruysch, die mit den beiden gut bekannt ist, die Verbindung wiederherzustellen, bleibt erfolglos. Am Ende des Jahres gibt James Petiver auf. So wenig wie damals stellt sich im Rückblick eine Erklärung ein. Dieser weiße Fleck für die letzten vier Monate im Jahr 1712 bleibt. Dabei ist Maria Sibylla höchst lebendig. Sie legt letzte Hand an die niederländische Ausgabe ihrer »Raupenbücher«. Von einem dritten, neuen »Raupenbuch«, 1705 im Vorwort des Surinam-Buches in Latein und Niederländisch angekündigt, fehlt allerdings immer noch jede Spur.

Vom Januar 1714 hat sich ein Beleg erhalten, der indirekt Neuigkeiten über die Merian-Familie verrät. Johanna Helena Herolt schickt aus Paramaribo die Summe von 148 Gulden und 16 Pfennigen an ihre jüngere Schwester in Amsterdam. Nichts Besonderes, denn alles, was man in Surinam zum täglichen Leben, zum Haushalt, zur Gartenarbeit oder zum Hausbau braucht, wird aus den Niederlanden eingeführt. Da liegt es nahe, die Familie in Amsterdam um eine Sendung zu bitten. Das Besondere an dieser Überweisung: Die Schwester Dorothea Maria wird nicht mit ihrem Namen genannt, sondern als die »Witwe von Philip Hendriks« bezeichnet. Es ist die einzige schriftliche Quelle darüber, dass Dorothea Maria in diesen Jahren – spätestens zum Jahresende 1713 – Witwe geworden ist. Im Merian-Testament vom Oktober 1711 war sie noch als »Hausfrau von Philip Hendriks« erwähnt worden.

Der Schmerz um ihren verstorbenen Mann ist noch präsent, als Dorothea Maria mit einer anderen Katastrophe fertigwerden muss: Zum Jahresende 1714 oder spätestens zum Jahresbeginn 1715 erleidet Maria Sibylla Merian einen Schlaganfall und bleibt teilweise gelähmt. Sie kann nicht mehr gehen und ist auf einen Rollstuhl angewiesen. Mit aller Vorsicht darf angenommen werden, dass sie von nun an physisch behindert, aber ihr Geist lebendig geblieben ist.

In Amsterdam kamen Künstler aus ganz Europa zusammen; man kannte und man traf sich. Einer von ihnen war Georg Gsell, bekannt für seine Stillleben und als Kunstagent. Der Schweizer Maler aus St. Gallen war 1704 mit seiner ersten Frau, einer Frankfurterin, an die Amstel gekommen. Als sie wenige Jahre später starb, heiratete er zum zweiten Mal, wurde aber im Juni 1715 geschieden. Gsell kannte die Merians. Er wohnte im gleichen Viertel, in der Leidsedwarsstraat südlich der Prinsengracht. Manches Mal hatte er Mutter und Tochter in der Kerkstraat besucht. Nach der Scheidung zog er im Sommer 1715 mit seinen zwei Töchtern in das Haus zum Rosenzweig ein, wo die Witwe Dorothea, fünf Jahre jünger als er, ihre behinderte Mutter versorgte.

Georg Gsell hat bald nach dem Einzug ein Bild der Hausherrin gemalt, es ist das einzig authentische, das von Maria Sibylla überliefert ist. Da sitzt eine ältere Frau aufrecht hinter einer Balustrade und blickt ernst, mit dem Wissen eines langen Lebens, aus dem Bild hinaus. Ihr Gesicht ist nicht aufgehübscht, gerade deshalb spricht eine eigene, starke Persönlichkeit daraus. Auf der Balustrade liegen Blätter und Muscheln, die rechte Bildseite schließt eine blühende Pflanze ab, der sich von oben ein Schmetterling nähert.

Am linken unteren Rand weisen Zeichnungen mit Muschelreihen auf ihre Auftragsarbeit am »Amboinschen Raritätenkabinett« hin. In die linke obere Bildecke hat Gsell das Familienwappen der Familie Merian gemalt und darunter ein Frauensymbol für die Stadt Amsterdam. Der weite Faltenwurf eines Vorhangs im Hintergrund und das großzügig um den Oberkörper drapierte Tuch geben einen würdigen Rahmen für die Person: eine Frau, die sich mit ihrem Werk als Künstlerin und Naturforscherin einen Namen gemacht hat.

Mit dem Schlaganfall war Maria Sibylla Merian die Möglichkeit genommen, das zu tun, womit sie ihrer Persönlichkeit über die Zeiten hinweg eindrucksvolle Konturen verliehen hat: Ideen in Pläne umzusetzen und zielbewusst danach zu handeln. Aus dem Haus zum Rosenzweig sind nach dem Schlaganfall keine Dokumente oder Hinweise überliefert, wie Mutter und Tochter und der Mitbewohner Georg Gsell mit seinen zwei Töchtern den Alltag gestalteten. Immerhin trug der Schweizer Maler zur Miete bei, und Dorothea Maria wird sich weiter um Nachfragen nach Büchern der Merian, vielleicht auch um Bilder-Wünsche gekümmert haben.

Die Tochter konnte Briefe im Namen der Mutter schreiben und Bilder signieren. In den Arbeitszimmern gab es Mappen mit Hunderten von Zeichnungen, und sie wusste, Maria Sibylla freute sich über jeden Käufer. Für Maria Sibylla Merian in ihrem Rollstuhl war es vielleicht das Schmerzlichste, nie mehr wieder auf Raupensuche gehen zu können.

Ende 1716, Anfang 1717 erschien in Amsterdam ein alter Bekannter. Zar Peter der Große wollte noch einmal die Weltstadt an der Amstel sehen. Diesmal hatte er seine Frau und seinen schottischen Leibarzt Robert Erskine mitgebracht. Nach seinem ersten spektakulären Aufenthalt in den Niederlanden 1667 hatte Peter der Große sein russisches Reich in Richtung Moderne gezwungen und die Hauptstadt von Moskau ins westlich gelegene St. Petersburg verlegt. Gerade war ein Chefarchitekt ernannt, der die Visionen von einer Weltstadt an der Newa in steinerne Pracht umsetzen sollte. Im neuen Russland mussten Kunst und Wissenschaften eine führende Rolle spielen, diese holländische Lektion hatte der Zar nicht vergessen.

Es war Ende Dezember 1716 oder Anfang Januar 1717, als ein

33.   Ende 1716 unternimmt Zar Peter der Große seine zweite Reise nach Amsterdam. Er schickt einen Gesandten zu Maria Sibylla Merian. Die Schwerkranke kann ihn nicht empfangen. Er kauft von der jüngeren Tochter 294 Zeichnungen der Mutter für die Kunstsammlungen in St. Petersburg.

Fremder in das Haus zum Rosenzweig kam. Er stellte sich Dorothea Maria als ein Mitglied aus der Gesandtschaft des Zaren vor und äußerte den Wunsch, Maria Sibylla Merian zu sprechen. Diesen Wunsch musste die Tochter im Namen der Mutter abschlagen, leider, Maria Sibylla Merian ging es zu schlecht. Als Ersatz hat Dorothea Maria dem hohen Besuch – es war der Leibarzt Robert Erskine – Dutzende von Mappen mit Merian-Zeichnungen vorgelegt. Der Schotte kaufte für die Sammlung des russischen Herrschers zwei Mappen mit 294 Zeichnungen auf feinstem Pergament, Kaufpreis 3000 Gulden. Für sich erstand der Arzt ein weiteres Album und das »Studienbuch« der Forscherin, das nach seinem Tod in die Zaren-Sammlung überging und als *Leningrader Studienbuch* berühmt wurde. Was Erskine für seinen Schatz zahlte, ist nicht bekannt.

Am 13. Januar 1717 starb Maria Sibylla Merian, fast siebzig Jahre alt, im Haus zum Rosenzweig in der Kerkstraat. Am selben Tag gab Zar Peter der Große die Anweisung, die 3000 Gulden für den Ankauf der 294 Merian-Zeichnungen zu zahlen.

Am 17. Januar 1717 trugen vierzehn Sargträger das, was sterblich war an Maria Sibylla Merian, auf dem Amsterdamer Leidse Kerkhof zu Grabe. Vier Gulden hatte sie – oder Dorothea Maria – für »das eigene Grab« und die vierzehn Träger bezahlt. So steht es im Begräbnisbuch des Friedhofs unter dem Datum des 17. Januar 1717 für die tote »Maria Sibilla MerJan inde Kerkstraat«. Wer wird den Sarg an diesem durchwegs trockenen, windigen Tag begleitet haben? Dorothea Maria sicherlich und Georg Gsell, die beiden verband inzwischen mehr als ein neutrales Untermieterverhältnis. Johanna Helena und ihr Mann waren um diese Zeit noch in Surinam.

War das eine ärmliche Beerdigung, dem Lebenswerk und Ansehen von Maria Sibylla Merian unangemessen? Nein. Prunkvoll beerdigt zu werden kann Maria Sibyllas Wunsch nicht gewesen sein. Wer wie sie im reformierten Glauben erzogen wurde und sich als erwachsene Frau fünf Jahre lang für die radikale Kommune der Labadisten in Wieuwerd entschieden hatte, für den ist der Tod die große Befreiung, der Heimgang in Gottes ewige Seligkeit. Er wird nicht als religiöses Schauspiel zelebriert, sondern ist das Geheimnis, das den einzelnen Christen mit seinem Gott verbindet. Die Rituale der mächtigen Großkirchen haben dabei nichts verloren.

Das verbindet Maria Sibylla Merian mit Johannes Calvin, dem theologischen Gründer der reformierten Kirche; er verbat sich jede Kennzeichnung seines Grabes in Genf. Auch Anna Maria van Schurman, die als reformierte Christin getauft wurde, hat sich als Anhängerin von Jean de Labadie auf dem Friedhof von Wieuwerd bewusst anonym begraben lassen.

Eine solche religiöse Überzeugung jedoch schließt nicht aus, gemäß den Standards des bürgerlichen Milieus, in dem Maria Sibylla Merian als Künstlerin und Forscherin gelebt hat und dem sie sich mit ihren Töchtern zugehörig fühlte, in einem eigenen Grab mit einer repräsentativen Zahl uniformierter Sargträger beerdigt zu werden. Vier Gulden stehen für ein solides Begräbnis. Ein Gedenkstein allerdings musste nicht sein. Umso weniger, als Maria Sibylla Merian zu Lebzeiten dafür gesorgt hat, dass sie nicht vergessen wird.

Der Leidse Kerkhof, nach dem heutigen Stadtplan nur wenige Minuten westlich vom quirligen Leidseplein mit dem eleganten »American Hotel« am Ramplein gelegen, hatte von 1664 bis 1866 Bestand. Heute ist der Ramplein ein begehrter Parkplatz, und wo früher der Friedhof war, steht der imposante Backsteinbau der ehemaligen Königin-Emma-Handelsschule, heute als Business School genutzt. In der schmalen Ramstraat, wo der Friedhofseingang lag, werben Bierlokale und ein Zen Club um Gäste.

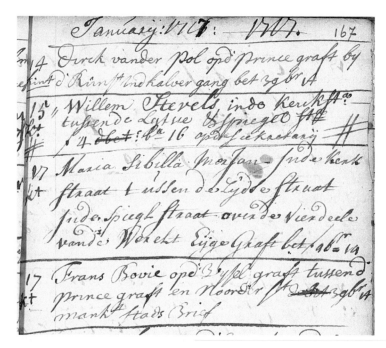

34. Maria Sibylla Merian starb am 13. Januar 1717. Das Begräbnisbuch vom Leidse Kerkhof in Amsterdam verzeichnet unter dem 17. Januar 1717 die Beerdigung von »Maria Sibilla MerJan«. Sie hatte vier Gulden für ein »eigenes Grab« und vierzehn Sargträger bezahlt. 1866 ist dieser Friedhof aufgelöst worden.

Was von Maria Sibylla Merian bleibt, ist das Bild einer Persönlichkeit, deren Leben trotz der selbst gewählten Umbrüche und inmitten des dramatischen Übergangs von mittelalterlichen Gewissheiten in eine moderne, ungewisse Zeit, gelassen und beständig verlief. Maria Sibylla Merian behauptet sich neben ihren eindrucksvollen Büchern als eine Frau, die verwirklichte, was sie früh als ihre außergewöhnlichen Fähigkeiten erkannte. Die mit konzentriertem Ernst und Ehrgeiz bei ihrer Sache war.

Das Geheimnis ihres erfüllten Lebens hat sie im Vorwort zu ihrem surinamesischen Insektenbuch offengelegt. Sie erklärt, warum sie die besten Kupferstecher und das beste Papier für dieses besondere Buch gewählt hat: »… damit ich sowohl den Kennern der Kunst als auch den Liebhabern der Insekten Vergnügen und Freude bereite, wie es auch mich freuen wird, wenn ich höre, dass ich meine Absicht erreicht und gleichzeitig Freude bereitet habe.«

Anfang März 1717 erschien »Der Rupsen Begin, Voedsel en Wonderbaare Verandering«, dritter und letzter Teil, »von Maria Sibilla Merian seelig, durch ihre jüngste Tochter Dorothea Maria Henricie« als Verlegerin herausgegeben. Die Leser erfahren von der Tochter, dass Gott ihre Mutter zu sich genommen und ihr nach einem rastlosen Leben eine Ruhestatt bereitet hat. Dorothea Maria scheut sich nicht, einen persönlichen Umstand zu erwähnen: Wäre die Mutter nicht die letzten beiden Jahre von Krankheit geplagt gewesen, hätte das dritte Raupenbuch schon zwei Jahre früher erscheinen können. Maria Sibylla Merian hatte alle Zeichnungen und alle Texte vorbereitet. Nur die Titelzeichnung – ein Blumenkranz mit einer Ameise – stammt von Dorothea Maria.

Im Oktober 1717 reist Georg Gsell, den Zar Peter zu seinem Kunstagenten ernannt hat, mit Dorothea Maria nach St. Petersburg. Auch

wenn sich keine Heiratsurkunde erhalten hat, müssen die beiden in-
zwischen ein legales Paar geworden sein. In der neuen Hauptstadt
Russlands macht das Ehepaar Karriere. Georg Gsell wird Hofmaler
und Direktor der neuen Gemäldegalerie. Seine Frau Dorothea Ma-
ria gibt an der 1725 gegründeten Akademie der Wissenschaften Zei-
chenunterricht und leitet die Naturwissenschaftliche Sammlung. Am
5. Mai 1743 ist Dorothea Maria, die jüngste Tochter von Maria Si-
bylla Merian, in St. Petersburg gestorben.

Die Spuren ihrer älteren Schwester Johanna Helena, die von der
Mutter das größte Talent im Zeichnen von Pflanzen und Blumen ge-
erbt hatte, verlieren sich in Surinam. Dort ist sie nach 1723 gestor-
ben.

Literaturhinweise

Quellen

Johannes Calvin: Unterricht in der christlichen Religion – Institutio christianae religionis, (Original Genf 1559), übersetzt und bearbeitet von O. Weber, Neukirchen-Vluyn 1997

Petrus Dittelbach: Verval en Val Der Labadisten, Alles in 3 Breven, Amsterdam 1692

Arnold Houbraken: De groote schouburgh der nederlandse konstschilders en schilderessen, hg. von P.T.A. Swillens, Maastricht 1943

Arnold Houbraken: Grosse Schouburgh der Niederländischen Maler und Malerinnen, hg. und übersetzt von A. Wurzbach, Wien 1990

Jean de Labadie: Hand-Büchlein der wahren Gottseligkeit, übersetzt von Gerhard Tersteegen 1727, Nachdruck Köln 2001

Maria Sibylla Merian: Leningrader Aquarelle, I Faksimile, II Kommentar, hg. von E. Ullmann, Leipzig 1974

Maria Sibylla Merian: Schmetterlinge, Käfer und andere Insekten. Leningrader Studienbuch, hg. von W.-D. Beer, Leipzig 1976

Maria Sibylla Merian: Neues Blumenbuch (Original Nürnberg 1675), Begleittext H. Deckert, Frankfurt/M. 2003

Maria Sibylla Merian: Neues Blumenbuch, Nachwort Th. Bürger, Neuauflage München 2001

Maria Sibylla Merian: Der Raupen wunderbare Verwandelung und sonderbare Blumennahrung, Nürnberg 1679; Klassiker der Wissenschaft Bd. III, 4. E-Book-Auflage 2014

Maria Sibylla Merian: Der Raupen wunderbare Verwandelung und sonderbare Blumennahrung, Anderer Theil, Frankfurt 1683; digitalisiert: http://archive.thulb.uni_jena.de/hisbest/rsc/viewer

Maria Sibylla Merian: Der Raupen wunderbare Verwandelung, hg. und Nachwort von A. Geus, Dortmund 1982

Maria Sibylla Merian: Flowers, Butterflies and Insects. All 154 Engravings from »Erucarum Ortus«, New York 1991

Maria Sibylla Merian: Das Insektenbuch, Methamorphosis Insectorum Surinamensium (Original Amsterdam 1705); Nachwort H. Deckert, aus dem Niederländischen von G. Worgt, Frankfurt/M. 1991

Matthäus Merian d. Jüngere: Selbstbiographie, hg. von R. Wackernagel, Basler Jahrbuch 1895, S. 227-244

Joachim von Sandrart: Teutsche Academie der Bau- Bild- und Mahlerey-Künste, 3 Theile, Nürnberg ... auch in Frankfurt bey Matthaeus Merian zu finden, Anno Christi 1675

Johann Jacob Schütz: Brief von J. A. Graff 1690, Abschrift eigener Briefe von 1688; Briefabschriften der Korrespondenz mit Maria Sibylla Merian 1679-1686; Eintrag in Verdienstjournal, Geschäftsaufzeichnungen, alle Originale im Archiv der Senckenbergischen Bibliothek in der Stadt- und Universitätsbibliothek Frankfurt/M., Signaturen Mp 326, 325, 330

Zacharias Conrad von Uffenbach: Merkwürdige Reisen durch Niedersachsen Holland und Engelland, Dritter Theil, mit Kupfern, Ulm 1754

Literatur zu Leben und Werk

B. Aafjes: In den beginne & Maria Sibylla Merian, Amsterdam 1977

E. J. Aiton: Leibniz. A Biography, Bristol 1985

A. Albus: Paradies und Paradox. Wunderwerke aus fünf Jahrhunderten, Frankfurt/M. 2003

A. de Beer: Graff, Dorothea Maria Henriette, in: Digitaal Vrouwenlexicon van Nederland. URL: http://resources.huygens.knaw.nl/vro uwenlexicon/lemmata/data/GraffDorothea

Dies.: Graff, Johanna Helena, in: Digitaal Vrouwenlexicon van Nederland. URL: http://resources.huygens.knaw.nl/vrouwenlexicon/le mmata/data/graff

W. Bingsohn u. a. (Hg.): Catalog zur Ausstellung ... zum 400. Geburtstag des hochberühmten Delineatoris (Zeichners), Incisoris (Stecher) et Editoris (Verlegers) Matthaeus des Aelteren, Frankfurt/M. 1993

N. Z. Davis: Metamorphosen. Das Leben der Maria Sibylla Merian, Berlin 2003

H. Engel: Maria Sibylla Merian, in: Natura – Maandblad van de Koninklijke Nederlandse Natuurhistorische Vereniging, 76e jaargang nr. 9, Oktober 1979

K. Etheridge: Maria Sibylla Merian: The First Ecologist?, in: Women and Science, 17th Century to Present: Pioneers, Activists and Protagonists, hg. von E. Spalding Andréolle, V. Molinaria, Newcastle upon Tyne 2011

B. Friedewald: Maria Sibylla Merians Reise zu den Schmetterlingen, München 2015

Uwe George: Das Atelier im Urwald. Auf den Spuren der naturforschenden Malerin Maria Sibylla Merian in Surinam, GEO Nr. 7/Juli 1990, S. 10-36

I. Guentherodt: »Dreyfache Verenderung« und »Wunderbare Verwandelung«. Zu Forschung und Sprache der Naturwissenschaftlerinnen Maria Cunitz (1610-1664) und Maria Sibylla Merian (1647-1717), in: Deutsche Literatur von Frauen, 1. Bd., hg. von G. Brinkler-Gabler, München 1988

H. Mulder: Some remarks on publication dates, betrifft Merian-Ausgaben 1703 bzw. 1705; Essays-Symposium 2014; http://www.thema riasibyllameriansociety.humanities.uva.nl

H. Kaiser: Maria Sibylla Merian. Eine Biographie, Düsseldorf 1997

D. Kühn: Frau Merian! Eine Lebensgeschichte, Frankfurt / M. 2002

K. Müller, G. Krönert: Leben und Werk von Gottfried Wilhelm Leibniz. Eine Chronik, Frankfurt / M. 1969

D. Nieden: Matthäus Merian der Jüngere (1621-1687), Göttingen 2002

S. Owens: ›Great Diligence, Grace and Spirit‹, Maria Sibylla Merian, in: D. Attenborough u. a.: Amazing Rare Things, London 2007

M. Pfister-Burkhalter: Maria Sibylla Merian. Leben und Werk, Basel 1998

F. F. J. M. Pieters, D. Winthagen: Maria Sibylla Merian, naturalist and artist (1647-1717): a commemoration on the occasion of he 350th

anniversity of her birth, UvA 1999, http://hdl.handle.net/11245/1.
327018

E. Reitsma: Maria Sibylla Merian & Daughters. Women of Art and Science, Amsterdam 2008

V. Richter: Ereignis Frauenstudium. Frauen als Außenseiterinnen und Pionierinnen in der Wissenschaft, in: E. Wendler, A. Zwickies (Hg.): 100 Jahre Frauenstudium in Jena. Bilanz und Ausblick, Jena 2009

E. Rücker: Maria Sibylla Merian 1647-1717, Nürnberg 1967

Dies.: Maria Sibylla Merian. Ihr Wirken in Deutschland und Holland, Bonn 1980

K. Schmidt-Loske: Die Tierwelt der Maria Sibylla Merian (1647-1717). Arten, Beschreibungen und Illustrationen, Marburg/Lahn 2007

K. Schubert: Maria Sibylla Merian. Reise nach Surinam, München 2010

J. Stuldreher-Nienhus: Verborgen paradijzen. Het leven en de werken van Maria Sibylla Merian 1647-1717, Arnhem 1944

K. Wettengl: Von der Naturgeschichte zur Naturwissenschaft. Maria Sibylla Merian und die Frankfurter Naturalienkabinette des 18. Jahrhunderts, Frankfurt/M. 2003

Ders. (Hg.): Maria Sibylla Merian. Künstlerin und Naturforscherin 1647-1717, Ostfildern 2013

W. K. Zülch: Frankfurter Künstler 1223-1700, Frankfurt/M. 1967, unveränderter Nachdruck der Ausgabe 1935

Religion, Pietismus, Reformierte, Labadisten

M. Brecht (Hg.): Der Pietismus vom siebzehnten bis zum frühen achtzehnten Jahrhundert, Göttingen 1993

S. Brown (Hg.): Women, Gender and Radical Religion in Early Modern Europe, Leiden 2007

A. Deppermann: Johann Jakob Schütz und die Anfänge des Pietismus, Tübingen 2002

H. Lehmann, A.-Ch. Trepp (Hg.): Im Zeichen der Krise. Religiosität im Europa des 17. Jahrhunderts, Göttingen 1999

T. J. Saxby: The Quest for the New Jerusalem, Jean de Labadie and the Labadists, 1610-1744, Dordrecht 1987

A.-Ch. Trepp: Von der Glückseligkeit alles zu wissen. Die Erforschung der Natur als religiöse Praxis in der Frühen Neuzeit, Frankfurt/M. 2009

D. Vidal: Jean de Labadie (1610-1674). Passion mystique et esprit de Réforme, Grenoble 2009

Frankfurt/Main, Nürnberg, Kunst, Bürgerliche Gesellschaft

Frankfurt am Main – Die Geschichte der Stadt in neun Beiträgen, Hg. Frankfurter Historische Kommission, Sigmaringen 1991

K. Möseneder: Deutschland nach dem Dreißigjährigen Krieg: »Kunst hat ihren Namen von Können«, Erlangen 2000

J. R. Paas (Hg.): *der Franken Rom* – Nürnbergs Blütezeit in der zweiten Hälfte des 17. Jahrhunderts, Wiesbaden 1995

A. Schreurs (Hg.): Unter Minervas Schutz. Bildung durch Kunst in Joachim von Sandrarts *Teutscher Academie*, Wolfenbüttel 2012

K. Wettengl (Hg.): Georg Flegel 1566-1638, Stuttgart 1993

Amsterdam, Niederlande, Naturwissenschaft

Ph. Blom: Sammelwunder, Sammelwahn. Szenen aus der Geschichte einer Leidenschaft, München 2014

H. Brugmans: Geschiedenes van Amsterdam, Deel 3: Bloeitijd 1621/1697, Utrecht 1973

H. J. Cook: Matters of Exchange. Commerce, Medicine, and Science in the Dutch Golden Age, London 2007

J. Driessen: Tsaar Peter de Grote en zijn Amsterdamse vrienden, Utrecht 1996

J. I. Israel: The Dutch Republic. Its Rise, Greatness, and Fall 1477-1806, Oxford 1998

Kunstschrift: Over de kleinste dieren, 52. jaargang nr. 1, Amsterdam 2008

H. Lademacher. Geschichte der Niederlande, Politik, Verfassung, Wirtschaft, Darmstadt 1983

M. Lindemann: The Merchant Republics: Amsterdam, Antwerp, and Hamburg 1648-1790, Cambridge 2015

G. Mak: Amsterdam. Biographie einer Stadt, Berlin 1997

A. Rice: Der verzauberte Blick. Das Naturbild berühmter Expeditionen aus drei Jahrhunderten, München 2004

S. Schama: The Embarressment of Riches. An Interpretation of Dutch Culture in the Golden Age, New York 1997

D. O. Wijnands u. a.: Een Sieraad voor de Stad. De Amsterdamse Hortus Botanicus 1638-1993, Amsterdam 1994

Weibliche Künstler, Forscher, Dichter, Propheten, Gelehrte

M. Alic: Hypatias Töchter. Der verleugnete Anteil der Frauen an der Naturwissenschaft, Zürich 1991

M. de Baar, Schurman, Anna Maria van, in: Digitaal Vrouwenlexicon van Nederland. URL: http://resources.huygens.knaw.nl/vrouwen lexicon/lemmata/data/Schurman, Anna Maria van

B. Becker-Cantarino: Der lange Weg zur Mündigkeit. Frauen und Literatur in Deutschland von 1500 bis 1800, Stuttgart 1987

P. van Beek: The First Female University Student – Anna Maria van Schurman, Utrecht 2010

M. Berardi: Science into Art: Rachel Ruysch's Early Development as a Still-Life Painter, Pittsburgh 1998

S. Bracken u. a. (Hg): Women Patrons and Collectors, Newcastle upon Tyne 2012

M. H. Grant (Hg.): Rachel Ruysch 1664-1750, Leigh-on-Sea 1956

Ch. Haberlik, I. D. Mazzoni: 50 Klassiker – Künstlerinnen: Malerinnen, Bildhauerinnen und Photographinnen, 4. überarbeitete Auflage Hildesheim 2008

M. Heuser (Hg.): Autobiographien von Frauen. Beiträge zu ihrer Geschichte, Tübingen 1996

E. Kleinau, C. Opitz (Hg.): Geschichte der Mädchen- und Frauenbildung, Bd. 1 Vom Mittelalter bis zur Aufklärung, Frankfurt/M. 1996

E. Kloek u. a. (Hg.): Women of the Golden Age. An international debate on women in seventeenth-century Holland, England and Italy, Hilversum 1994

L. Kooijmans: Ruysch, Rachel, in: Digitaal Vrouwenlexicon van Nederland. URL: http://resources.huygens.knaw.nl/vrouwenlexicon /lemmata/data/Ruysch, Rachel

K. Lißmann (Tagungsbericht): Gender im Pietismus: Netzwerke und Geschlechterkonstruktion, Halle 2011. www.pietismus.uni-halle.d e/veranstaltungen/20111026b.pdf

L. Schiebinger: Schöne Geister. Frauen in den Anfängen der modernen Wissenschaft, Stuttgart 1993

M. Spang: Wenn sie ein Mann wäre. Leben und Werk der Anna Maria van Schurmann 1607-1678, Darmstadt 2009

U. Witt: Bekehrung, Bildung und Biographie. Frauen im Umkreis des Halleschen Pietismus, Halle 1996

Personenregister

Bildnachweis